红楼梦〈四〉

曹雪芹 高鹗 著

商務印書館

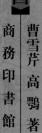

〈第玖拾壹回〉

縱淫心寶蟾工設計　布疑陣寶玉妄談禪

　　話說薛蝌正在狐疑，忽聽窗外一笑，唬了一跳，心中想道："不是寶蟾，定是金桂。只不理他們，看他們有什麼法兒。"聽了半日，卻又寂然無聲。自己也不敢吃那酒果，掩上房門，剛要脫衣時，只聽見窗紙上微微一響。薛蝌此時被寶蟾鬼混了一陣，心中七上八下，竟不知是如何是可。聽見窗紙微響，細看時又無動靜，自己反倒疑心起來，掩了懷，坐在燈前，呆呆的細想。又把那果子拿了一塊，翻來覆去的細看。猛回頭，看見窗上紙濕了一塊。走過來覷着眼看時，冷不防外面往裏一吹，把薛蝌唬了一大跳。聽得"吱吱"的笑聲，薛蝌連忙把燈吹滅了，屏息而臥。只聽外面一個人說道："二爺爲什麼不喝酒吃果子就睡了？"這句話仍是寶蟾的語音。薛蝌只不作聲妝睡。又隔有兩句話時，又聽得外面似有恨聲道："天下那裏有這樣沒造化的人！"薛蝌聽了是寶蟾又似是金桂的語音，這才知道他們原來是這一番意思。翻來覆去，直到五更後才睡着了。

　　剛到天明，早有人來扣門。薛蝌忙問是誰，外面也不答應。薛蝌只得起來，開了門看時，卻是寶蟾，攏着頭髮，掩着懷，穿一件片錦邊琵琶襟小緊身，上面繫一條松花綠半新的汗巾，下面並未穿裙，正露着石榴紅灑花夾褲，一雙新繡紅鞋。原來寶蟾尚未梳洗，恐怕人見，趕早來取家伙。薛蝌見他這樣打扮便走進來，心中又是一動，只得陪笑問道："怎麼這樣早就起來了？"寶蟾把臉紅着，並不答言，只管把果子折在一個碟子裏，端着就走。薛蝌見他這般，知是昨晚的原故，心裏想道："這也罷了。倒是他們惱了，索性死了心，也省得來纏。”于是把心放下，喚人舀水洗臉。自己打算在家裏靜坐兩天，一則養神，二則出去怕人找他。原來和薛蟠好的那些人，因見薛家無人，只有薛蝌在那裏辦事，年紀又輕，便生許多覬覦之心：也有想插在裏頭做跑腿的；也有得做狀子的，認得一二在役的，要給他上下打點的；甚至有叫他在內趁錢的；也有造作謠言恐嚇的，種種不一。薛蝌見了這些人，遠遠躲避，又不敢面辭，恐怕激出意外之變，只好藏在家中聽候轉詳，不在話下。

　　且説金桂昨夜打發寶蟾送了些酒果去探探薛蝌的消息，寶蟾回來，將薛蝌的光景述了一遍説了。金桂見事有些不大投機，便怕白鬧一場，反被寶蟾瞧不起；欲把兩三句話遮飾過口來，又可惜了這個人，心裏倒没了主意，是怔怔的坐着。那知寶蟾亦知薛蟠難以回家，正欲尋個頭路，因怕金桂拿他，所以不敢透漏。今見金桂所爲，先已開了端了，他便樂得順風使船，先弄薛蝌到手，不怕金桂不依，所以用言挑撥。見薛蝌似非無情，又不甚兜攬，也不敢造次。後來見薛蝌吹燈自睡，大覺掃興，回來告訴金桂，看金桂有甚方法，再作計較。及見金桂怔怔的，似乎無技可施，他也只得陪金桂收拾睡了。夜裏那裏睡得着？翻來覆去，想出一個法子來：不如明兒一早起來，先去取了家伙，却自己換上一兩件動人的衣服，梳洗，越顯出一番嬌媚來。只看薛蝌的神情，自己反倒妝出一番惱意，索性不理他。那人若有悔心，自然移船泊岸，不愁不先到手。及至見了薛蝌，仍是昨晚這般光景，並無邪意，自己只得以假爲真，端了碟子回來，却故意留下酒壺，以爲再來搭轉之地。只見金桂道：“你拿東西去，有人碰見麼？”寶蟾道：“没有。”“二爺也没問你什麼？”寶蟾道：“也没。”

　　金桂因一夜不曾睡着，也想不出一個法子來，只得回思道：“若作此事，別人可瞞，寶蟾如何能瞞？不如我分惠于他，他自然没有不盡心的。我又不能自去，少不得要他做腿脚，倒不如和他商量一個穩便主意。”因帶笑説道：“你看二爺到底是個怎麼樣的人？”寶蟾道：“倒像個糊塗人。”金桂聽了笑道：“你如何説起爺們來了？”寶蟾也笑道：“他辜負奶奶的心，我就説得他！”金桂道：“他怎麼辜負我的心？你倒得説説。”寶蟾道：“奶奶給他好東西吃，他倒不吃，這不是辜負奶奶的心麼？”説着，却把眼溜着金桂一笑。金桂道：“你別胡想。我給他送東西，爲大爺的事不辭勞苦，我所以敬他；又怕人説瞎話，所以叫你。你這些話向我説，我不懂是什麼意思。”寶蟾笑道：“奶奶別多心。我是跟奶奶的人，難道有兩個心麼？但是事情要密些，倘或聲張起來，不是頑的。”金桂也覺得臉飛紅了，便説道：“你這個丫頭，就不是個好貨！想來你心裏看上了，却拿我作筏子，是不是呢？”寶蟾道：“只是奶奶那麼想罷咧，我倒是替奶奶難受。奶奶要真瞧二爺好，我倒有個主意。依我想，奶奶想，那個耗子不偷油呢？他也不過怕事情不密，大家鬧出亂子來不好看。依我想，

當日寶蟾自去取了酒壺，仍是穩穩重重，一臉的正氣。薛蝌偷眼看了，反倒後悔，疑者是自己錯想了他們也未可知。

潘裕

性急，時常在他身上不周不備的去處，張羅張羅。他是個小叔子，又沒娶媳婦兒，就多盡點心兒，和他貼個好兒，別人也説不出什麼來。過幾天他感奶奶的情，他自謝候奶奶。那時奶奶再備點東西兒在咱們屋裏，我幫着奶奶灌醉了他，怕跑了他！不應，咱們索情鬧起來，就説他調戲奶奶。他害怕，他自然得順着咱們的手兒。他應，他也不是人，咱們也不至白丟了臉面，奶奶想，怎麼樣？"金桂聽了這話，兩頰紅暈了，笑罵道："小蹄子你倒偷過多少漢子的是的，怪不得大爺在家時，離不開寶蟾把嘴一撇，笑説道："罷喲！人家倒替奶奶拉縴，奶奶倒往我們説這個話咧！"，金桂一心籠絡薛蝌，倒無心混鬧了，家中也少覺安靜。當日寶蟾自去取了酒壺，穩穩重重，一臉的正氣。薛蝌偷眼看了，反倒後悔，疑心或者是自己錯想了他們也知。果然如此，倒辜負了他這一番美意，保不住日後倒要和自己也鬧起來，豈非自呢？過了兩天，甚覺安靜。薛蝌遇見寶蟾，寶蟾便低頭走了，連眼皮兒也不抬。遇見，金桂却一盆火兒的趕着。薛蝌見這般光景，反倒過意不去。這且不表。

且説寶釵母女覺得金桂幾天安靜，待人忽親熱起來，一家子都爲罕事。薛姨媽十分，想到必是薛蟠娶這媳婦沖冲犯了什麼，才敗壞了這幾年。目今鬧出這樣事來，虧裏有錢，賈府出力，方才有了指望。媳婦兒忽然安靜起來，或者是蟠兒轉過運氣來也未可知，于是自己心裏倒以爲希有之奇。這日飯後，扶了同貴過來，到金桂房裏瞧

偷眼看薛蝌臉上的氣 取去自斟寶蟾一壺酒了 日

瞧。走到院中，只聽一個男人和金桂説話。同貴知機，便説道："大奶奶，老太太過來
説着，已到門口，只見一個人影兒在房門後一躲。薛姨媽一嚇，倒退了出來。金桂道
太請裏頭坐，沒有外人。他就是我的過繼兄弟，本住在屯裏，不慣見人。因沒有見
太，今兒才來，還沒去請太太的安。"薛姨媽道："既是舅爺，不妨見見。"金桂叫兄弟
見了薛姨媽，作了一個揖，問了好。薛姨媽也問了好，坐下叙起話來。薛姨媽道："舅
京幾時了？"那夏三道："前月我媽沒有人管家，把我過繼來的。前日才進京，今日來
姐。"薛姨媽看那人不尷尬，于是略坐坐兒，便起身道："舅爺坐着罷。"回頭向金桂
"舅爺頭上末下的來，留在咱們這裏吃了飯再去罷。"金桂答應着，薛姨媽自去了。

金桂見婆婆去了，便向夏三道："你坐着。今日可是過了明路的了，省得我們二爺
你。我今日還叫你買些東西，只別叫衆人看見。"夏三道："這個交給我就完了。你要什
只要有錢，我就買得來。"金桂道："且別説嘴。你買上了當，我可不收。"説着，二人又
一回，然後金桂陪夏三吃了晚飯，又告訴他買的東西，又囑咐一回，夏三自去。從此
來不絶，雖有個年老的門上人，知是舅爺，也不常回。從此起出無限風波，這是後話不

一日，薛蟠有信寄回，薛姨媽打開叫寶釵看時，上寫：

> 男在縣裏也不受苦，母親放心。但昨日縣裏書辦説，府裏已經准詳，想是我們
> 了。豈知府裏詳上去，道裏反駁下來。虧得縣裏主文相公好，即刻做了回文頂上去了，
> 裏却把知縣申飭。現在道裏要親提，若一上去，又要吃苦，必是道裏沒有託到。母親見字
> 託人求道爺去。還叫兄弟快來，不然，就要解道。銀子短不得。火速，火速！

薛姨媽聽了，又哭了一場，自不必説。薛蝌一面勸慰，一面説道："事不宜遲。"薛姨
法，只得叫薛蝌到縣照料，命人即便收拾行李，兌了銀子。家人李祥本在那裏照應
薛蝌又同了一個當中夥計，連夜起程。那時手忙脚亂，雖有下人辦理，寶釵又恐他
想不到，親來幫着，直鬧至四更才歇。到底富家女子嬌養慣的，心上又急，又苦勞
會，晚上就發燒。到了明日，湯水都吃不下。鶯兒去回了薛姨媽，薛姨媽急來看時，
寶釵滿面通紅，身如爐灼，話都不説。薛姨媽慌了手脚，便哭得死去活來。寶琴扶
薛姨媽，秋菱也淚如泉涌，只管叫着。寶釵不能説話，手也不能搖動，眼干鼻塞。
醫調治，漸漸蘇醒回來，薛姨媽等大家略略放心。早驚動榮寧兩府的人。先是鳳姐
人送十香返魂丹來，隨後王夫人又送至寶丹來。賈母、邢、王二夫人以及尤氏等
丫頭來問候，却都不叫寶玉知道。一連治了七八天，終不見效。還是他自己想起冷子
吃了三丸，才得病好。後來寶玉也知道了，因病好了，沒有瞧去。

黛玉乘此機會説道："我便問你一句話，你如何回答？"寶玉盤着腿，合着手，閉着眼
着嘴，道："講來。"

潘裕

那時薛蟠又有信回來，薛姨媽看了，怕寶釵耽憂，也不叫他知道，自己來求王夫人，並
一會子寶釵的病。薛姨媽去後，王夫人又求賈政。賈政道："此事上頭可託，底下難託，
打點才好。"王夫人又提起寶釵的事來，因說道："這孩子也苦了。既是我家的人了，也
些娶了過來才是，別叫他遭塌壞了身子。"賈政道："我也是這麼想。但是他家亂忙，況
今到了冬底，已經年近歲逼，不無各自要料理些家務。今冬且放了定，明春再過禮。過
太太的生日，就定日子娶。你把這番話先告訴薛姨太太。"王夫人答應了。到了明日，
人將賈政的話向薛姨媽述了，薛姨媽想着也是。到了飯後，王夫人陪着來到賈母房中，
讓了坐。賈母道："姨太太才過來？"薛姨媽道："還是昨兒過來的。因為晚了，沒得過來
太太請安。"王夫人便把賈政昨夜所說的話向賈母述了一遍，賈母甚喜。說着，寶玉進
。賈母便問道："吃了飯沒有？"寶玉道："才打學房裏回來，吃了，要往學房裏去，先
老太太。又聽見說姨媽來了，過來給姨媽請請安。"因問："寶姐姐可大好了？"薛姨媽
："好了。"原來方才大家正說着，見寶玉進來，都煞住了。寶玉坐了坐，見薛姨媽情形
從前親熱。"雖是此刻沒有心情，也不犯大家都不言語"，滿腹猜疑，自往學中去了。
晚間回來，都見過了，便往瀟湘館來。掀簾進去，紫鵑接着。見裏間屋內無人，寶玉
'姑娘那裏去了？"紫鵑道："上屋裏去了。知道薛姨媽太太過來，姑娘請安去了。二爺
到上屋裏去麼？"寶玉道："我去了來的，沒有見你姑娘。"紫鵑道："這也奇了。"寶

玉問：「姑娘到底那裏去了？」紫鵑道：「不定。」寶玉往外便走，剛出屋門，只見黛玉雪雁，冉冉而來。寶玉道：「妹妹回來了。」縮身退步進來。黛玉進來，走入裏間屋內，寶玉裏頭坐。紫鵑拿了一件外罩換上，然後坐下。問道：「你上去看見姨媽沒有？」道：「見過了。」黛玉道：「姨媽說起我沒有？」寶玉道：「不但沒有說起你，連見了我也先時親熱。今日我問起寶姐姐病來，他不過笑了一笑，並不答言。難道怪我這兩天去瞧他麼？」黛玉笑了一笑道：「你去瞧過沒有？」寶玉道：「頭幾天不知道，這兩天了，也沒有去。」黛玉道：「可不是！」寶玉道：「老太太不叫我去，太太也不叫我去，老不叫我去，我如何敢去？若是像從前這扇小門走得通的時候，要我一天瞧他十趟難。如今把門堵了，要打前頭過去，自然不便了。」黛玉道：「他那裏知道這個原故。」道：「寶姐姐爲人是最體諒我的。」黛玉道：「你不要自己打錯了主意。若論寶姐姐，體諒，又不是姨媽病，是寶姐姐病。向來在園中做詩、賞花、飲酒，何等熱鬧，如今了，你看見他家裏有事了，他病到那步田地，你像沒事人一般，他怎麼不惱呢！」寶玉「這樣，難道寶姐姐便不和我好了不成？」黛玉道：「他和你好不好，我却不知，我也是照理而論。」寶玉聽了，瞪着眼呆了半晌。黛玉看見寶玉這樣光景，也不睬他，只己叫人添了香，又翻出書來，停看了一會。只見寶玉把眉一皺，把脚一跺，道：「我想人，生他做什麼！天地間沒有了我，倒也乾净！」黛玉道：「原是有了我，便有了人；人，便有無數的煩惱生出來：恐怖，顛倒，夢想，更有許多纏礙。才剛我說的都是頑話不過是看見姨媽沒精打彩，如何便疑到寶姐姐身上去？姨媽過來，原爲他的官司事心緒不寧，那裏還來應酬你？都是你自己心上胡思亂想，鑽入魔道裏去了。」

寶玉豁然開朗，笑道：「狠是，狠是。你的性靈，比我竟强遠了。怨不得前年我的時候，你和我說過幾句禪語，我實在對不上來。我雖丈六金身，還藉你一莖所化玉乘此機會說道：「我便問你一句話，你如何回答？」寶玉盤着腿，合着手，閉着眼，嘴，道：「講來。」黛玉道：「寶姐姐和你好，你怎麼樣？寶姐姐不和你好，你怎麼樣？姐前兒和你好，如今不和你好，你怎麼樣？今兒和你好，後來不和你好，你怎麼樣？他好，他偏不和你好，你怎麼樣？你不和他好，他偏要和你好，你怎麼樣？」寶玉呆响，忽然大笑道：「任憑弱水三千，我只取一瓢飲。」黛玉道：「瓢之漂水，奈何？」寶玉「非瓢漂水，水自流瓢自漂耳。」黛玉道：「水止珠沉，奈何？」寶玉道：「禪心已作沾泥莫向春風舞鷓鴣。」黛玉道：「禪門第一戒是不打誑語的。」寶玉道：「有如三寶。」黛頭不語。只聽見檐外老鴉「呱呱」的叫了幾聲，便飛向東南上去。寶玉不知主何吉凶玉道：「人有吉凶事，不在鳥音中。」忽見秋紋走來說道：「請二爺回去。老爺叫人到來問過，說二爺打學裏回來了沒有，襲人姐姐只說已經來了。快去罷。」嚇得寶玉身來，往外忙走，黛玉也不敢相留。未知何事，下回分解。

評女傳巧姐慕賢良

玩母珠賈政參聚散

〈第玖拾貳回〉

評女傳巧姐慕賢良

玩母珠賈政參聚散

　　話説寶玉從瀟湘館出來，連忙問秋紋道：“老爺叫我作什麼？”秋紋笑道：“没有叫，襲人姐姐叫我請二爺，我怕你不來，才哄你的。”寶玉聽了，才把心放下，因説：“你們請我也罷了，何苦來唬我？”説着，回到怡紅院内。襲人便問道：“你這好半天到那裏去了？”寶玉道：“在林姑娘那邊，説起薛姨媽寶姐姐的事來，便坐住了。”襲人又問道：“説些什麼？”寶玉將打禪語的話述了一遍。襲人道：“你們再没個計較。正經説些家常閑話兒，或講究些詩句，也是好的，怎麼又説到禪語上了？又不是和尚。”寶玉道：“你不知道，我們有我們的禪機，别人是插不下嘴去的。”襲人笑道：“你們參禪參翻了，又叫我們跟着打悶葫蘆了。”寶玉道：“頭裏我也年紀小，他也孩子氣，所以我説了不留神的話，他就惱了；如今我也留神，他也没有惱的了。只是他近來不常過來，我又念書，偶然到一處，好像生疏了是的。”襲人道：“原該這麼着才是。都長了幾歲年紀了，怎麼好意思還像小孩子時候的樣子？”寶玉點頭道：“我也知道，如今且不用説那個。我問你：老太太那裏打發人來説什麼來着没有？”襲人道：“没有説什麼。”寶玉道：“必是老太太忘了。明兒不是十一月初一日麼？年年老太太那裏必是個老規矩，要辦消寒會，齊打夥兒坐下喝酒説笑。我今日已經在學房裏告了假了。這會子没有信兒，明兒可是去不去呢？若去了呢，白白的告了假；若不去，老爺知道了，又説我偷懶。”襲人道：“據我説，你竟是去的是。才念的好些兒了，又想歇着，依我説也該上緊些才好。昨兒聽見太太説，蘭哥兒念書真好，他打學房裏回來，還各自念書作文章，每天晚上弄到四更多天才睡。你比他大多了，又是叔叔，倘或趕不上他，又叫老太太生氣，倒不如明兒早起去罷。"麝月道："這樣冷天，已經告了假，又去，倒叫學房裏説：既是告着就不該告假呀，顯見的是告謊假脱滑兒。依我説，落得歇一天。就是老太太忘記了，咱們這裏就不消寒了麼?咱們也鬧個會兒，不好麼?"襲人道："都是你起頭兒! 二爺也就不肯去了。"麝月道："我也是樂一天是一天，比不得你，要好名兒，使喚一個月，再添二兩銀子。"襲人啐道："小蹄子，人家説正經話，你又來胡拉混扯的了!"麝月道："我不是混拉扯，我是爲你。"襲人道："爲我什麼?"麝月道："二爺上學去了，你又該咕嘟着嘴想着，巴不得二爺早一刻兒回來，就有説有笑的了。這會子又假撇清，何苦呢! 我看見了。"襲人正要罵他，只見老太太那裏打發人來説道："老太太説了，叫二爺明兒不用上學去呢。明兒請了姨太太來給他解悶，只怕姑娘們都來家裏。史姑娘、邢姑娘、李姑娘們都請了，明兒來赴什麼消寒會呢。"寶玉沒有聽完，便喜歡道："可不是! 老太太最高興的。明日不上學，是過了明路的了。"襲人也便不言語了。那丫頭回去。

　　寶玉認真念了幾天書，巴不得頑這一天，又聽見薛姨媽過來，想着寶姐姐自然也來，心裏喜歡，便説："快睡罷，明日早些起來。"于是一夜無話。到了次日，果然一早到老太太那裏請

，又到賈政、王夫人那裏請了安。回明了老太太今兒不叫上學，賈政也没言語，便退出來。走了幾步，便一溜烟跑到賈母房中，見衆人都没來，只有鳳姐那邊的奶媽了巧姐兒，跟着幾個小丫頭過來，給老太太請了安，説："我媽媽先叫我來請安，陪太太説説話兒，媽媽回來就來。"賈母笑着道："好孩子，我一早就起來了，等他們來，只有你二叔叔來了。"那奶媽子便説："姑娘給你二叔叔請安。"寶玉也問了一
姐姐好？"巧姐兒道："我昨夜聽見我媽媽説，要請二叔叔去説話。"寶玉道："説什
？"巧姐兒道："我媽媽説，跟着李媽認了幾年字，不知道我認得不認得。我説都認
我認給媽媽瞧。媽媽説我瞎認，不信，説我一天盡子頑，那裏認得。我瞧着那些字也
緊，就是那《女孝經》也是容易念的。媽媽説我哄他，要請二叔叔得空兒的時候給
理。"賈母聽了笑道："好孩子，你媽媽是不認得字的，所以説你哄他。明兒叫你二
理給他瞧瞧，他就信了。"寶玉道："你認了多少字了？"巧姐兒道："認了三千多字，
一本《女孝經》，半個月頭裏又上了《列女傳》。"寶玉道："你念了，懂得嗎？你要不
我倒是講講這個你聽罷。"賈母道："做叔叔的也該講究給侄女兒聽聽。"寶玉道：
文王后妃，是不必説了，想來是知道的。那姜后脱簪待罪，齊國的無鹽雖醜，能安邦
，是后妃裏頭的賢能。若説有才的，是曹大姑、班婕妤、蔡文姬、謝道韞諸人。孟
荆釵布裙，鮑宣妻的提甕出汲，陶侃母的截髮留賓，還有畫荻教子的，這是不厭貧
邛苦的裏頭有樂昌公主破鏡重圓，蘇蕙的回文感主。那孝的是更多了，木蘭代父從
曹娥投水尋父的尸首等類也多，我也説不得許多。那個曹氏的引刀割鼻，是魏國的
。那守節的更多了。只好慢慢的講。若是那些艷的，王嫱、西子、樊素、小蠻、絳仙
户的是禿妾髮、怨洛神等類也少。文君、紅拂是女中的……"
賈母聽到這裏，説："够了，不用説了。你講的太多，他那裏還記得呢！"巧姐兒道："二
才説的，也有念過的，也有没念過的。念過的二叔叔一講，我更知道了好些。"寶玉
那字是自然認得的了，不用再理。明兒我還上學去呢。"巧姐兒道："我還聽見我媽媽
説，我們家的小紅，頭裏是二叔叔那裏的，我媽媽要了來，還没有補上人呢。我媽媽
要把什麼柳家的五兒補上，不知二叔叔要不要？"寶玉聽了更喜歡，笑着道："你聽你
的話，要補誰就補誰咧，又問什麼要不要呢。"因又向賈母笑道："我瞧大姐姐這個
樣兒，又有這個聰明兒，只將來比鳳姐姐還強呢，又比他認的字。"賈母道："女孩兒
得字呢也好，只是女工針黹倒是要緊的。"巧姐兒道："我也跟着劉媽媽學着做呢。什
花兒咧拉鎖子，我雖弄不好，却也學着會做幾針兒。"賈母道："咱們這樣人家，固然
着自己做，但只到底知些，日後才不受人家的拿捏。"巧姐兒答應着"是"，還要寶
説《列女傳》，見寶玉呆呆的，也不敢再説。你道寶玉呆的是什麼？只因柳五兒要進怡
頭一次是他病了，不能進來；第二次王夫人攆了晴雯，大凡有些姿色的都不敢挑。

後來又在吳貴家看晴雯去，五兒跟着他媽給晴雯送東西去，見了一面，更覺嬌娜娜今日虧得鳳姐想着叫他補入小紅的窩兒，竟是喜出望外了，所以呆呆的想他。

賈母等着那些人，見這時候還不來，又叫丫頭去請。回來李紈同着他妹子、探惜春、史湘雲、黛玉都來了。大家請了賈母的安，衆人廝見。獨有薛姨媽未到，賈母請去。果然姨媽帶着寶琴過來。寶玉請了安，問了好。只不見寶釵、邢岫烟二人。黛問起："寶姐姐爲何不來？"薛姨媽假説身上不好。邢岫烟知道薛姨媽在坐，所以寶玉雖見寶釵不來，心中納悶，因黛玉來了，便把想寶釵的心暫且擱開。不多時，开二夫人也來了。鳳姐聽見婆婆們先到了，自己不好落後，只得打發平兒先來告假，正要過來，因身上發熱，過一回兒就來。賈母道："既是身上不好，不來也罷。咱們候狠該吃飯了。"丫頭們把火盆往後挪了一挪兒，就在賈母榻前一溜擺下兩桌，大次坐下。吃了飯，依舊圍爐閑談，不須多贅。

且説鳳姐因何不來？頭裏爲着倒比邢、王二夫人遲了，不好意思；後來旺兒家

寶玉道："你認了多少字了？"巧姐兒道："認了三千多字，念了一本《女孝經》，半個裏又上了《列女傳》。"寶玉道："你念了，懂得嗎？你要不懂，我倒是講講這個你聽

潘裕鈺

：“迎姑娘那裏打發人來請奶奶安，還説並沒有到上頭，只到奶奶這裏來。”鳳姐聽
悶，不知又是什麽事，便叫那人進來，問：“姑娘在家好?”那人道：“有什麽好的! 奴
不是姑娘打發來的，實在是司棋的母親央我來求奶奶的。”鳳姐道：“司棋已經出去
爲什麽來求我?”那人道：“自從司棋出去，終日啼哭。忽然那一日他表兄來了，他母
了，恨得什麽是的，説他害了司棋，一把拉住要打。那小子不敢言語。誰知司棋聽
，急忙出來，老着臉和他母親道：‘我是爲他出來的，我也恨他沒良心。如今他來了，
打他，不如勒死了我。’他母親罵他：‘不害臊的東西! 你心裏要怎麽樣?’司棋説道：
個女人配一個男人。我一時失脚，上了他的當，我就是他的人了，決不肯再失身給
的。我恨他爲什麽這樣膽小，一身作事一身當，爲什麽要逃?就是他一輩子不來了，
一輩子不嫁人的。媽要給我配人，我原拚着一死的。今兒他來了，媽問他怎麽樣。
他不改心，我在媽跟前磕了頭，只當是我死了，他到那裏，我跟到那裏，就是討飯
是願意的。’他媽氣得了不得，便哭着罵着説：‘你是我的女兒，我偏不給他，你敢
着我?’那知道，那司棋這東西糊塗，便一頭撞在牆上，把腦袋撞破，鮮血直流，竟死
他媽哭着，救不過來，便要叫那小子償命。他表兄也奇：‘你們不用着急，我在外頭
了財，因想着他才回來的，心也算是真了。你們若不信，只管瞧。’説着，打懷裏掏
匣子金珠首飾來。他媽媽看見了，便心軟了，説：‘你既有心，爲什麽總不言語?’他
道：“大凡女人都是水性楊花，我若説有錢，他便是貪圖銀錢了;如今他爲人，就
得的。我把金珠給你們，我去買棺盛殮他。’那司棋的母親接了東西，也不顧女孩
，便由着外甥去。那裏知道他外甥叫人抬了兩口棺材來。司棋的母親看見咤異説：
麽棺材要兩口?’他外甥笑道：‘一口裝不下，得兩口才好。’司棋的母親見他外甥又
，只當是他心疼的傻了。豈知他忙着把司棋收拾了，也不啼哭，眼錯不見把帶的小
往脖子裏一抹，也就抹死了。司棋的母親懊悔起來，倒哭得了不得。如今坊上知道
要報官。他急了，央我來求奶奶説個人情，他再過來給奶奶磕頭。”鳳姐聽了咤異道：
有這樣傻丫頭，偏偏的就碰見這個傻小子! 怪不得那一天翻出那些東西來，他心裏
人似的，敢只是這麽個烈性孩子。論起來，我也沒這麽大工夫管他這些閑事，但只
説的，叫人聽着怪可憐見兒的。也罷了，你回去告訴他，我和你二爺説，打發旺兒
撕撂就是了。”鳳姐打發那人去了，才過賈母這邊來，不提。

且説賈政這日正與詹光下大棋，通局的輸贏也差不多，單爲着一只角兒，死活未
在那裏打結。門上的小厮進來回道：“外面馮大爺要見老爺。”賈政道：“請進來。”小
去請了，馮紫英走進門來，賈政即忙迎着。馮紫英進來，在書房中坐下，見是下棋，
：“只管下棋，我來觀局。”詹光笑道：“晚生的棋是不堪瞧的。”馮紫英道：“好説，請
。”賈政道：“有什麽事麽?”馮紫英道：“沒有什麽話，老伯只管下棋，我也學幾着

兒。"賈政向詹光道："馮大爺是我們相好的，既沒事，我們索性下完了這一局再說話
馮大爺在旁邊瞧着。"馮紫英道："下采不下采？"詹光道："下采的。"馮紫英道："下
是不好多嘴的。"賈政道："多嘴也不妨，橫竪他輸了十來兩銀子，終久是不拿出來
往後只好罰他做東便了。"詹光笑道："這倒使得。"馮紫英道："老伯和詹公對下麼
政笑道："從前對下，他輸了；如今讓他兩個子兒，他又輸了。時常還要悔幾着，不
悔，他就急了。"詹光也笑道："沒有的事。"賈政道："你試試瞧。"大家一面說笑，一
完了，做起棋來，詹光還了棋頭，輸了七個子兒。馮紫英道："這盤終吃虧在打結裏
老伯結少，就便完了。"

賈政對馮紫英道："有罪，有罪，咱們說話兒罷。"馮紫英道："小侄與老伯久不見
一來會會，二來因廣西的同知進來引見，帶了四種洋貨，可以做得貢的。一件是圍
有二十四扇槅子，都是紫檀雕刻的。中間雖說不是玉，却是絕好的硝子石，石上鏤
水、人物、樓臺、花鳥等物，一扇上有五六十個人，都是宮妝的女子，名爲'漢宮春
人的眉目口鼻以及出手衣褶，刻得又清楚，又細膩，點綴布置都是好的。我想尊府
園中正廳上却可用得着。還有一個鐘錶，有三尺多高，也是一個小童兒拿着時辰牌
了什麼時候，他就報什麼時辰，裏頭也有些人在那裏打十番的。這是兩件重笨的，
沒有拿來。現在我帶在這裏兩件，却有些意思兒。"就在身邊拿出一個錦匣子，見
白綿裹着，揭開了綿子，第一層是一個玻璃盒子，裏頭金托子，大紅縐綢托底，上
一顆桂圓大的珠子，光華耀目。馮紫英道："據說這就叫做母珠。"因叫拿一個盤兒
詹光即忙端過一個黑漆茶盤，道："使得麼？"馮紫英道："使得。"便又向懷裏掏出
白絹包兒，將包兒裹的珠子都倒在盤裏散着，把那顆母珠擱在中間，將盤置於桌上
見那些小珠子兒，滴溜滴溜都滾到大珠身邊來，一回兒把這顆大珠子抬高了，別處
珠子一顆也不剩，都粘在大珠上。詹光道："這也奇怪。"賈政道："這是有的，所以
母珠，原是珠之母。"那馮紫英回頭看着他跟來的小廝道："那個匣子呢？"那小廝
捧過一個花梨木匣子來。大家打開看時，原來匣內襯着虎紋錦，錦上疊着一束藍紗
光道："這是什麼東西？"馮紫英道："這叫做鮫綃帳。"在匣子裏拿出來時，疊得長
五寸，厚不上半寸。馮紫英一層一層的打開，打到十來層，已經桌上鋪不下了。馮
道："你看裏頭還有兩摺，必得高屋裏去才張得下。這就是鮫絲所織，暑熱天氣，張
屋裏頭，蒼蠅蚊子一個不能進來，又輕又亮。"賈政道："不用全打開，怕疊起來倒費便與馮紫英一層一層摺好收拾。馮紫英道："這四件東西，價兒也不狠貴，兩萬銀賣。母珠一萬，鮫綃帳五千，'漢宮春曉'與自鳴鐘五千。"賈政道："那裏買得起！"英道："你們是個國戚，難道宮裏頭用不着麼？"賈政道："用得着的狠多，只是那裏些銀子？等我叫人拿進去給老太太瞧瞧。"馮紫英道："狠是。"

賈政便着人叫賈璉把這兩件東西送到老太太那邊去，並叫人請了邢、王二夫人、鳳都來瞧着，又把兩樣東西一一試過。賈璉道："他還有兩件：一件是圍屏，一件是樂共總要賣二萬銀子呢。"鳳姐兒接着道："東西自然是好的，但是那裏有這些閑錢？又不比外任督撫要辦貢。我已經想了好些年了，像咱們這種人家，必得置些不動根基才好。或是祭地，或是義莊，再置些墳屋，往後子孫遇見不得意的事，還是點子，不到一敗塗地。我的意思是這樣，不知老太太、老爺、太太們怎麼樣？若是外頭們要買，只管買。"賈母與衆人都說："這話說的倒也是。"賈璉道："還了他罷。原是叫我送給老太太瞧，爲的是宮裏好進，誰說買來擱在家裏？老太太還沒開口，你便一大些喪氣話。"說着，便把兩件東西拿了出去，告訴了賈政只老太太不要，便與英道："這兩件東西好可好，就只沒銀子。我替你留心，有要買的人，我便送信給你馮紫英只得收拾好，坐下說些閑話，沒有興頭，就要起身。賈政道："你在我這裏吃飯去罷。"馮紫英道："罷了，來了就叨擾老伯嗎？"賈政道："說那裏的話。"正說着，

現母珠賈政參聚散

人回大老爺來了。賈赦早已進來，彼此相見，叙些寒溫。不一時，擺上酒來，看饌羅
大家喝着。酒至四五巡後，説起洋貨的話，馮紫英道：「這種貨本是難消的，除非要
府這種人家，還可消得，其餘就難了。」賈政道：「這也不見得。」賈赦道：「我們家裏
不得從前了，這回兒也不過是個空門面。」馮紫英又問：「東府珍大爺可好麼？我前
他説起家常話兒來，提到他令郎續娶的媳婦，遠不及頭裏那位秦氏奶奶了。如今
的到底是那一家的，我也沒有問起。」賈政道：「我們這個姪孫媳婦兒，也是這裏
從前做過京畿道的胡老爺的女孩兒。」紫英道：「胡道長我是知道的，但是他家教
不怎麼樣。也罷了，只要姑娘好就好。」

賈璉道：「聽得内閣裏人説起，賈雨村又要升了。」賈政道：「這也好，不知准不
賈璉道：「大約有意思的了。」馮紫英道：「我今兒從吏部裏來，也聽見這樣説。雨村
生是貴本家不是？」賈政道：「是。」馮紫英道：「是有服的，還是無服的？」賈政道：「
話長。他原籍是浙江湖州府人，流寓到蘇州，甚不得意。有個甄士隱和他相好，時
濟他。已後中了進士，得了榜下知縣，便娶了甄家的丫頭，如今的太太不是正配。
甄士隱弄到零落不堪，沒有找處。雨村革了職以後，那時還與我家並未相識，只因
丈林如海林公在揚州巡鹽的時候，請他在家做西席，外甥女兒是他的學生。因他有
的信要進京來，恰好外甥女兒要上來探親，林姑老爺便託他照應上來的，還有一封
託我吹噓吹噓。那時看他不錯，大家常會。豈知雨村也奇，我家世襲起，從‘代’字
來，寧榮兩宅人口房舍以及起居事宜，一概都明白，因此遂覺得親熟了。」因又笑説
「幾年間，門子也會鑽了，由知府推升轉了御史，不過幾年，升了吏部侍郎，署兵部尚
爲着一件事，降了三級，如今又要升了。」馮紫英道：「人世的榮枯，仕途的得失，終
定。」賈政道：「像雨村算便宜的了。還有我們差不多的人家，就是甄家，從前一樣功
一樣的世襲，一樣的起居，我們也是時常往來。不多幾年，他們進京來，差人到我
請安，狠還熱鬧。一回兒抄了原籍的家財，至今杳無音信，不知他近况若何，心下
實惦記。看了這樣，你想做官的怕不怕？」賈赦道：「咱們家是最没有事的。」馮紫英
「果然尊府是不怕的。一則裏頭有貴妃照應；二則故舊好，親戚多；三則你家自老
起，至于少爺們，没有一個刁鑽刻薄的。」賈政道：「雖無刁鑽刻薄，却也没有德行才
白的衣租食税，那裏當得起！」賈赦道：「咱們不用説這些話，大家吃酒罷。」大家又
幾杯，擺上飯來。吃畢，喝茶。馮家的小廝走來，輕輕的向紫英説了一句，馮紫英便
辭了。賈赦、賈政道：「你説什麼？」小廝道：「外面下雪，早已下了梆子了。」賈政
時，已是雪深一寸多了。賈政道：「那兩件東西，你收拾好了麼？」馮紫英道：「收好
尊府要用，價錢還自然讓些。」賈政道：「我留神就是了。」紫英道：「我再聽信罷。天氣
請罷，别送了。」賈赦、賈政便命賈璉送了出去。未知後事如何，下回分解。

第玖拾叁回

甄家僕投靠賈家門 水月庵掀翻風月案

却説馮紫英去後，賈政叫門上的人來吩咐道：“今兒臨安伯那裏來請吃酒，知道是什麼事？”門上的人道：“奴才曾問過，並沒有什麼喜慶事。不過南安王府裏到了一班小戲子，都説是個名班，伯爺高興，唱兩天戲，請相好的老爺們瞧瞧，熱鬧熱鬧。大約不用送禮的。”説着，賈赦過來問道：“明兒二老爺去不去？”賈政道：“承他親熱，怎麼好不去的？”説着，門上進來回道：“衙門裏書辦來請老爺明日上衙門，有堂派的事，必得早些去。”賈政道：“知道了。”説着，只見兩個管屯裏地租子的家人走來，請了安，磕了頭，旁邊站着。賈政道：“你們是郝家莊的？”兩個答應了一聲，賈政也不往下問，竟與賈赦各自説了一回話兒，散了。家人等秉着手燈，送過賈赦去。這裏賈璉便叫那管租的人道：“説你的。”那人説道：“十月裏的租子，奴才已經趕上來了。原是明兒可到，誰知京外拿車，把車上的東西，不由分説都掀在地下。奴才告訴他説是府裏收租子的車，不是買賣車，他更不管這些。奴才叫車夫只管拉着走，幾個衙役就把車夫混打了一頓，硬扯了兩輛車去了，奴才所以先來回報。求爺打發個人到衙門裏去，要了來才好。再者，也整治整治這些無法無天的差役才好。爺還不知道呢，更可憐的是那買賣車，客商的東西全不顧，掀下來趕着就走。那些趕車的但説句話，打的頭破血出的。”賈璉聽了，罵道：“這個還了得！”

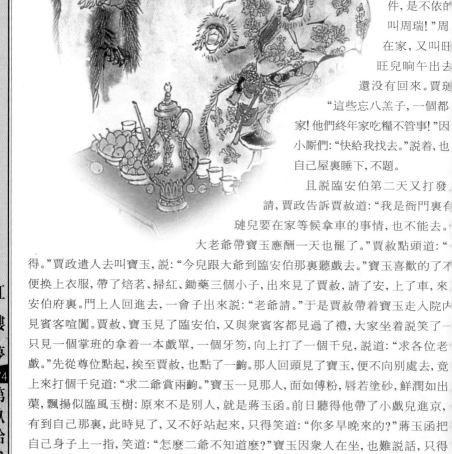

立刻寫了一個帖兒
家人:"拿去向拿
衙門裏要車去
上東西,若少
件,是不依的
叫周瑞!"周
在家,又叫旺
旺兒晌午出去
還沒有回來。賈璉
"這些忘八羔子,一個都
家!他們終年家吃糧不管事!"因
小廝們:"快給我找去。"說着,也
自己屋裏睡下,不題。
　且說臨安伯第二天又打發
請,賈政告訴賈赦道:"我是衙門裏有
璉兒要在家等候拿車的事情,也不能去。
大老爺帶寶玉應酬一天也罷了。"賈赦點頭道:"

得。"賈政遣人去叫寶玉,說:"今兒跟大爺到臨安伯那裏聽戲去。"寶玉喜歡的了不
便換上衣服,帶了焙茗、掃紅、鋤藥三個小子,出來見了賈赦,請了安,上了車,來
安伯府裏。門上人回進去,一會子出來說:"老爺請。"于是賈赦帶着寶玉走入院內
見賓客喧闐。賈赦、寶玉見了臨安伯,又與衆賓客都見過了禮,大家坐着說笑了
只見一個掌班的拿着一本戲單,一個牙笏,向上打了一個千兒,說道:"求各位老
戲。"先從尊位點起,挨至賈赦,也點了一齣。那人回頭見了寶玉,便不向別處去,竟
上來打個千兒道:"求二爺賞兩齣。"寶玉一見那人,面如傅粉,唇若塗砂,鮮潤如出
藥,飄揚似臨風玉樹:原來不是別人,就是蔣玉函。前日聽得他帶了小戲兒進京,
有到自己那裏,此時見了,又不好站起來,只得笑道:"你多早晚來的?"蔣玉函把
自己身子上一指,笑道:"怎麼二爺不知道麼?"寶玉因衆人在坐,也難說話,只得
點了一齣。蔣玉函去了,便有幾個議論道:"此人是誰?"有的說:"他向來是唱小旦
如今不肯唱小旦,年紀也大了,就在府裏掌班,頭裏也改過小生。他也攢了好幾個
家裏已經有兩三個鋪子,只是不肯放下本業,原舊領班。"有的說:"想必成了家了
的說:"親還沒有定,他倒掌一個主意,說是人生配偶,關係一生一世的事,不是
得的。不論尊卑貴賤,總要配的上他的才能。所以到如今還並沒娶親。"寶玉暗忖度

知日後誰家的女孩兒嫁他?要嫁着這樣的人材兒,也算是不辜負了。」

那時開了戲,也有昆腔,也有高腔,也有弋腔、梆子腔,做得熱鬧。過了晌午,便擺酒吃酒。又看了一回,賈赦便欲起身。臨安伯過來留道:「天色尚早,聽見説蔣玉函一齣《占花魁》,他們頂好的首戲。」寶玉聽了,巴不得賈赦不走,于是賈赦又坐了一果然蔣玉函扮着秦小官,伏侍花魁醉後神情,把這一種憐香惜玉的意思,做得極情以後對飲對唱,纏綿繾綣。寶玉這時不看花魁,只把兩支眼睛獨射在秦小官身上。蔣玉函聲音響亮,口齒清楚,按腔落板,寶玉的神魂都唱了進去。直等這齣戲進更知蔣玉函是情種,非尋常戲子可比。因想着《樂記》上説的是:「情動于中,故聲;聲成文,謂之音。」所以知聲,知音、知樂,有許多講究。聲音之原,不可不察。詩道,但能傳情,不能入骨,自後想要講究講究音律……寶玉想出了神,忽見賈赦起主人不及相留。寶玉没法,只得跟了回來。

到了家中,賈赦自回那邊去了。寶玉來見賈政。賈政才下衙門,正向賈璉問起拿車。賈璉道:「今兒叫人拿帖兒去,知縣不在家。他的門上説了:『這是本官不知道的,牌票出去拿車,都是那些混眼東西在外頭撒野擠訛頭。既是老爺府裏的,我便立刻去追辦,包管明兒連車連東西一併送來。如有半點差遲,再行稟過本官,重重處治。本官不在家,求這裏老爺看破些,可以不用本官知道更好。』」賈政道:「既無官票,是何等樣人在那裏作怪?」賈璉道:「老爺不知,外頭都是這樣。想來明兒必定送來賈璉説完下來。寶玉上去見了,賈政問了幾句,便叫他往老太太那裏去。賈璉因爲叫空了家人,出來傳喚,那起人多已伺候齊全。賈璉罵了一頓,叫大管家賴升:「將檔的花名册子拿來,你去查點查點,寫一張諭帖叫那些人知道:若有並未告假私自,傳喚不到貽誤公事的,立刻給我打了攆出去!」賴升連忙答應了幾個「是」,出來了一回,家人各自留意。

過不幾時,忽見一個人,頭上戴着氈帽,身上穿着一身青布衣裳,脚下穿着一雙,走到門上,向衆人作了個揖。衆人拿眼上上下下打諒了他一番,便問他是那裏來那人道:「我自南邊甄府中來的,並有家老爺手書一封,求這裏的爺們呈上尊老爺。」聽見他是甄府來的,才站起來讓他坐下道:「你乏了,且坐坐。我們給你回就是了。」一面進來回明賈政,呈上來書。賈政拆書看時,上寫着:

　　世交夙好,氣誼素敦,遙仰禧帷,不勝依切。弟因菲材獲譴,自分萬死難償,幸邀寬宥,待罪邊隅。迄今門戶凋零,家人星散。所有奴子包勇,向曾使用,雖無奇技,人尚愨實。倘使得備奔走,餬口有資,屋烏之愛,感佩無涯矣。專此奉達,餘容再叙,不宣。

看完,笑道:「這裏正因人多,甄家倒薦人來,又不好却的。」吩咐門上:「叫他見我,他住下,因材使用便了。」門上出去,帶進人來。見賈政便磕了三個頭,起來道:「家老爺請老爺安。」自己又打個千兒説：「包勇請老爺安。」賈政回問了甄老爺的好，便上下一瞧。但見包勇身長五尺有零，肩背寬肥，濃眉爆眼，磕額長髯，氣色粗黑，垂着。便問道：「你是向來在甄家的，還是住過幾年的？」包勇道：「小的向在甄家的。」道：「你如今爲什麼要出來呢？」包勇道：「小的原不肯出來，只是家爺再四叫小的出來是別處你不肯去，這裏老爺家裏只當原在自己家裏一樣的。所以小的來的。」賈政道們老爺不該有這事情，弄到這樣的田地。」包勇道：「小的本不敢説，我們老爺只是了，一味的真心待人，反倒招出事來。」賈政道：「真心是最好的了。」包勇道：「因爲了，人人都不喜歡，討人厭煩是有的。」賈政笑了一笑道：「既這樣，皇天自然不負他包勇還要説時，賈政又問道：「我聽見説，你們家的哥兒不是也叫寶玉麼？」包勇道：「賈政道：「他還肯向上巴結麼？」包勇道：「老爺若問我們哥兒，倒是一段奇事。哥兒的也和我家老爺一個樣子，也是一味的誠實，從小兒只管和那些姐妹們在一處頑，老太也狠打過幾次，他只是不改。那一年太太進京的時候兒，哥兒大病了一場，已經死日，把老爺幾乎急死，裝裹都預備了。幸喜後來好了，嘴裏説道：走到一座牌樓那裏，一個姑娘，領着他到一座廟裏，見了好些櫃子，裏頭見了好些冊子。又到屋裏見了無子，説是多變了鬼怪似的，也有變做骷髏兒的。他嚇急了，便哭喊起來。老爺知他醒了，連忙調治，漸漸的好了。老爺仍叫他在姐妹們一處頑去，他竟改了脾氣了，好着的頑意兒一概都不要了，惟有念書爲事。就有什麼人來引誘他，他也全不動心。如今的能夠幫着老爺料理些家務了。」賈政默然想了一回，道：「你去歇歇去罷。等這裏用時，自然派你一個行次兒。」包勇答應着退下來，跟着這裏人出去歇息，不提。

　　一日賈政早起，剛要上衙門，看見門上那些人在那裏交頭接耳，好像要使賈政的的，又不好明回，只管咕咕唧唧的説話。賈政叫上來問道：「你們有什麼事，這鬼祟祟的？」門上的人回道：「奴才們不敢説。」賈政道：「有什麼事不敢説的？」門上道：「奴才今兒起來，開門出去，見門上貼着一張白紙，上寫着許多不成事體的字政道：「那裏有這樣的事！寫的是什麼？」門上的人道：「是水月庵裏的腌臢話。」賈「拿給我瞧。」門上的人道：「奴才本要揭下來，誰知他貼得結實，揭不下來，只得一面一面洗。剛才李德揭了一張給奴才瞧，就是那門上貼的話。奴才們不敢隱瞞。」説着上那帖兒。賈政接來看時，上面寫着：

　　　　西貝草斤年紀輕，水月庵裏管尼僧。一個男人多少女，窩娼聚賭是陶情。不肖
　　來辦事，榮國府内出新聞。

寶玉一見那人，面如傅粉，唇若塗砂，鮮潤如出水芙蕖，飄揚似臨風玉樹：原來不是～
就是蔣玉函。

潘裕鑫

賈政看了，氣得頭昏目暈，趕着叫門上的人不許聲張，悄悄叫人往寧榮兩府靠近的房子牆壁上再去找尋。隨即叫人去喚賈璉出來。賈璉即忙趕至。賈政忙問道："水月庵寄居的那些女尼女道，向來你也查考查考過沒有？"賈璉道："沒有。一向都是芹兒那裏照管。"賈政道："你知道芹兒照管得來照管不來？"賈璉道："老爺既這麼説，想芹兒必有不妥當的地方兒。"賈政嘆道："你瞧瞧這個帖兒寫的是什麼！"賈璉一看，"有這樣事麼！"正説着，只見賈蓉走來，拿着一封書子，寫着"二老爺密啓"。打開看也是無頭榜一張，與門上所貼的話相同。賈政道："快叫賴大帶了三四輛車子到水月庵裏去，把那些女尼女道士一齊拉回來。不許泄漏，只説裏頭傳喚。"賴大領命去了。

且説水月庵中小女尼女道士等初到庵中，沙彌與道士原係老尼收管，日間教他們念念經懺，已後元妃不用，也便習學得懶怠了。那些女孩子們年紀漸漸的大了，都也有知覺了，更兼賈芹也是風流人物，打量芳官等出家，只是小孩子性兒，便去招惹她們。那知芳官竟是真心，不能上手，便把這心腸移到女尼女道士身上。因那小沙彌有個名叫沁香的，和女道士中有個叫做鶴仙的，長得都甚妖嬈，賈芹便和這兩個人好上了，閑時便學些絲絃，唱個曲兒。那時正當十月中旬，賈芹給庵中那些人領了月銀子，便想起法兒來，告訴衆人道："我為你們領月錢，不能進城，又只得在這裏，怪冷的。怎麼樣？我今兒帶些果子酒，大家吃着樂一夜，好不好？"那些女孩子都

高興，便擺起桌子，連本庵的女尼也叫了來，惟有芳官不來。賈芹喝了幾杯，便說行令。沁香等道："我們都不會，倒不如搳拳罷。誰輸了喝一杯，豈不爽快？"本庵尼道："這天剛過晌午，混嚷混喝的，不像。且先喝幾鍾，愛散的先散去，誰愛陪□□的，回來晚上盡子喝去，我也不管。"正說着，只見道婆急忙進來說："快散了罷，□□賴大爺來了。"眾女尼忙亂收拾，便叫賈芹躲開。賈芹因多喝了幾杯，便道："我是□□錢來的，怕什麼？"話猶未完，已見賴大進來，見這般樣子，心裏大怒。爲的是賈政□不許聲張，只得含糊裝笑道："芹大爺也在這裏呢麼？"賈芹連忙站起來道："賴大□你來作什麼？"賴大說："大爺在這裏更好。快快叫沙彌道士收拾上車進城，宮□呢。"賈芹等不知原故，還要細問。賴大說："天已不早了，快快的好趕進城。"眾女□只得一齊上車。賴大騎着大走騾，押着趕進城。不題。

　　却說賈政知道這事，氣得衙門也不能上了，獨坐在內書房嘆氣。賈璉也不敢□忽見門上的進來稟道："衙門裏今夜該班是張老爺，因張老爺病了，有知會來請老□一班。"賈政正等賴大回來要辦賈芹，此時又要該班，心裏納悶，也不言語。賈璉走□說道："賴大是飯後出去的，水月庵離城二十來里，就趕進城也得二更天。今日又□爺的幫班，請老爺只管去。賴大來了，叫他押着，也別聲張，等明兒老爺回來再發落□或芹兒來了，也不用說明，看他明兒見了老爺怎麼樣說。"賈政聽來有理，只得上□了。賈璉抽空才要回到自己房中，一面走着，心裏抱怨鳳姐出的主意，欲要埋怨□病着，只得隱忍，慢慢的走着。

　　且說那些下人，一人傳十，傳到裏頭，先是平兒知道，即忙告訴鳳姐。鳳姐因□夜不好，懨懨的總沒精神，正是惦記鐵檻寺的事情。聽說"外頭貼了匿名揭帖"的□話，嚇了一跳，忙問："貼的是什麼？"平兒隨口答應，不留神，就錯說了，道："沒要緊□饅頭庵裏的事情。"鳳姐本是心虛，聽見"饅頭庵的事情"，這一唬直唬怔了，一句□說出來，急火上攻，眼前發暈，咳嗽了一陣，"哇"的一聲，吐出一口血來。平兒慌□道："水月庵裏不過是女沙彌女道士的事，奶奶着什麼急？"鳳姐聽是水月庵，才定□神，說道："呸，糊塗東西！到底是水月庵呢，是饅頭庵？"平兒笑道："是我頭裏錯□是饅頭庵，後來聽見不是饅頭庵，是水月庵。我剛才也說溜了嘴，說成饅頭庵了。"□道："我就知道是水月庵，那饅頭庵與我什麼相干。原是這水月庵是我叫芹兒管的□

正說着，只見道婆急忙進來說："快散了罷，府裏賴大爺來了。"眾女尼忙亂收拾，便□芹躲開。賈芹因多喝了幾杯，便道："我是送月錢來的，怕什麼？"話猶未完，已見賴□來，見這般樣子，心裏大怒。爲的是賈政吩咐不許聲張，只得含糊裝笑道："芹大爺也在這裏呢麼？"賈芹連忙站起來道："賴大爺，你來作什麼？"賴大說："大爺在這裏更好快叫沙彌道士收拾上車進城，宮裏傳呢。"

戴敦邦

約刻扣了月錢。"平兒道："我聽着不像月錢的事，還有些腌臢話呢。"鳳姐道："我更□那個。你二爺那裏去了?"平兒說："聽見老爺生氣，他不敢走開。我聽見事情不好，□咐這些人不許吵嚷，不知太太們知道了麼?但聽見說老爺叫賴大拿這些女孩子去了□叫個人前頭打聽打聽，奶奶現在病着，依我竟先別管他們的閑事。"正說着，只見賈□來。鳳姐欲待問他，見賈璉一臉的怒氣，暫且裝作不知。

　　賈璉飯沒吃完，旺兒來說："外頭請爺呢，賴大回來了。"賈璉道："芹兒來了沒□旺兒道："也來了。"賈璉便道："你去告訴賴大，說老爺上班兒去了，把這些個女孩□且收在園裏，明日等老爺回來送進宮去。只叫芹兒在內書房等着我。"旺兒去了。賈□進書房，只見那些下人指指點點不知說什麼，看起這個樣兒來，不像宮裏要人。想□人，又問不出來。正在心裏疑惑，只見賈璉走出來，賈芹便請了安，垂手侍立，說道："□知道娘娘宮裏即刻傳那些孩子們做什麼?叫侄兒好趕! 幸喜侄兒今兒送月錢去，還□走，便同着賴大來了。二叔想來是知道的。"賈璉道："我知道什麼?你才是明白的呢!□芹摸不着頭腦兒，也不敢再問。賈璉道："你幹得好事! 把老爺都氣壞了。"賈芹道："□沒有幹什麼。庵裏月錢是月月給的，孩子們經懺是不忘記的。"賈璉見他不知，又是□常在一處頑笑的，便嘆口氣道："打嘴的東西，你各自去瞧瞧罷!"便從靴掖兒裏頭□那個揭帖來，扔與他瞧。賈芹拾來一看，嚇得面如土色，說道："這是誰幹的?我並沒□人，爲什麼這麼坑我! 我一月送錢去，只走一趟，並沒有這些事。若是老爺回來打着問□侄兒便該死了。我母親知道，更要打死。"說着，見沒人在旁邊，便跪下去說道："好□救我一救兒罷! "說着，只管磕頭，滿眼淚流。賈璉想道："老爺最惱這些，要是問准□這些事，這場氣也不小，鬧出去也不好聽，又長那個貼帖兒的人的志氣，將來咱□事多着呢。倒不如趁着老爺上班兒，和賴大商量着，若混過去就可以沒事了，現在□對證。"想定主意，便說："你別瞞我，你幹的鬼鬼祟祟的事，你打諒我都不知道呢!□完事就是老爺打着問你，你一口咬定沒有才好。沒臉的，起去罷! "叫人去喚賴大。□時，賴大來了，賈璉便與他商量。賴大說："這芹大本來鬧的不像，奴才今兒到□的時候，他們正在那裏喝酒呢。帖兒上的話，是一定有的。"賈璉道："芹兒你聽，賴□賴你不成?"賈芹此時紅漲了臉，一句也不敢言語。還是賈璉拉着賴大，央他："護庇□罷，只說賈芹哥兒在家裏找來的。你帶了他去，只說沒見我。明日你求老爺，也不□那些女孩子了，竟是叫了媒人來領了去，一賣完事。果然娘娘再要的時候兒，咱□買。"賴大想來鬧也無益，且名聲不好，就應了。賈璉叫賈芹："跟了賴大爺去罷，聽□教你，你就跟着他說罷。"賈芹又磕了一個頭，跟着賴大出去，到了沒人的地方，□賴大磕頭。賴大說："我的小爺，你太鬧的不像了，不知得罪了誰，鬧出這個亂兒!□想，誰和你不對罷?"賈芹想了一想，忽然想起一個人來。未知是誰，下回分解。

第玖拾肆回

宴海棠賈母賞花妖　失寶玉通靈知奇禍

話說賴大帶了賈芹出來，一宿無話，靜候賈政回來。單是那些女尼女道重進園來，都喜歡的了不得，欲要到各處逛逛，明日預備進宮。不料賴大便吩咐了看園的婆子並小厮看守，惟給了些飯食，卻是一步不准走開。那些女孩子摸不着頭腦，只得坐着等到天亮。園裏各處的丫頭雖都知道拉進女尼們來，預備宮裏使喚，卻也不能深知原委。

到了明日早起，賈政正要下班，因堂上發下兩省城工估銷册子，立刻要查核，一時不能回家，便叫人回來告訴賈璉說："賴大回來，你務必查問明白，該如何辦就如何辦了，不必等我。"賈璉奉命，先替芹兒喜歡，又想道：若是辦得一點影兒都沒有，又恐賈政生疑，"不如回明二太太，討個主意辦去。便是不合老爺的心，我也不至甚擔干係。"主意定了，進內去見王夫人，陳說："昨日老爺見了揭帖生氣，把芹兒和女尼女道等都叫進府來查辦。今日老爺沒空閒這種不成體統的事，叫我來回太太，該怎麼便怎麼樣。我所以來請示太太，這件事如何辦理？"王夫人聽了，咤異道："這是怎麼說？若是芹兒這麼樣起來，這還成咱們家的人了麼？但只這個貼帖兒的也可惡，這些話可是渾嚼說得的麼？你到底問了芹兒有這件事沒有呢？"賈璉道："剛才也問過了。太太想：別說他幹了沒有，就是幹了，一個人幹了混賬事也肯應承麼？但只我想芹兒也不敢行此事，知道那些女孩子都是娘娘一時要叫的，倘或鬧出事來，怎麼樣呢？依侄兒的主見，要問也不難。若問出來，太太怎麼個辦法呢？”王夫人道：“如今那些女孩子□裏？”賈璉道：“都在園裏鎖着呢。”王夫人道：“姑娘們知道不知道？”賈璉道：“大約□們也都知道是預備宮裏頭的話，外頭並沒提起別的來。”王夫人道：“狠是。這些東□刻也是留不得的。頭裏我原要打發他們去來着，都是你們説留着好，如今不是弄出□了麼？你竟叫賴大那些人帶去，細細的問他的本家有人没有，將文書查出，花上幾□銀子，雇隻船，派個妥當人送到本地，一概連文書發還了，也落得無事。若是爲着□不好，個個都押着他們還俗，那又太造孽了；若在這裏發給官媒，雖然我們不要□他們弄去賣錢，那裏顧人的死活呢？芹兒呢，你便狠狠的説他一頓，除了祭祀喜慶□事叫他不用到這裏來。看仔細碰在老爺氣頭兒上，那可就吃不了兜着走了。並説與□兒裏，把這一項錢糧檔子銷了。還打發個人到水月庵説：老爺的諭，除了上墳燒紙□有本家爺們到他那裏去，不許接待。若再有一點不好風聲，連老姑子一併攆出去。”

　　賈璉一一答應了，出去將王夫人的話告訴賴大説：“是太太主意叫你這麼辦去□完了，告訴我去回太太。你快辦了罷。回來老爺來，你也按着太太的話回去。”賴大聽□便道：“我們太太真正是個佛心，這班東西着人送回去。既是太太好心，不得不挑□人。芹哥兒竟交給二爺開發了罷。那個貼帖兒的，奴才想法兒查出來，重重的收拾□好。”賈璉點頭説：“是了。”即刻將賈芹發落。賴大也趕着把女尼等領出，按着主意□了。晚上賈政回家，賈璉、賴大回明賈政。賈政本是省事的人，聽了也便開手了。獨□些無賴之徒，聽得賈府發出二十四個女孩子出來，那個不想？究竟那些人能够回□能，未知着落，亦難虛擬。

　　且説紫鵑因黛玉漸好，園中無事，聽見女尼等預備宮內使唤，不知何事，便□母那邊打聽打聽。恰遇着鴛鴦下來，閑着坐下説閑話兒，提起女尼的事，鴛鴦咤異□“我並没有聽見。回來問問二奶奶，就知道了。”正説着，只見傅試家兩個女人過□賈母的安，鴛鴦要陪了上去。那兩個女人因賈母正睡晌覺，就與鴛鴦説了一聲兒□去了。紫鵑問：“這是誰家差來的？”鴛鴦道：“好討人嫌！家裏有了一個女孩兒，生□些，便獻寶的是的，常常在老太太面前夸他姑娘長得怎麼好，心地怎麼好，禮□又能，説話兒又簡絶，做活計兒手兒又巧，會寫會算，尊長上頭最孝敬的，就是待□也是極和平的。來了就編這麼一大套，常常説給老太太聽。我聽着狠煩這幾個□子，真討人嫌。我們老太太偏愛聽那些個話。老太太也罷了，還有寶玉，素常見了□子便狠厭煩，偏見了他們家的老婆子便不厭煩，你説奇不奇？前兒還來説他們□

寶玉道：“我記得明明放在炕桌上的，你們到底找啊。”襲人、麝月、秋紋等也不敢叫□道，大家偷偷兒的各處搜尋，鬧了大半天，毫無影響，甚至翻箱倒籠。　　張青□

多少人家兒來求親,他們老爺總不肯應,心裏只要和咱們這種人家作親才肯。一〔回獎〕獎,一回奉承,把老太太的心都説活了。"紫鵑聽了一呆,便假意道:"若老太太喜〔歡〕爲什麼不就給寶玉定了呢?"鴛鴦正要説出原故,聽見上頭説老太太醒了,鴛鴦趕〔忙〕去,紫鵑只得起身出來。回到園裏,一頭走,一頭想道:"天下莫非只有一個寶玉?〔他想〕想他,我也想他! 我們家的那一位,越發痴心起來了。看他的那個神情兒,是一定〔在寶〕玉身上的了,三番五次的病,可不是爲着這個是什麼! 這家裏'金'的'銀'的還鬧〔個不了〕,若添了一個什麼傅姑娘,更了不得了。我看寶玉的心也在我們那一位的身上,聽鴛〔鴦〕鴦的説話,竟是見一個愛一個的! 這不是我們姑娘白操了心了嗎。"紫鵑本是想着

黛玉，往下一想，連自己也不得主意了，不免掉下淚來。要想叫黛玉不用瞎操心听，恐怕他煩惱；若是看着他這樣，又可憐見兒的。左思右想，一時煩躁起來，自己啐道："你替人耽什麼憂！就是林姑娘真配了寶玉，他的那性情兒也是難伏侍的；寶情雖好，又是貪多嚼不爛的。我倒勸人不必瞎操心，我自己才是瞎操心呢！從今已我盡我的心伏侍姑娘，其餘的事全不管！"這麼一想，心裏倒覺清净。

回到瀟湘館來，見黛玉獨自一人坐在炕上，理從前做過的詩文詞稿，抬頭見來，便問："你到那裏去了？"紫鵑道："我今兒瞧了瞧姐妹們去。"黛玉道："敢是人姐姐去麼？"紫鵑道："我找他做什麼？"黛玉一想，這話怎麼順嘴説了出來？反好意思，便啐道："你找誰與我什麼相干！倒茶去罷。"紫鵑也心裏暗笑，出來倒茶，聽見園裏的一叠聲亂嚷，不知何故，一面倒茶，一面叫人去打聽。回來説道："怡裏的海棠本來萎了幾棵，也没人去澆灌他。昨日寶玉走去，見枝頭上好像有了菁朵兒是的，人都不信，没有理他，然今日開得狠好的海棠花，衆人咤異，都争着去看，老太太、太太都哄動了來，瞧花兒呢。所以大奶奶收拾園裏敗葉枯枝，這些人在那裏傳唤。"也聽見了，知道老太太來，便更了衣，叫去打聽："若是老太太來了，即來我。"雪雁去不多時，便跑來説："太太、太太好些人都來了，娘就去罷。"黛玉略自照了鏡子，掠了一掠鬢髮，便紫鵑到怡紅院來，已太太坐在寶玉常卧上。黛玉便説道："請太安。"退後便邢、王二夫人，回李紈、探春、惜春岫烟彼此問了好。鳳姐因病未來；史因他叔叔調任回京了家去；薛寶琴跟姐家去住了；李家

內多事，李嬸娘帶了在外居住：所以黛玉今日見的只有數人。大家説笑了一
講究這花開得古怪。賈母道："這花兒應在三月裏開的，如今雖是十一月，因節氣
還算十月，應着小陽春的天氣，因爲和暖，開花也是有的。"王夫人道："老太太見
説得是，也不爲奇。"邢夫人道："我聽見這花已經萎了一年，怎麼這回不應時
開了，必有個原故。"李紈笑道："老太太與太太説得都是。據我的糊塗想頭，必
玉有喜事來了，此花先來報信。"探春雖不言語，心內想："此花必非好兆。大凡
昌、逆者亡，草木知運，不時而發，必是妖孽。"只不好説出來。獨有黛玉聽説是
，心裏觸動，便高興説道："當初田家有荊樹一棵，三個弟兄因分了家，那荊樹便
。後來感動了他弟兄們，仍舊歸在一處，那荊樹也就榮了。可知草木也隨人的。
二哥哥認真念書，舅舅喜歡，那棵樹也就發了。"賈母、王夫人聽了喜歡，便説：
姑娘比方得有理，狠有意思。"

正説着，賈赦、賈政、賈環、賈蘭都進來看花。賈赦便説："據我的主意，把他砍去。
花妖作怪。"賈政道："見怪不怪，其怪自敗。不用砍他，隨他去就是了。"賈母聽見
："誰在這裏混説？人家有喜事好處，什麼怪不怪的！若有好事，你們享去；若是不
我一個人當去，你們不許混説！"賈政聽了，不敢言語，訕訕的同賈赦等走了出來。
母高興，叫人傳話到厨房裏，快快預備酒席，大家賞花。叫："寶玉、環兒、蘭兒各人
首詩志喜。林姑娘的病才好，不要他費心；若高興，給你們改罷。"對着李紈道："你
陪我喝酒。"李紈答應了"是"，便笑對探春笑道："都是你鬧的。"探春道："饒不叫
做詩，怎麼我們鬧的？"李紈道："海棠社不是你起的麼？如今那棵海棠也要來入社
大家聽着，都笑了。一時擺上酒菜，一面喝着，彼此都要討老太太的歡喜，大家説
頭話。寶玉上來掛了酒，便立成了四句詩，寫出來念與賈母聽道：

　　　海棠何事忽摧隤，今日繁花爲底開？應是北堂增壽考，一陽旋復占先梅。

也寫了來，念道：

　　　草木逢春當茁芽，海棠未發候偏差。人間奇事知多少，冬月開花獨我家。

恭楷謄正，呈與賈母。賈母命李紈念道：

　　　烟凝媚色春前萎，霜浥微紅雪後開。莫道此花知識淺，欣榮預佐合歡杯。

賈母聽畢，便説："我不大懂詩，聽去倒是蘭兒的好，環兒做得不好。都上來吃飯
寶玉看見賈母喜歡，更是興頭。因想起晴雯死的那年海棠死的，今日海棠復榮，
院內這些人自然都好，但是晴雯不能像花的死而復生了，頓覺轉喜爲悲。忽又想
日巧姐提鳳姐要把五兒補入，或此花爲他而開，也未可知，卻又轉悲爲喜，依舊
。賈母還坐了半天，然後扶了珍珠回去了。王夫人等跟着過來。只見平兒笑嘻嘻
上來説："我們奶奶知道老太太在這裏賞花，自己不得來，叫奴才來伏侍老太太、

太太們。還有兩匹紅送給寶二爺包裹這花,當作賀禮。」襲人過來接了,呈與賈母
賈母笑道:「偏是鳳丫頭行出點事兒來,叫人看着又體面又新鮮,狠有趣兒。」襲人
向平兒道:「回去替寶二爺給二奶奶道謝,要有喜大家喜。」賈母聽了,笑道:「噯喲
還忘了呢!鳳丫頭雖病着,還是他想得到,送得也巧。」一面説着,衆人就隨着去了
兒私與襲人道:「奶奶説,這花開得奇怪,叫你鉸塊紅綢子掛掛,便應在喜事上去了
後也不必只管當作奇事混説。」襲人點頭答應,送了平兒出去,不題。

　　且説那日寶玉本來穿着一裹圓的皮襖在家歇息,因見花開,只管出來看一回
一回、嘆一回、愛一回的,心中無數悲喜離合,都弄到這株花上去了。忽然聽説賈
來,便去換了一件狐腋箭袖,罩一件元狐腿外褂,出來迎接賈母。匆匆穿換,未將
寶玉掛上。及至後來賈母去了,仍舊換衣,襲人見寶玉脖子上沒有掛着,便問:「那
呢?」寶玉道:「才剛忙亂換衣,摘下來放在炕桌上,我沒有帶。」襲人回看桌上並
玉,便向各處找尋,踪影全無,嚇得襲人滿身冷汗。寶玉道:「不用着急,少不得在
的。問他們就知道了。」襲人當作麝月等藏起嚇他頑,便向麝月等笑着説道:「小
們,頑呢,到底有個頑法。把這件東西藏在那裏了?別真弄丟了,那就大家活
了!」麝月等都正色道:「這是那裏的話!頑是頑,笑是笑,這個事非同兒戲,你可
説。你自己昏了心了,想想罷,想想擱在那裏了?這會子又混賴人了。」襲人見他這
景,不像是頑話,便着急道:「皇天菩薩,小祖宗!到底你擺在那裏去了?」寶玉道:
記得明明放在炕桌上的,你們到底找啊。」襲人、麝月、秋紋等也不敢叫人知道,大
偷兒的各處搜尋,鬧了大半天,毫無影響,甚至翻箱倒籠。實在沒處去找,便疑到
這些人進來,不知誰撿了去了。襲人説道:「進來的誰不知道這玉是性命似的東西
誰敢撿了去呢?你們好歹先別聲張,快到各處問去。若有姐妹們撿着嚇我們頑呢,
給他磕頭要了回來。若是小丫頭偷了去,問出來也不回上頭,不論做什麼,送他換
來,都使得的。這可不是小事,真要丟了這個,比丟了寶二爺的還利害呢。」麝月、
剛要往外走,襲人又趕出來囑咐道:「頭裏在這裏吃飯的倒先別問去,找不成母惹
風波來,更不好了。」麝月等依言分頭各處追問,人人不曉,個個驚疑。麝月等回
目瞪口呆,面面相窺。寶玉也嚇怔了,襲人急的只是乾哭。找是沒處找,回又不敢回
紅院裏的人嚇得個個像木雕泥塑一般。

　　大家正在發呆,只見各處知道的都來了。探春叫把園門關上,先命個老婆子
兩個丫頭,再往各處去尋去;一面又叫告訴衆人:「若誰找出來,重重的賞銀。」大

平兒便笑着向環兒道:「你二哥哥的玉丟了,你瞧見了沒有?」賈環便急得紫漲了臉,
眼説道:「人家丟了東西,你怎麼又叫我來查問疑我,我是犯過案的賊麼!」　張青

脱干係，二宗聽見重賞，不顧命的混找了一遍，甚至于茅厠裏都找到。誰知那塊像綉花針兒一般，找了一天，總無影響。李紈急了，説：“這件事不是頑的，我要説禮的話了。”衆人道：“什麽呢?”李紈道：“事情到了這裏，也顧不得了。現在園裏，寶玉，都是女人，要求各位姐姐、妹妹、姑娘都要叫跟來的丫頭脱了衣服，大家搜。若沒有，再叫丫頭們去搜那些老婆子並粗使的丫頭。”大家説道：“這話也説的。現在人多手亂，魚龍混雜，倒是這麽一來，你們也洗洗清。”探春獨不言語。那些們也都願意洗净自己。先是平兒起，平兒説道：“打我先搜起。”于是各人自己解李紈一氣兒混搜。

探春嗔着李紈道：“大嫂子，你也學那起不成材料的樣子來了。那個人既偷了去，藏在身上?況且這件東西在家裏是寶，到了外頭不知道的是廢物，偷他做什麽?我

想來必是有人使促狹。"衆人聽說，又見環兒不在這裏，昨兒是他滿屋裏亂跑，都他身上，只是不肯說出來。探春又道："使促狹的只有環兒。你們叫個人去悄悄的他來，背地裏哄着他，叫他拿出來，然後嚇着他，叫他不要聲張，這就完了。"大家稱是。李紈便向平兒道："這件事還是得你去才弄得明白。"平兒答應，就趕着去了多時，同了環兒來了。衆人假意裝出沒事的樣子，叫人沏了碗茶，擱在裏間屋裏。故意搭訕走開，原叫平兒哄他。平兒便笑着向環兒道："你二哥哥的玉丟了，你瞧沒有?"賈環便急得紫漲了臉，瞪着眼說道："人家丟了東西，你怎麼又叫我來查我，我是犯過案的賊麼!"平兒見這樣子，倒不敢再問，便又陪笑道："不是這麼說三爺要拿了去嚇他們，所以白問問瞧見了沒有?好叫他們找。"賈環道："他的玉身上，看見不看見該問他，怎麼問我?捧着他的人多着咧，得了什麼不來問我，丟西就來問我!"說着，起身就走。衆人不好攔他。這裏寶玉倒急了，說道："都是這子鬧事，我也不要他了，你們也不用鬧了。環兒一去，必是嚷得滿院裏都知道了，不是鬧事了麼?"襲人得又哭道："小祖宗看這玉丟了沒要緊是上頭知道了，這些人就要粉骨了。"說着，便大哭起來。

衆人更加感，明知此事掩來，只得要商議話，回來好回賈人。寶玉道："你也不用商議，硬砸了就完了。"道："我的爺，好的話兒!上頭爲什麼砸的聽們也是個死呀或要起砸破兒來，那又怎

寶玉道：「不然，便説我前日出門丟了。」衆人一想，這句話倒還混得過去；但是天又没上學，又没往别處去。寶玉道：「怎麼没有？大前兒還到南安王府裏聽戲呢，便説那日丟的。」探春道：「那也不妥。既是前兒去的，爲什麼當日不來回？」正在胡思亂想，要裝點撒謊，只聽得趙姨娘的聲兒哭着喊着走來説：「你們丟了，自己不找，怎麼叫人背地裏拷問環兒！我把環兒帶了來，索性交給你們這一起水的。該殺該剮，隨你們罷。」説着，將環兒一推，説：「你是個賊，快快的招罷！」環兒也哭喊起來。李紈正要勸解，丫頭來説：「太太來了。」襲人等此時無地可寶玉等趕忙出來迎接。趙姨娘暫且也不敢作聲，跟了出來。王夫人見衆人都有驚色，才信方才聽見的話，便道：「那塊玉真丟了麼？」衆人都不敢作聲。王夫人走裏坐下，便叫襲人。慌得襲人連忙跪下，含淚要禀。王夫人道：「你起來，快快叫細找去，一忙亂倒不好了。」襲人哽咽難言。寶玉生恐襲人直告訴出來，便説道：太，這事不與襲人相干。是我前日到南安王府那裏聽戲，在路上丟了。」王夫人爲什麼那日不找？」寶玉道：「我怕他們知道，没有告訴他們。我叫焙茗等在外頭找過的。」王夫人道：「胡説！如今脱换衣服不是襲人他們伏侍的麼？大凡哥兒出來，手巾荷包短了還要個明白，何况這塊玉不見了，便不問的麼？」寶玉無言可趙姨娘聽見，便得意了，忙接過口道：「外頭丟了東西，也賴環兒……」話未説完，夫人喝道：「這裏説這個，你且説那些没要緊的話！」趙姨娘便不敢言語了。還是探春從實的告訴了王夫人一遍。王夫人也急得淚如雨下，索性要回明賈母，去夫人那邊跟來的這些人去。

鳳姐病中，也聽見寶玉失玉，知道王夫人過來，料躲不住，便扶了豐兒來到園裏。王夫人起身要走，鳳姐嬌怯怯的説：「請太太安。」寶玉等過來問了鳳姐好。王夫人道：「你也聽見了麼？這可不是奇事嗎？剛才眼錯不見就丟了，再找不着。你去想想，老太太那邊丫頭起，至你們平兒，誰的手不穩？誰的心促狹？我要回了老太太，認真出來才好，不然是斷了寶玉的命根子了！」鳳姐回道：「咱們家人多手雜，自古説的，知面不知心’，那裏保得住誰是好的？但是一吵嚷，已經都知道了，偷玉的人若叫查出來，明知是死無葬身之地，他着了急，反要毀壞了滅口，那時可怎麼處呢？據我塗想頭，只説寶玉本不愛他，摺丟了，也没有什麼要緊，只要大家嚴密些，别叫老老爺知道。這麼説了，暗暗的派人去各處察訪，哄騙出來，那時玉也可得，罪名也不知太太心裏怎麼樣？」王夫人遲了半日，才説道：「你這話雖也有理，但只是老前怎麼瞞的過呢？」便叫環兒過來道：「你二哥哥的玉丟了，白問了你一句，怎麼你裏？若是嚷破了，人家把那個毀壞了，我看你活得活不得！」賈環嚇得哭道：「我再不。」趙姨娘聽了，那裏還敢言語。王夫人便吩咐衆人道：「想來自然有没找到的地

方兒，好端端的在家裏的，還怕他飛到那裏去不成！只是不許聲張，限襲人三天內
找出來。要是三天找不着，只怕也瞞不住，大家那就不用過安靜日子了。"說着，便
姐兒跟到邢夫人那邊商議踩緝。不題。

這裏李紈等紛紛議論，便傳喚看園子的一干人來，叫把園門鎖上，快傳林
的來，悄悄兒的告訴了他，叫他："吩咐前後門上，三天之內，不論男女下人，從
可以走動，要出去時，一概不許放出。只說裏頭丟了東西，待這件東西有了着落
後放人出來。"林之孝家的答應了"是"，因說："前兒奴才家裏也丟了一件不要
東西，林之孝必要明白，上街去找了一個測字的，那人叫做什麼劉鐵嘴，測了
字，說的狠明白。回來依舊一找，便找着了。"襲人聽見，便央及林家的道："好
奶，出去快求林大爺替我們問問去！"那林之孝家的答應着出去了。邢岫烟道："
那外頭測字打卦的，是不中用的；我在南邊聞妙玉能扶乩，何不煩他問一問？況
聽見說這塊玉原有仙機，想來問得出來。"衆人都咤異道："咱們常見的，從沒有
說起。"麝月便忙問岫烟道："想來別人求他是不肯的，好姑娘，我給姑娘磕個頭
姑娘就去。若問出來了，我一輩子總不忘你的恩。"說着趕忙就要磕下頭去，岫
忙攔住。黛玉等也都慫恿着岫烟速往櫳翠庵去。一面林之孝家的進來說道："姑
大喜！林之孝測了字回來說，這玉是丟不了的，將來橫竪有人送還來的。"衆人
也都半信半疑，惟有襲人、麝月喜歡的了不得。探春便問測的是什麼字，林之孝
道："他的話多，奴才也學不上來。記得是拈了個賞人東西的'賞'字。那劉鐵嘴
問，便說：'丟了東西不是？'"李紈道："這就算好。"林之孝家的道："他還說'賞'
頭一個'小'字，底下一個'口'字，這件東西狠可嘴裏放得，必是個珠子寶石。"
聽了，夸贊道："真是神仙！往下怎麼說？"林之孝家的道："他說底下'貝'字，拆
成一個'見'字，可不是不見了。因上頭拆了'當'字，叫快到當鋪裏找去。'賞'字
'人'字，可不是'償'字？只要找着當鋪，就有人，有了人，便贖了來，可不是償
嗎。"衆人道："既這麼着，就先往左近找起，橫竪幾個當鋪都找遍了，少不得就
咱們有了東西再問人，就容易了。"李紈道："只要東西，那怕不問人都使得。林姑
煩你就把測字的話快去告訴二奶奶，回了太太，先叫太太放心，就叫二奶奶快派
去。"林家的答應了便走。

衆人略安了一點兒神，呆呆的等岫烟回來。正呆等，只見跟寶玉的焙茗在門外
兒，叫小丫頭子快出來。那小丫頭趕忙的出去了。焙茗便說道："你快進去告訴我
爺和裏頭太太、奶奶、姑娘們，天大喜事！"那小丫頭子道："你快說罷，怎麼這麼累
焙茗笑着拍手道："我告訴姑娘，姑娘進去回了，咱們兩個人都得賞錢呢。你打量
寶二爺的那塊玉呀，我得了准信來了。"未知如何，下回分解。

〈第玖拾伍回〉

因訛成實元妃薨逝──以假混真寶玉瘋顚

話説焙茗在門口和小丫頭子説寶玉的玉有了，那小丫頭急忙回來告訴寶玉。衆人聽了，都推着寶玉出去問他。衆人在廊下聽着，寶玉也覺放心，便走到門口問道："你那裏得了？快拿來。"焙茗道："拿是拿不來的，還得託人做保去呢。"寶玉道："你快説是怎麼得的，我好叫人取去。"焙茗道："我在外頭，知道林爺爺去測字，我就跟了去。我聽見説在當鋪裏找，我沒等他説完，便跑到幾個當鋪裏去。我比給他們瞧，有一家便説有。我説給我罷，那鋪子裏要票子。我説當多少錢？他説三百錢的，也有五百錢的，也有前兒有一個人拿這麼一塊玉當了三百錢去，今兒又有人也拿一塊玉當了五百錢去。"寶玉不等説完，便道："你快拿三百五百錢去取了來，我們挑着看是不是。"裏頭襲人便啐道："二爺不用理他。我小時候兒聽見我哥哥常説，有些人賣那些小玉兒，沒錢用便去當，想來是家家當鋪裏有的。"衆人正在聽得咤異，被襲人一説，想了一想，倒大家笑起來，説："快叫二爺進來罷，不用理那糊塗東西了。他説的那些玉，想來不是正經東西。"

寶玉正笑着，只見岫烟來了。原來岫烟走到櫳翠庵，見了妙玉，不及閑話，便求妙玉扶乩。妙玉冷笑幾聲，説道："我與姑娘來往，爲的是姑娘不是勢利場中的人。今日怎麼聽了那裏的謡言，過來纏我？況且我並不曉得什麼叫扶乩。"説着，將要不理。岫烟懊悔此來，知他脾氣是這麼着的，一時我已説出，不好白回去，又不好與他質證他會扶乩的話，只得陪着笑，將襲人等性命關係的話説了一遍。見妙玉略有活動，便起身拜了幾拜。妙玉嘆道："何必爲人作嫁？但是

我進京以來，素無人知。今日你來破例，恐將來纏繞不休。"岫烟道："我也一時不忍
你必是慈悲的。便是將來他人求你，願不願在你，誰敢相強？"妙玉笑了一笑，叫道
香，在箱子裏找出沙盤乩架，書了符命。岫烟行禮祝告畢，起來同妙玉扶着乩。不多
只見那仙乩疾書道：

　　　噫！來無迹，去無踪，青埂峰下倚古松。欲追尋，山萬重，入我門來一笑逢。

書畢，停了乩。岫烟便問："請是何仙？"妙玉道："請的是拐仙。"岫烟錄了出來，請
玉解識。妙玉道："這個可不能，連我也不懂。你快拿去，他們的聰明人多着哩。"

　　岫烟只得回來，進入院中，各人都問："怎麼樣了？"岫烟不及細說，便將所錄
遞與李紈。衆姊妹及寶玉爭看，都解的是：一時要找，是找不着的；然而丟，是丟
的；不知幾時不找，便出來了。但是青埂峰不知在那裏？李紈道："這是仙機隱語，
家裏那裏跑出青埂峰來？必是誰怕查出，撂在有松樹的山子石底下也未可定。獨
'入我門來'這句，到底是入誰的門呢？"黛玉道："不知請的是誰？"岫烟道："拐仙
春道："若是仙家的門，便難入了。"襲人心裏着忙，便捕風捉影的混找，沒一塊石
不找到，只是沒有。回到院中，寶玉也不問有無，只管傻笑。麝月着急道："小祖宗
到底是那裏丟的？説明了，我們就是受罪，也在明處啊。"寶玉笑道："我説外頭丟
你們又不依；你如今問我，我知道麼？"李紈、探春道："今兒從早起鬧起，已到
來的天了。你瞧，林妹妹已經掌不住，各自去了，我們也該歇歇兒了，明兒再鬧着
説着，大家散去。寶玉即便睡下。可憐襲人等哭一回，想一回，一夜無眠。暫且不

　　且説黛玉先自回去，想起"金"、"石"的舊話來，反自喜歡；心裏説道："和尚
的話真個信不得。果真金玉有緣，寶玉如何能把這玉丟了呢？或者因我之事，拆
們的'金'、'玉'，也未可知。"想了半天，更覺安心，把這一天的勞乏，竟不理會，
倒看起書來。紫鵑倒覺身倦，連催黛玉睡下。黛玉雖躺下，又想到海棠花上，説："
玉原是胎裏帶來的，非比尋常之物，來去自有關係。若是這花主好事呢，不該失
玉呀。看來此花開的不祥，莫非他有不吉之事？"不覺又傷起心來。又轉想到喜
頭，此花又似應開，此玉又似應失，如此一悲一喜，直想到五更方睡着。

　　次日，王夫人等早派人到當鋪裏去查問，鳳姐暗中設法找尋，一連鬧了幾天，
下落。還喜賈母、賈政未知。襲人等每日提心吊膽，寶玉也好幾天不上學，只是怔怔
不言不語、沒心沒緒的。王夫人只知他因失玉而起，也不大着意。那日正在納悶，
賈璉進來請安，嘻嘻的笑道："今日聽得軍機賈雨村打發人來告訴二老爺，説舅太
了內閣大學士，奉旨來京，已定明年正月二十日宣麻，有三百里的文書去了。想舅
晝夜趕行，半個多月就要到了。侄兒特來回太太知道。"王夫人聽説，便歡喜非常，

不多時，只見太監出來，立傳欽天監。賈母便知不好，尚未敢動。稍刻，小太監傳諭
説賈娘娘薨逝。

因訛成實元妃薨逝
以假混真寶玉瘋顛

娘家人少，薛姨媽家又衰敗了，兄弟又在外任，照應不着。今日忽聽兄弟拜相回房家榮耀，將來寶玉都有倚靠，便把失玉的心又略放開些了，天天專望兄弟來京。

忽一天，賈政進來，滿臉淚痕，喘吁吁的說道：「你快去稟知老太太，即刻進宮！多人的，是你伏侍進去。因娘娘忽得暴病，現在太監在外立等。他說太醫院已經奏厥，不能醫治。」王夫人聽說，便大哭起來。賈政道：「這不是哭的時候，快快去請老人，說得寬緩些，不要嚇壞了老人家。」賈政說着，出來吩咐家人伺候。王夫人收了淚，賈母，只說元妃有病，進去請安。賈母念佛道：「怎麼又病了！前番嚇的我了不得，後打聽錯了。這回情願再錯了也罷。」王夫人一面回答，一面催鴛鴦等開箱取衣飾穿來。王夫人趕着回到自己房中，也穿戴好了，過來伺候。一時出廳上輿進宮，不題。

且說元春自選了鳳藻宮後，聖眷隆重，身體發福，未免舉動費力，每日起居又時發痰疾。因前日侍宴回宮，偶沾寒氣，勾起舊病。不料此回甚屬利害，竟至痰塞，四肢厥冷。一面奏明，即召太醫調治。豈知湯藥不進，連用通關之劑，並不見效官憂慮，奏請預辦後事，所以傳旨命賈氏椒房進見。賈母、王夫人遵旨進宮，見元塞口涎，不能言語，見了賈母，只有悲泣之狀，卻少眼淚。賈母進前請安，奏些寬話。少時賈政等職名遞進，宮嬪傳奏，元妃目不能顧，漸漸臉色改變。內宮太監即聞，恐派各妃看視，椒房姻戚未便久羈，請在外宮伺候。賈母、王夫人怎忍便離？國家制度，只得下來。又不敢啼哭，惟有心內悲感。朝門內官員有信，不多時，監出來，立傳欽天監。賈母便知不好，尚未敢動。稍刻，小太監傳諭出來，說賈娘逝。是年甲寅年十二月十八日立春；元妃薨日，是十二月十九日，已交卯年寅月，四十三歲。賈母含悲起身，只得出宮上輿回家。賈政等亦已得信，一路悲戚。到邢夫人、李紈、鳳姐、寶玉等出廳，分東西迎着賈母，請了安，並賈政、王夫人請家哭泣，不題。次日早起，凡有品級的，按貴妃喪禮進內請安哭臨。賈政又是工按照儀注辦理，未免堂上又要周旋他些，同事又要請教他，所以兩頭更忙，非比太后與周妃的喪事。但元妃並無所出，惟諡曰賢淑貴妃，此是王家制度，不必

只講賈府中男女，天天進宮，忙的了不得。幸喜鳳姐兒近日身子好些，還得照應家事，又要預備王子騰進京接風賀喜。鳳姐胞兄王仁知道叔叔入了內閣，仍眷來京。鳳姐心裏喜歡，便有些心病，有這些娘家的人，也便擱開，所以身子倒覺好了些。王夫人看見鳳姐照舊辦事，又把擔子卸了一半；又眼見兄弟來京，諸事倒覺安靜些。

獨有寶玉，原是無職之人，又不念書，代儒學裏知他家裏有事，也不來管他正忙，自然沒有空兒查他。想來寶玉趁此機會，竟可與姊妹們天天暢樂。不料他自

寶玉並不回答，只管嘻嘻的笑。賈母等進屋坐下，問他的話，襲人教一句，他說一不似往常，直是一個傻子似的。

戴

因訛成實元妃薨逝
以假混真寶玉瘋顛

玉後，終日懶怠走動，說話
糊塗了。並賈母等出門
來，有人叫他去請安
去；沒人叫他，他也不
襲人等懷着鬼胎，又
敢去招惹他，恐他生
每天茶飯端到面前
吃，不來也不要。襲人
這光景，不像是有氣
像是有病的。襲人們
空兒到瀟湘館告訴
鵑，說是二爺這麼着
姑娘給他開導開導
鵑雖即告訴黛玉，
黛玉想着親事上頭
定是自己了，如今
他，反覺不好意思：
是他來呢，原是小時
一處的，也難不理他
說我去找他，斷斷使
得。"所以黛玉不肯過
襲人又背地裏去告訴探
那知探春心裏明明知道

開得怪異，寶玉失的更奇，接連着元妃姐姐薨逝，諒家道不祥，日日愁悶，那有心腸
寶玉。況兄妹們男女有別，只好過來一兩次，寶玉又終是懶懶的，所以也不大常來
釵也知失玉，因薛姨媽那日應了寶玉的親事，回去便告訴了寶釵。薛姨媽還說："
你姨媽說了，我還沒有應准，說等你哥回來再定。你願意不願意？"寶釵反正色
母親道："媽媽這話說錯了。女孩兒家的事情，是父母做主的。如今我父親沒了，媽
該做主的。再不然問哥哥，怎麼問起我來？"所以薛姨媽更愛惜他，說他雖是從小
慣的，卻也生來的貞靜。因此在他面前反不提起寶玉了。寶釵自從聽此一說，把"寶

那人只得將一個紅綢子包兒送過去，賈璉打開一看，可不是那一塊晶瑩美玉嗎！喜之
便叫家人伺候，忙忙的送與賈母、王夫人認去。
張青
這時寶玉正睡着才醒，鳳姐告訴道："你的玉有了。"寶玉睡眼朦朧，接在手裏也沒睜
往地下一撂道："你們又來哄我了！"說着，只是冷笑。
張青

自然更不提起了。如今雖然聽見失了玉，心裏也甚驚疑，倒不好問，只得聽旁人說，竟像不與自己相干的。只有薛姨媽打發丫頭過來了好幾次問信，因他自己的兒子□的事焦心，只等哥哥進京，便好為他出脫罪名；又知元妃已薨，雖然賈府忙亂，却□姐好了，出來理家，也把賈家的事撂開了。只苦了襲人，雖然在寶玉跟前低聲下氣□侍勸慰，寶玉竟是不懂，襲人只有暗暗的着急而已。

過了幾日，元妃停靈寢廟，賈母等送殯去了幾天。豈知寶玉一日呆似一日，也不發□也不疼痛，只是吃不像吃，睡不像睡，甚至說話都無頭緒。那襲人、麝月等一發慌了，□鳳姐幾次，鳳姐不時過來。起先道是找不着玉生氣，如今看他失魂落魄的樣子，只□日請醫調治。煎藥吃了好幾劑，只有添病的，沒有減病的。及至問他那裏不舒服，寶□不說出來。直至元妃事畢，賈母惦記寶玉，親自到園看視，王夫人也隨過來。襲人等□叫寶玉接去請安。」寶玉雖說是病，每日原起來行動，今日叫他接賈母去，他依然仍□安，惟是襲人在旁扶着指教。賈

□了，便道：「我的兒，我打
□怎麼病着，故此過來□
□。今你依舊的模樣
□我的心放了好些。」王
□也自然是寬心的。但
□並不回答，只管嘻嘻
□。賈母等進屋坐下，
□的話，襲人教一句，
□一句，大不似往常，
□一個傻子似的。賈母
□愈疑，便說：「我才進
□時，不見有什麼病；
□細細一瞧，這病果然
□，竟是神魂失散的樣
□到底因什麼起的呢？」
□王夫人知事難瞞，又
□襲人怪可憐的樣子，
□便依着寶玉先前的
□將那往南安王府裏去
□時丟了這塊玉的話
□的告訴了一遍，心裏
□惶的狠，生恐賈母着急，

並説：「現在着人在四下裏找尋，求籤問卦，都説在當鋪裏找，少不得找着的。」賈母聽了，急得站起來，眼淚直流，説道：「這件玉如何是丟得的！你們忒不懂事了！難道老爺是撂開手的不成？」王夫人知賈母生氣，叫襲人等跪下，自己斂容低首回説：「媳婦們為太太着急，老爺生氣，都沒敢回。」賈母咳道：「這是寶玉的命根子，因丟了，所以他這麼失魂喪魄的，還了得！況是這玉滿城裏都知道，誰撿了去，便叫你們找出來麼？快快請老爺，我與他説。」那時嚇得王夫人、襲人等俱哀告道：「老太太這一生氣，叫老爺更了不得。現在寶玉病着，交給我們盡命裏找來就是了。」賈母道：「你們怕他生氣，有我呢！」便叫麝月傳人去請，不一時傳進話來，説老爺謝客去了。賈母道：「這他也使得。你們便説我説的話，暫且也不用責罰下人。我便叫璉兒來寫出賞格，懸日經過的地方，便説有人撿得送來者，情願送銀一萬兩；如有知人撿得送信找得者，銀五千兩。如真有了，不可吝惜銀子。這麼一找，少不得就找出來了。若是靠着咱們幾個人找，就找一輩子也不能得！」王夫人也不敢直言。賈母傳話告訴賈璉，叫他去了。賈母便叫人：「將寶玉動用之物，都搬到我那裏去。只派襲人、秋紋跟過來，餘留園內看屋子。」寶玉聽了，終不言語，只是傻笑。

　　賈母便攜得寶玉起身，襲人等攙扶出園。回到自己房中，叫王夫人坐下，看人把裏間屋內安置，便對王夫人道：「你知道我的意思麼？我爲的園裏人少，怡紅院裏的樹忽萎忽開，有些奇怪。頭裏仗着一塊玉能除邪祟，如今此玉丟了，生恐邪氣易侵，我帶他過來一塊兒住着。這幾天也不用叫他出去，大夫來就在這裏瞧。」王夫人聽了便接口道：「老太太想的自然是。如今寶玉同着老太太住了，老太太的福氣大，不管什麼都壓住了。」賈母道：「什麼福氣？不過我屋裏乾净些，經卷也多，都可以念念，定定神。你問寶玉好不好？」那寶玉見問，只是笑。襲人叫他説好，寶玉也就説好。王夫人見了這般光景，未免落淚。在賈母這裏，不敢出聲。賈母知王夫人着急，便説道：「你去罷，這裏有我調停他。晚上老爺回來，告訴他不必來見我，不許言語就是了。」王夫人去後，賈母叫鴛鴦找些安神定魄的藥，按方吃了，不題。

　　且説賈政當晚回家，在車內聽見道兒上人説道：「人要發財也容易的狠。」那個人道：「怎麼見得？」這個人又道：「今日聽見榮府裏丟了什麼哥兒的玉了，貼着招帖兒，上頭寫着玉的大小式樣顏色，説有人撿了送去，就給一萬兩銀子；送信的還給五千呢。」賈政雖未聽得如此真切，心裏咤異，急忙趕回，便叫門上的人問起那事來。門上的人事「奴才頭裏也不知道，今兒晌午璉二爺傳出老太太的話，叫人去貼帖兒，才知道的。」賈政便嘆氣道：「家道該衰，偏生養這麼一個孽障！才養他的時候，滿街的謠言；隔了十幾年略好了些，這會子又大張曉諭的找玉，成何道理！」説着，忙走進裏頭去問王夫人。

賈璉在外間屋裏聽見這話，便説道：「既不是，快拿來給我問問他去。人家這樣事，他
鬼混！」那人還等着呢，半日不見人來，正在那裏心裏發虛。

紅樓夢
0898
第玖拾伍回

夫人便一五一十的告訴。賈政知是老太太的主意，又不敢違拗，只抱怨王夫人幾句，走出來，叫瞞着老太太，背地裏揭了這個帖兒下來。豈知早有那些游手好閑的人揭了。過了些時，竟有人到榮府門上，口稱送玉來。家內人們聽見，喜歡的了不得，便"拿來，我給你回去。"那人便懷內掏出賞格來，指着門上人瞧："這不是你府上的帖麼？寫明送玉來的給銀一萬兩。二太爺，你們這會子瞧我窮，回來我得了銀子，就是財主了，別這麼待理不理的！"門上聽他話頭來得硬，說道："你到底略給我瞧一瞧，好給你回去。"那人初到不肯，後來聽人說得有理，便掏出那玉，托在掌中一揚說："是不是？"衆家人原是在外服役，只知有玉，也不常見，今日才看見這玉的模樣兒，忙跑到裏頭搶頭報似的。那日賈政、賈赦出門，只有賈璉在家。衆人回明，賈璉還細"真不真？"門上人口稱："親眼見過，只是不給奴才，要見主子。一手交銀，一手交玉。"賈璉卻也喜歡，忙去稟知王夫人，即便回明賈母，把個襲人樂得合掌念佛。賈母並不口，一叠連聲："快叫璉兒請那人到書房內坐下，將玉取來一看，即便送銀。"賈璉依請那人進來，當客待他，用好言道謝，要借這玉送到裏頭，本人見了，謝銀分厘不短。人只得將一個紅綢子包兒送過去，賈璉打開一看，可不是那一塊晶瑩美玉嗎！賈璉素原不理論，今日倒要看看。看了半日，上面的字也仿佛認得出來，什麼"除邪祟"等賈璉看了喜之不勝，便叫家人伺候，忙忙的送與賈母、王夫人認去。

　　這會子驚動了合家的人，都等着爭看。鳳姐見賈璉進來，便劈手奪去，不敢先送到賈母手裏。賈璉笑道："你這麼一點兒事，還不叫我獻功呢！"賈母打開看時，只那玉比先前昏暗了好些，一面用手擦摸，鴛鴦拿上眼鏡兒來，戴着一瞧說："奇怪，這玉倒是的，怎麼把頭裏的寶色都沒了呢？"王夫人看了一會子，也認不出，便叫鳳姐來看。鳳姐看了道："像倒像，只是顏色不大對。不如叫寶兄弟自己一看，就知道了。人在旁，也看着未必是那一塊，只是盼得的心盛，也不敢說出不像來。鳳姐于是從手中接過來，同着襲人拿來給寶玉瞧。這時寶玉正睡着才醒，鳳姐告訴道："你的玉了。"寶玉睡眼朦朧，接在手裏也沒瞧，便往地下一摔道："你們又來哄我了！"說着是冷笑。鳳姐連忙拾起來道："這也奇了，怎麼你沒瞧就知道呢？"寶玉也不答言，只笑。王夫人也進屋裏來了，見他這樣，便道："這不用說了。他那玉原是胎裏帶來的一件古怪東西，自然他有道理。想來這個必是人見了帖兒照樣做的。"大家此時恍然大賈璉在外間屋裏聽見這話，便說道："既不是，快拿來給我問問他去。人家這樣事，他來鬼混！"賈母喝住道："璉兒，拿了去給他，叫他去罷。那也是窮極了的人，沒法兒所以見我們家有這樣事，他便想着賺給個錢，也是有的。如今白白的花了錢，弄了東西，又叫咱們認出來了，依着我不要難爲他，把這玉還他，說不是我們的，賞給他兩銀子。外頭的人知道了，才肯有信兒就送來呢；若是難爲了這一個人，就有真的，家也不敢拿來了。"賈璉答應出去。那人還等着呢，半日不見人來，正在那裏心裏發只見賈璉氣忿忿走出來了。未知何如，下回分解。

第玖拾陸回

瞞消息鳳姐設奇謀　泄機關顰兒迷本性

話說賈璉拿了那塊假玉忿忿走出，到了書房。那個人看見賈璉的氣色不好，心裏先發了虛了，連忙站起來迎着。剛要說話，只見賈璉冷笑道："好大膽！我把你這個混帳東西！這裏是什麼地方兒，你敢來掉鬼！"回頭便問："小厮們呢？"外頭轟雷一般，幾個小厮齊聲答應。賈璉道："取繩子去捆起他來，等老爺回來回明了，把他送到衙門裏去！"衆小厮又一齊答應："預備着呢！"嘴裏雖如此，却不動身。那人先自嚇的手足無措，見這般勢派，知道難逃公道，只得跪下給賈璉碰頭，口口聲聲只叫："老太爺別生氣，是我一時窮極無奈，才想出這個没臉的營生來。那玉是我借錢做的，我也不敢要了，只得孝敬府裏的哥兒頑罷。"說畢，又連連磕頭。賈璉啐道："你這個不知死活的東西！這府裏希罕你的那朽不了的浪東西！"正鬧着，只見賴大進來，陪着笑向賈璉道："二爺別生氣了。靠他算個什麼東西？饒了他，叫他滾出去罷。"賈璉道："實在可惡！"賴大、賈璉作好作歹，衆人在外頭都說道："糊塗狗攮的，還不給爺和賴大爺磕頭呢。快快的滾罷，還等窩心脚呢！"那人趕忙磕了兩個頭，抱頭鼠竄而去。從此街上鬧動了："賈寶玉弄出假寶玉來。"

且說賈政那日拜客回來，衆人因爲燈節底下，恐怕賈政生氣，已過去的事了，便也都不肯回。只因元妃的事忙碌了好些時，近日寶玉又病着，雖有舊例家宴，大家無興，也無有可記之事。到了正月十七日，王夫人正盼王子騰來京，只見鳳姐進來回說：

"今日二爺在外聽得有人傳說,我們家大老爺趕着進京,離城只二百多里地,在路_
了。太太聽見了沒有?"王夫人吃驚道:"我沒有聽見,老爺昨晚也沒有說起。到底_
裏聽見的?"鳳姐道:"說是在樞密張老爺家聽見的。"王夫人怔了半天,那眼淚早流_
了。因拭淚說道:"回來再叫璉兒索性打聽明白了來告訴我。"鳳姐答應去了。王夫_
免暗裏落淚,悲女哭弟,又爲寶玉耽憂,如此連三接二,都是不隨意的事,那裏擱得_
便有些心口疼痛起來。又加賈璉打聽明白了,來說道:"舅太爺是趕路勞乏,偶然_
風寒,到了十里屯地方,延醫調治。無奈這個地方沒有名醫,誤用了藥一劑,就死了_
不知家眷可到了那裏沒有。"王夫人聽了,一陣心酸,便心口疼得坐不住,叫彩雲_

了上炕,還扎挣着叫賈璉去回了賈政,"即速收拾行裝_
到那裏幫着料理完畢,即刻回來告訴我們,好叫你_
兒放心。"賈璉不敢違拗,只得辭了賈政起身_
賈政早已知道,心裏狠不受用。又知_
失玉已後,神志惛憒,醫藥無效,又值王_
心疼。那年正值京察,工部將賈政保_
等。二月,吏部帶領引見,皇上念賈政_
謹慎,即放了江西糧道。即日謝恩,已_
起程日期。雖有衆親朋賀喜,賈政也無_
酬,只念家中人口不寧,又不敢耽延在_
正在無計可施,只聽見賈母那邊叫請老_
賈政即忙進去,看見王夫人帶着病也_
裏,便向賈母請了安。賈母叫他坐下,便_
"你不日就要赴任,我有多少話與你說_
知你聽不聽?"說着,掉下淚來。賈政忙_
來,說道:"老太太有話只管吩咐,兒子_
不遵命呢!"賈母咽哽着說道:"我今年_
一歲的人了,你又要做外任去,偏有_
哥在家,你又不能告親老。你這一去_
所疼的只有寶玉,偏偏的又病得糊塗_
知道怎麽樣呢!我昨日叫賴升媳婦出_
人給寶玉算算命。這先生算得好靈,說_
了金命的人幫扶他,必要冲冲喜才好;又_

保不住。我知道你不信那些話，所以教你來商量。你的媳婦也在這裏，你們兩個商量商量：還是要寶玉好呢，還是隨他去呢？”賈政陪笑說道：“老太太當初疼兒子疼的，難道做兒子的就不疼自己的兒子不成麼？只爲寶玉不上進，所以時常恨他不過是恨鐵不成鋼的意思。老太太既要給他成家，這也是該當的，豈有逆着老太太不疼他的理。如今寶玉病着，兒子也是不放心。因老太太不叫他見我，所以兒子不敢言語。我到底瞧瞧寶玉是個什麼病？”

王夫人見賈政說着也有些眼圈兒紅，知道心裏是疼的，便叫襲人扶了寶玉來。寶玉見了他父親，襲人叫他請安，他便請了個安。賈政見他臉面狠瘦，目光無神，大有瘋傻之狀，便叫人扶了進去，便想到：“自己也是望六的人了，如今又放外任，不知道幾年回來。倘或這孩子果然不好，一則年老無嗣，雖說有孫子，到底隔了一層；二則老太太最疼的是寶玉，若有差錯，可不是我的罪名更重了。”瞧瞧王夫人一包眼淚，又想到寶玉身上，復站起來說：“老太太這麼大年紀，想法兒疼孫子，做兒子的還敢違拗？老太太主意該怎麼便怎麼就是了。但只姨太太那邊，不知說明白了沒有？”王夫人便道：“姨太太是早應了的。只爲蟠兒的事沒有結案，所以這些時總沒題起。”賈政又道：“這是第一層的難處。他哥哥在監裏，妹子怎麼出嫁？況且貴妃的事雖不禁婚嫁，寶玉有已出嫁的姐姐，有九個月的功服，此時也難娶親。再者，我的起身日期已經奏明，不敢耽擱，這幾天怎麼辦呢？”

賈母想了一想，說的果然不錯。若是等這幾件事過去，他父親又走了，倘或這病一日壞似一天，怎麼好？只可越些禮辦了才好。想定主意，便說道：“你若給他辦呢，我自有個道理，包管都礙不着。姨太太那邊我和你媳婦親自過去求他，蟠兒那裏我央蝌兒告訴他，說是要救寶玉的命，諸事將就，自然應的。若說服裏娶親，當真使不得，況且寶玉病着，也不可教他成親，不過是冲冲喜。我們兩家願意，孩子們又有‘金玉’的道理，婚是不用合的了，即挑了好日子，按着咱們家分兒過了禮，趕着挑個娶親日子，音樂不用，倒按宮裏的樣子，用十二對提燈，一乘八人轎子抬了來，照南邊規矩拜了堂，一樣坐床撒帳，可不是算娶了親了麼？寶丫頭心地明白，是不用慮的；內中又有襲人，也還是個妥妥當當的孩子，再有個明白人常勸他更好，他又和寶丫頭合的來。再者，姨太太曾說寶丫頭的金鎖，也有個和尚說過，只等有玉的便是婚姻，爲知寶丫頭過來，金鎖倒招出他那塊玉來，也定不得。從此一天好似一天，豈不是大家的造化？這會子要立刻收拾屋子，鋪排起來，這屋子是要你派的。一概親友不請，也不排筵席，待好了，過了功服，然後再擺席請人。這麼着都趕的上，你也看見了他們小兩口兒的好了放心的去。”

　　賈政聽了，原不願意，只是賈母做主，不敢違命，勉強陪笑説道：「老太太想得極
也狠妥當。只是要吩咐家下衆人，不許吵嚷得裏外皆知，這要耽不是的。姨太太那〔
怕不肯，若是果真應了，也只好按着老太太的主意辦去。」賈母道：「姨太太那裏有我
你去罷。」賈政答應出來，心中好不自在。因赴任事多，部裏領憑，親友們薦人，種〔
酬不絶，竟把寶玉的事聽憑賈母交與王夫人、鳳姐兒了。惟將榮禧堂後身、王夫人〔
旁邊一大跨所二十餘間房屋指與寶玉，餘者一概不管。賈母定了主意叫人告訴他去
政只説：「狠好。」此是後話。

　　且説寶玉見過賈政，襲人扶回裏間炕上。因賈政在外，無人敢與寶玉説話，寶〔
昏昏沉沉的睡去。賈母與賈政所説的話，寶玉一句也没有聽見，襲人等却静静兒的〔
明白。頭裏雖也聽得些風聲，到底影響，只不見寶釵過來，却也有些信真。今日聽〔
些話，心裏方才水落歸漕，倒也喜歡。心裏想道：「果然上頭的眼力不錯，這才配得〔
我也造化！若他來了，我可以卸了好些擔子。但是這一位的心裏只有一個林姑娘〔
他没有聽見，若知道了，又不知要鬧到什麼分兒了。」襲人想到這裏，轉喜爲悲，心〔
「這件事怎麼好？老太太、太太那裏知道他們心裏的事？一時高興，説給他知道，原〔
他病好。若是他仍似前的心事，初見林姑娘便要摔玉砸玉；況且那年夏天在園裏把
作林姑娘，説了好些私心話；後來因爲紫鵑説了句頑話兒，便哭得死去活來。若是〔
和他説要娶寶姑娘，竟把林姑娘摞開，除非是他人事不知還可，若稍明白些，只怕
不能冲喜，竟是催命了！我再不把話説明，那不是一害三個人了麼！」襲人想定主意
等賈政出去，叫秋紋照看着寶玉，便從裏間出來，走到王夫人身旁，悄悄的請了王〔
到賈母後身屋裏去説話。賈母只道是寶玉有話，也不理會，還在那裏打算怎麼過禮
麼娶親。那襲人同了王夫人到了後間，便跪下哭了。王夫人不知何意，把手拉着他〔
「好端端的，這是怎麼説？有什麼委屈，起來説。」襲人道：「這話奴才是不該説的，〔
子因爲没有法兒了。」王夫人道：「你慢慢的説。」襲人道：「寶玉的親事，老太太、太〔
定了寶姑娘了，自然是極好的一件事。只是奴才想着，太太看去，寶玉和寶姑娘好〔
是和林姑娘好呢？」王夫人道：「他兩個因從小兒在一處，所以寶玉和林姑娘又好〔
襲人道：「不是『好些』。」便將寶玉素與黛玉這些光景一一的説了，還説：「這些事〔
太太親眼見的，獨是夏天的話，我從没敢和別人説。」王夫人拉着襲人道：「我看外〔
已瞧出幾分來了，你今兒一説，更加是了。但是剛才老爺説的話，想必都聽見了，〔

　　鳳姐恐賈母不懂，露泄機關，便也向耳邊輕輕的告訴了一遍。賈母果真一時不懂。鳳
着，又説了幾句。

李嬤〔

神情兒怎麼樣?"襲人道:"如今寶玉若有人和他說話,他就笑;没人和他說話,他就睡所以頭裏的話却倒都没聽見。"王夫人道:"倒是這件事叫人怎麼樣呢?"襲人道:"奴是說了,還得太太告訴老太太,想個萬全的主意才好。"王夫人便道:"既這麼着,幹你的。這時候滿屋子的人,暫且不用提起。等我瞅空兒回明老太太,再作道理。",仍到賈母跟前。

賈母正在那裏和鳳姐兒商議，見王夫人進來，便問道："襲人丫頭說什麼，這
鬼祟祟的？"王夫人趁問，便將寶玉的心事細細回明賈母。賈母聽了，半日沒言語。
人和鳳姐也都不再説了。只見賈母嘆道："別的事都好説。林丫頭倒沒有什麼；若
真是這樣，這可叫人作了難了。"只見鳳姐想了一想，因説道："難倒不難，只是我
個主意，不知姑媽肯不肯？"王夫人道："你有主意只管説給老太太聽，大家娘兒們
着辦罷了。"鳳姐道："依我想，這件事只有一個掉包兒的法子。"賈母道："怎麼掉包
鳳姐道："如今不管寶玉弟明白不明白，大家吵嚷起來，説是老爺做主，將林姑娘
他了。瞧他的神情兒怎麼樣，要是他全不管，這個包兒也就不用掉了；若是他有些
的意思，這事却要大費周折呢。"王夫人道："就算他喜歡，你怎麼樣辦法呢？"鳳姐
王夫人耳邊，如此這般的説了一遍，王夫人點了幾點頭兒，笑了一笑，説道："也罷
賈母便問道："你娘兒兩個搗鬼，到底告訴我是怎麼着呀。"鳳姐恐賈母不懂，露泄機
便也向耳邊輕輕的告訴了一遍。賈母果真一時不懂。鳳姐笑着，又説了幾句。賈母
"這麼着也好，可就只忒苦了寶丫頭了。倘或吵嚷出來，林丫頭又怎麼樣呢？"鳳姐
"這個話原只説給寶玉聽，外頭一概不許題起，有誰知道呢？"

　　正説間，丫頭傳進話來，説："璉二爺回來了。"王夫人恐賈母問及，使個眼色
姐，鳳姐便出來迎着賈璉，努了個嘴兒，同到王夫人屋裏等着去了。一回兒王夫人
已見鳳姐哭的兩眼通紅。賈璉請了安，將到十里屯料理王子騰的喪事的話説了一遍
説："有恩旨賞了內閣的職銜，諡了文勤公，命本宗扶柩回籍，着沿途地方官員照料
日起身，連家眷回南去了。舅太太叫我回來請安問好，説：'如今想不到不能進京，
少話不能説。'聽見我大舅子要進京，若是路上遇見了，便叫他來到咱們這裏細
説。"王夫人聽畢，其悲痛自不必言。鳳姐勸慰了一番："請太太略歇一歇，晚上來
量寶玉的事罷。"説畢，同了賈璉回到自己房中，告訴了賈璉，叫他派人收拾新房。

　　一日，黛玉早飯後，帶着紫鵑到賈母這邊來，一則請安，二則也爲自己散散悶
了瀟湘館，走了幾步，忽然想起忘了手絹子來，因叫紫鵑回去取來，自己却慢慢的
等他。剛走到沁芳橋那邊山石背後當日同寶玉葬花之處，忽聽一個人嗚嗚咽咽的在
哭。黛玉煞住腳聽時，又聽不出是誰的聲音，也聽不出哭着叨叨的是些什麼話，心
是疑惑，便慢慢的走去。及到了跟前，却見一個濃眉大眼的丫頭在那裏哭呢。黛玉
他時，還只疑府裏這些大丫頭有什麼説不出的心事，所以來這裏發泄發泄；及至見
個丫頭，却又好笑，因想到："這種蠢貨，有什麼情種，自然是那屋裏作粗活的丫頭
大女孩子的氣兒。"細瞧了一瞧，却不認得。那丫頭見黛玉來了，便也不敢再哭，站
拭眼淚。黛玉問道："你好好的爲什麼在這裏傷心？"那丫頭聽了這話，又流淚道："

你評評這個理：他們説話，我又不知道，我就説錯了一句話，我姐姐也不犯就打我

黛玉聽了，不懂他説的是什麼，因笑問道："你姐姐是那一個?"那丫頭道："就是珍

姐。"黛玉聽了，才知他是賈母屋裏的。因又問："你叫什麼?"那丫頭道："我叫傻大

。"黛玉笑了一笑，又問："你姐姐爲什麼打你?你説錯了什麼話了?"那丫頭道："爲

呢，就是爲我們寶二爺娶寶姑娘的事情。"黛玉聽了這句話，如同一個疾雷，心頭

。略定了定神，便叫這丫頭："你跟了我這裏來。"那丫頭跟着黛玉到那畸角兒上葬

的去處，那裏背静。黛玉因問道："寶二爺娶寶姑娘，他爲什麼打你呢?"傻大姐道：

門老太太和太太、二奶奶商量了，因爲我們老爺要起身，説就趕着往姨太太商量，

姑娘娶過來罷。頭一宗給寶二爺冲什麼喜，第二宗……"説到這裏，又瞅着黛玉笑

笑，才説道："趕着辦了，還要給林姑娘説婆婆家呢。"黛玉已經聽呆了。這丫頭只

道："我又不知道他們怎麼商量的，不叫人吵

白寶姑娘聽見害臊。我白和寶二爺屋裏的襲

姐説了一句：‘咱們明兒更熱鬧了，又是寶

，又是寶二奶奶，這可怎麼叫呢?’林姑

你説我這話害着珍珠姐姐什麼了嗎！他

來就打了我一個嘴巴，説我混説，

上頭的話，要攆出我去。我知道

爲什麼不叫言語呢?你們又没

我，就打我！"説着，又哭起來。

那黛玉此時心裏，竟是油兒、

、糖兒、醋兒倒在一處的

，甜、苦、酸、鹹，竟説不

麼味兒來了。停了一會

顫巍巍的説道："你别

了。你再混説，叫人聽

又要打你了。你去罷。"

，自己轉身要回瀟湘

。那身子竟有千百斤

，兩隻脚却像踩着綿花

，早已軟了，只得一步一步慢慢的走將來。

半天，還没到沁芳橋畔。原來脚下軟了，

走的慢，且又迷迷痴痴，信着脚從那邊繞過來，更添了兩箭地的路。這時剛到沁芳橋
却又不知不覺的順着堤往回裏走起來。紫鵑取了絹子來，却不見黛玉。正在那裏看
只見黛玉顏色雪白，身子恍恍蕩蕩的，眼睛也直直的，在那裏東轉西轉。又見一個
往前頭走了，離的遠，也看不出是那一個來。心中驚疑不定，只得趕過來，輕輕的問
"姑娘，怎麼又回去，是要往那裏去？"黛玉也只模糊聽見，隨口應道："我問問寶
紫鵑聽了，摸不着頭腦，只得攙着他到賈母這邊來。黛玉走到賈母門口，心裏微覺明
回頭看見紫鵑攙着自己，便站住了，問道："你作什麼來的？"紫鵑陪笑道："我找了
來了。頭裏見姑娘在橋那邊呢，我趕着過去問姑娘，姑娘沒理會。"黛玉笑道："我
你來瞧寶二爺來了呢，不然怎麼往這裏走呢。"紫鵑見他心裏迷惑，便知黛玉必是
那丫頭什麼話了，惟有點頭微笑而已。只是心裏怕他見了寶玉，那一個已經是瘋
傻，這一個又這樣恍恍惚惚，一時說出些不大體統的話來，那時如何是好。心裏雖
想，却也不敢違拗，只得攙他進去。

　　那黛玉却又奇怪了，這時不似先前那樣軟了，也不用紫鵑打簾子，自己掀起
進來，却是寂然無聲。因賈母在屋裏歇中覺，丫頭們也有脫滑頑去，也有打盹兒的
有在那裏伺候老太太的。倒是襲人聽見簾子響，從屋裏出來一看，見是黛玉，便說
"姑娘，屋裏坐罷。"黛玉笑着道："寶二爺在家麼？"襲人不知底裏，剛要答言，只
鵑在黛玉身後和他努嘴兒，指着黛玉，又搖搖手兒，襲人不解何意，也不敢言語。
却也不理會，自己走進房來，看見寶玉在那裏坐着，也不起來讓坐，只瞅着嘻嘻
笑。黛玉自己坐下，却也瞅着寶玉笑。兩個人也不問好，也不說話，也無推讓，
對着臉傻笑起來。襲人看見這番光景，心裏大不得主意，只是沒法兒。忽然聽着
說道："寶玉，你爲什麼病了？"寶玉笑道："我爲林姑娘病了。"襲人、紫鵑兩個嚇
目改色，連忙用言語來岔。兩個却又不答言，仍舊傻笑起來。襲人見了這樣，知道
此時心中迷惑不減于寶玉，因悄和紫鵑說道："姑娘才好了，我叫秋紋妹妹同着
回姑娘歇歇去罷。"因回頭向秋紋道："你和紫鵑姐姐送林姑娘去罷，你可別混說
秋紋笑着，也不言語，便來同着紫鵑攙起黛玉。那黛玉也就站起來，瞅着寶玉只
只管點頭兒。紫鵑又催道："姑娘回家去歇歇罷。"黛玉道："可不是，我這就是回
時候兒了。"說着，便回身笑着出來了。仍舊不用丫頭們攙扶，自己却走得比往
快，紫鵑、秋紋後面趕忙跟着走。黛玉出了賈母院門，只管一直走去，紫鵑連忙扶
叫道："姑娘，往這麼來。"黛玉仍是笑着，隨了往瀟湘館來。離門口不遠，紫鵑道
彌陀佛，可到了家了！"只這一句話說沒完，只見黛玉身子往前一栽，"哇"的一聲
口血直吐出來。未知性命如何，且聽下回分解。

話說黛玉到瀟湘館門口，紫鵑說了一句話，更動了心，一時吐出血來，幾乎暈倒，虧了還同着秋紋，兩個人挽扶着黛玉到屋裏來。那時秋紋去後，紫鵑、雪雁守着。見他漸漸蘇醒過來，問紫鵑道：“你們守着哭什麼？”紫鵑見他說話明白，倒放了心了，因說：“姑娘剛才打老太太那邊回來，身上覺着不大好，唬的我們沒了主意，所以哭了。”黛玉笑道：“我那裏就能够死呢……”這一句話沒完，又喘成一處。原來黛玉因今日聽得寶玉寶釵的事情，這本是他數年的心病，一時急怒，所以迷惑了本性。及至回來，吐了這一口血，心中却漸漸的明白過來，把頭裏的事一字也不記得了。這會子見紫鵑哭，方模糊想起傻大姐的話來。此時反不傷心，惟求速死，以完此債。這裏紫鵑、雪雁只得守着，想要告訴人去，怕又像上次，招得鳳姐兒說他們失驚打怪的。

那知秋紋回去，神情慌張。正值賈母睡起中覺來，看見這般光景，便問：“怎麼了？”秋紋嚇的連忙把剛才的事回了一遍。賈母大驚，說：“這還了得！”連忙着人叫了王夫人、鳳姐過來，告訴了他婆媳兩個。鳳姐道：“我都囑咐到了，這是什麼人走了風了呢？這不更是一件難事了嗎。”賈母道：“且別管那些，先瞧瞧去是怎麼樣了。”說着，便起身帶着王夫人、鳳姐等過來看視。見黛玉顏色如雪，並無一點血色，神氣昏沉，氣息微細。半日又咳嗽了一陣，丫頭遞了痰盒，吐出都是痰中帶血的，大家都慌了。只見黛玉微微睜眼，看見賈母在他旁邊，便喘吁吁的說道："老太太，你白疼了我了！"賈母一聞此言，十分難受，便道："⋯
子，你養着罷，不怕的。"黛玉微微一笑，把眼又閉上了。外面丫頭進來回鳳姐道："⋯
來了。"于是大家略避。王大夫同着賈璉進來，診了脉，說道："尚不妨事。⋯
鬱氣傷肝，肝不藏血，所以神氣不定。如今要用斂陰止血的藥，方可望好⋯
大夫說完，同着賈璉出去開方取藥去了。

賈母看黛玉神氣不好，便出來告訴鳳姐等道："我看這孩子的病，不⋯
咒他，只怕難好。他們也該替他預備預備，冲一冲，或者好了，豈不是大⋯
心？就是怎麼樣，也不至臨時忙亂。咱們家裏這兩天正有事呢⋯
姐兒答應了。賈母又問了紫鵑一回，到底不知是那個説的。賈⋯
裏只是納悶，因説："孩子們從小兒在一處兒頑，好些是有的。⋯
大了，懂的人事，就該要分別些，才是做女孩兒的本分，我⋯
裏疼他；若是他心裏有別的想頭，成了什麼人了呢？我⋯
白疼了他了。你們説了，我倒有些不放心。"因回到房中⋯
叫襲人來問。襲人仍將前日回王夫人的話並⋯
黛玉的光景述了一遍。賈母道："我方才⋯
却還不至糊塗，這個理我就不明白了。咱⋯
種人家，別的事自然沒有的，這心病也是⋯
有不得的。林丫頭若不是這個病呢，我憑⋯
多少錢都使得；若是這個病，不但治不好⋯
也沒心腸了。"鳳姐道："林妹妹的事，老⋯
倒不必張心，橫竪有他二哥哥天天同着⋯
瞧看，倒是姑媽那邊的事要緊。今日早起⋯
見説房子不差什麼就妥當了。竟是老太太、⋯
到姑媽那邊，我也跟了去商量商量。就只一件：⋯
家裏有寶妹妹在那裏，難以説話，不如索性請⋯
晚上過來，咱們一夜都説結了，就好辦了。"賈母、王夫⋯
道："你説的是。今日晚了，明日飯後，咱們娘兒們就過⋯
説着，賈母用了晚飯。鳳姐同王夫人各自歸房，不提⋯
且説次日鳳姐吃了早飯過來，便要試試寶玉，走⋯
間説道："寶兄弟大喜！老爺已擇了吉日，要給你娶親了。你喜歡不喜歡？"寶玉聽⋯
管瞅着鳳姐笑，微微的點點頭兒。鳳姐笑道："給你娶林妹妹過來，好不好？"寶玉却⋯

．鳳姐看着，也斷不透他是明白，是糊塗，因又問道：「老爺説你好了，才給你娶林┃呢；若還是這麼傻，便不給你娶了。」寶玉忽然正色道：「我不傻，你才傻呢！」説着，┃起來説：「我去瞧瞧林妹妹，叫他放心。」鳳姐忙扶住了，説：「林妹妹早知道了。他┃要做新媳婦了，自然害羞，不肯見你的。」寶玉道：「娶過來，他到底是見我不見？」┃又好笑，又着忙，心想想襲人的話不差，提了林妹妹，雖説仍舊説些瘋話，却覺得┃些；若真明白了，將來不是林姑娘，打破了這個燈虎兒，那饑荒才難打呢！便忍笑┃：「你好好兒的便見你，若是瘋瘋顛顛的，他就不見你了。」寶玉説道：「我有一個心，┃已交給林妹妹了，他要過來，橫竪給我帶來，還放在我肚子裏頭。」鳳姐聽着，竟是┃，便出來看着賈母笑。賈母聽了，又是笑又是疼，便説道：「我早聽見了。如今且不┃他，叫襲人好好的安慰他，咱們走罷。」

説着，王夫人也來，大家到了薛姨媽那裏，只説惦記着這邊的事來瞧瞧。薛姨媽┃不盡，説些薛蟠的話。喝了茶，薛姨媽才要叫人告訴，鳳姐連忙攔住説：「姑媽不┃訴寶妹妹。」又向薛姨媽陪笑説道：「老太太此來，一則爲瞧姑媽，二則也有句要┃話，特請姑媽到那邊商議。」薛姨媽聽了，點點頭兒説：「是了。」于是，大家又説┃話，便來了。

當晚，薛姨媽果然過來見過了賈母，到王夫人屋裏來，不免説起王子騰來，大家落┃回淚。薛姨媽便問道：「剛才我到老太太那裏，寶哥兒出來請安，還好好兒的，不過┃些，怎麼你們説得狠利害？」鳳姐便道：「其實也不怎麼樣，只是老太太懸心。目今┃又要起身外任去，不知幾年才來。老太太的意思，頭一件叫老爺看着寶兄弟成了┃也放心；二則也給寶兄弟冲冲喜，借大妹妹的金鎖壓壓邪氣，只怕就好了。」薛姨媽┃也願意，只慮着寶釵委屈，便道：「也使得。只是大家還要從長計較計較才好。」王┃便按着鳳姐的話和薛姨媽説，只説：「姨太太這會子家裏没人，不如把妝奩一概蠲┃明日就打發蝌兒去告訴蟠兒，一面這裏過門，一面給他變法兒撕擄官事。」——並┃寶玉的心事。又説：「姨太太既作了親，娶過來早早好一天，大家早放一天心。」正┃，只見賈母差鴛鴦過來候信。薛姨媽雖恐寶釵委屈，然也没法兒，又見這般光景，┃滿口應承。鴛鴦回去回了賈母，賈母也甚喜歡，又叫鴛鴦過來求薛姨媽和寶釵説┃故，不叫他受委屈，薛姨媽也答應了。便議定鳳姐夫婦作媒人，大家散了。王夫人┃不免又叙了半夜話兒。

次日，薛姨媽回家，將這邊的話細細的告訴了寶釵，還説：「我已經應承了。」寶釵┃低頭不語，後來便自垂淚。薛姨媽用好言勸慰，解釋了好些話。寶釵自回房內，寶┃去解悶。薛姨媽又告訴了薛蝌，叫他明日起身，「一則打聽審詳的事，二則告訴你哥哥一個信兒，你即便回來。"薛蝌去了四日，便回來回覆薛姨媽道："哥哥的事，已經准了誤殺，一過堂就要題本了，叫咱們預備贖罪的銀子。妹妹的事，說：'媽媽如狠好的，趕着辦又省了好些銀子。叫媽媽不用等我，該怎麼着就怎麼辦罷。'"薛姨媽聽了，一則薛蟠可以回家，二則完了寶釵的事，心裏安放了好些。便是看着寶釵心裏好不願意似的，"雖是這樣，他是女兒家，素來也孝順守禮的人，知我應了，他也沒得說的。"便叫薛蝌："辦泥金庚帖，填上八字，即叫人送到璉二爺那邊去，還問了過禮的日子來，你好預備。本來咱們不驚動親友。哥哥的朋友，是你說的，都是混賬人；親戚就是賈、王兩家。如今賈家是男家，王家無人在京裏。史姑娘放定的事，他家沒有人在咱們，咱們也不用通知。倒是把張德輝請了來，託他照料些，他上幾歲年紀的人，到底懂事。"薛蝌領命，叫人送帖過去。次日，賈璉過來見了薛姨媽，請了安，便說："明日是上好的日子。今日過來回姨太太，就是明日過禮罷。只求姨太太不要挑飭就是了。"說着，捧過通書來。薛姨媽也謙遜了幾句，點頭應允。賈璉趕着回去，回明賈政。賈政便道："你回老太太說，既不叫親友們知道，諸事寧可簡便些。若是東西上，請老太太瞧着辦就是了，不必告訴我。"賈璉答應，進內將話回明賈母。

　　這裏王夫人叫了鳳姐，命人將過禮的物件都送與賈母過目，並叫襲人告訴寶玉。寶玉又嘻嘻的笑道："這裏送到園裏，回來園裏又送到這裏；咱們的人送，咱們的人收，何苦來呢？"賈母、王夫人聽了都喜歡道："說他糊塗，他今日怎麼這麼明白呢？"鴛鴦等忍不住好笑，只得上來一件一件的點明給賈母瞧，說："這是金項圈，這是金珠首飾，共八十件；這是妝蟒四十四；這是各色綢緞一百二十匹；這是四季的衣服，共一百二十件；外面也沒有預備羊酒，這是折羊酒的銀子。"賈母看了，都說好，輕輕的與鳳姐說道："你去告訴姨太太說，不是虛禮，求姨太太等蟠兒出來，慢慢的叫人給他妹妹做來就是了。那好日子的被褥，還是咱們這裏代辦了罷。"鳳姐答應了出來，叫賈璉先過去。又囑咐旺兒等，"吩咐他們不必走大門，只從園裏從前開的便門內送去，我也就過去。這們一則離瀟湘館還遠，倘別處的人見了，囑咐他們不用在瀟湘館裏提起。"衆人答應着，送了過去。寶玉認以爲真，心裏大樂，精神便覺得好些，只是語言總有些瘋傻。那過禮的回來，都不提名說姓，因此上下人等雖都知道，只因鳳姐吩咐，都不敢走漏風聲。

　　且說黛玉雖然服藥，這病日重一日。紫鵑等在旁苦勸，說道："事情到了這個分兒，不得不說了。姑娘的心事，我們也都知道，至於意外之事，是再沒有的。姑娘不信，只拿寶玉的身子說起，這樣大病，怎麼做得親呢？姑娘別聽瞎話，自己安心保重才好。"

黛玉道才將方才的絹子拿在手中，瞅着那火點點頭兒，往上一摚。　　　　戴敦邦

林黛玉焚稿斷痴情　0913　薛寶釵出閨成大禮

微笑一笑，也不答言，又咳嗽數聲，吐出好些血來。紫鵑等看去，只有一息奄奄，明[...]
不過來，惟有守着流淚，天天三四趟去告訴賈母。鴛鴦測度賈母近日比前疼黛玉的[...]
了些，所以不常去回。況賈母這幾日的心都在寶釵、寶玉身上，不見黛玉的信兒，[...]
大提起，只請太醫調治罷了。

　　黛玉向來病着，自賈母起直到姊妹們的下人，常來問候；今見賈府中上下人等[...]
過來，連一個問的人都沒有，睜開眼只有紫鵑一人，自料萬無生理，因扎挣着向紫[...]
道：「妹妹，你是我最知心的，雖是老太太派你伏侍我這幾年，我拿你就當作我的[...]
妹……」說到這裏，氣又接不上來。紫鵑聽了，一陣心酸，早哭得説不出話來。遲了半[...]
黛玉又一面喘，一面説道：「紫鵑妹妹，我躺着不受用，你扶我來靠着坐坐才好。[...]
鵑道：「姑娘的身上不大好，起來又要抖搜着了。」黛玉聽了，閉上眼不言語了。一[...]
要起來，紫鵑沒法，只得同雪雁把他扶起，兩邊用軟枕靠住，自己卻倚在旁邊。

　　黛玉那裏坐得住？下身自覺硌的疼，狠命的掙着，叫過雪雁來道：「我的詩[...]
子……」説着，又喘。雪雁料是要他前日所理的詩稿，因找來送到黛玉跟前。黛玉[...]
頭兒，又抬眼看那箱子。雪雁不解，只是發怔。黛玉氣的兩眼直瞪，又咳嗽起來，又[...]
一口血。雪雁連忙回身取了水來，黛玉漱了，吐在盒內。紫鵑用絹子給他拭了嘴，[...]
便拿那絹子指着箱子，又喘成一處，説不上來，閉了眼。紫鵑道：「姑娘歪歪兒罷。」[...]
又搖搖頭兒。紫鵑料是要絹子，便叫雪雁開箱，拿出一塊白綾絹子來。黛玉瞧了，[...]
一邊，使勁説道：「有字的。」紫鵑這才明白過來要那塊題詩的舊帕，只得叫雪雁拿出[...]
遞給黛玉。紫鵑勸道：「姑娘歇歇罷，何苦又勞神。等好了再瞧罷。」只見黛玉接到手[...]
也不瞧詩，扎挣着伸出那隻手來，狠命的撕那絹子，卻是只有打顫的分兒，那裏撕得[...]
紫鵑早已知他是恨寶玉，卻也不敢説破，只説：「姑娘何苦自己又生氣。」黛玉點點頭[...]
掖在袖裏，便叫雪雁點燈。雪雁答應，連忙點上燈來。黛玉瞧瞧又閉了眼，坐着喘[...]
會子，又道：「籠上火盆。」紫鵑打諒他冷，因説道：「姑娘躺下，多蓋一件罷。那炭氣[...]
耽不住。」黛玉又搖頭兒，雪雁只得籠上，擱在地下火盆架上。黛玉點頭，意思叫挪[...]
上來，雪雁只得端上來，出去拿那張火盆炕桌。那黛玉卻又把身子欠起，紫鵑只得[...]
手來扶着他，黛玉這才將方才的絹子拿在手中，瞅着那火點點頭兒，往上一撂。紫[...]
了一跳，欲要搶時，兩隻手卻不敢動，雪雁又出去拿火盆桌子，此時那絹子已經燒[...]
紫鵑勸道：「姑娘，這是怎麼説呢！」黛玉只作不聞，回手又把那詩稿拿起來瞧了瞧，[...]

這時寶玉雖因失玉昏憒，但只聽見娶了黛玉爲妻，真乃是從古至今，天上人間第一件
滿意的事了，那身子頓覺健旺起來，只不過不似從前那般靈透，所以鳳姐的妙計百發百
巴不得即見黛玉。盼到今日完姻，真樂得手舞足蹈。　　　　　　　　　　　曠昌齡[...]

林黛玉焚稿斷痴情　薛寶釵出閨成大禮

下了。紫鵑怕他也要燒，連忙將身倚住黛玉，騰出手來拿時，黛玉又早拾起擲在火[...]
此時紫鵑卻彀不着，乾急。雪雁正拿進桌子來，看見黛玉一擲，不知何物，趕忙搶時[...]
紙沾火就着，如何能彀少待？早已烘烘的着了。雪雁也顧不得燒手，從火裏抓起來[...]
地下亂踩，卻已燒得所餘無幾了。

　　那黛玉把眼一閉，往後一仰，幾乎不曾把紫鵑壓倒。紫鵑連忙叫雪雁上來，將[...]
扶着放倒，心裏突突的亂跳，欲要叫人時，天又晚了；欲不叫人時，自己同着雪雁[...]
哥等幾個小丫頭，又怕一時有什麼原故。好容易熬了一夜，到了次日早起，覺黛玉[...]
過一點兒來。飯後，忽然又嗽又吐，又緊起來。紫鵑看着不祥，連忙將雪雁等都[...]
來看守，自己卻來回賈母。那知到了賈母上房，靜悄悄的，只有兩三個老媽媽和幾[...]
粗活的丫頭在那裏看屋子呢。紫鵑因問道：“老太太呢？”那些人都說不知道。紫鵑[...]
話詫異，遂到寶玉屋裏去看，竟也無人。遂問屋裏的丫頭，也說不知。紫鵑已知八九[...]
這些人怎麼竟這樣狠毒冷淡？”又想到黛玉這幾天竟連一個人問的也沒有，越想越[...]
索性激起一腔悶氣來，一扭身便出來了。自己想了一想：“今日倒要看看寶玉是何形[...]
看他見了我怎麼樣過的去！那一年我說了一句謊話，他就急病了，今日竟公然做出[...]
事來。可知天下男子之心真真是冰寒雪冷，令人切齒的！”一面走，一面想，早已來[...]
紅院。只見院門虛掩，裏面卻又寂靜的狠。紫鵑忽然想到：“他要娶親，自然是有新[...]
的。但不知他這新屋子在何處？”

　　正在那裏徘徊瞻顧，看見墨雨飛跑，紫鵑便叫住他。墨雨過來笑嘻嘻的道：“[...]
在這裏做什麼？”紫鵑道：“我聽見寶二爺娶親，我要來看看熱鬧兒，誰知不在這裏[...]
不知是幾兒。”墨雨悄悄的道：“我這話只告訴姐姐，你可別告訴雪雁他們。上頭吩咐[...]
連你們都不叫知道呢。就是今日夜裏娶。那裏是在這裏？老爺派璉二爺另收拾了屋[...]
了。”說着，又問：“姐姐有什麼事麼？”紫鵑道：“沒什麼事，你去罷。”墨雨仍舊飛跑去[...]

　　紫鵑自己發了一回呆，忽然想起黛玉來，這時候還不知是死是活，因兩淚汪汪[...]
着牙發狠道：“寶玉！我看他明兒死了，你算是躲的過不見了。你過了你那如心如意[...]
兒，拿什麼臉來見我！”一面哭，一面走，嗚嗚咽咽的自回去了。還未到瀟湘館，只見[...]
小丫頭在門裏往外探頭探腦的，一眼看見紫鵑，那一個便嚷道：“那不是紫鵑姐姐[...]
嗎！”紫鵑知道不好了，連忙擺手兒不叫嚷，趕忙進去看時，只見黛玉肝火上炎，兩[...]
赤。紫鵑覺得不妥，叫了黛玉的奶媽王奶奶來，一看他便大哭起來。這紫鵑因王奶[...]
些年紀，可以仗個膽兒，誰知竟是個沒主意的人，反倒把紫鵑弄得心裏七上八下[...]

儐相贊禮，拜了天地，請出賈母受了四拜，後請賈政夫婦登堂行禮畢，送入洞房。　　戴敦[...]

林黛玉焚稿斷痴情

0917

薛寶釵出閨成大禮

想起一個人來，便命小丫頭急忙去請。你道是誰？原來紫鵑想起李宮裁是個孀居，
寶玉結親，他自然回避；況且園中諸事向係李紈料理，所以打發人去請他。李紈正
裏給賈蘭改詩，冒冒失失的見一個丫頭進來回說：“大奶奶，只怕林姑娘好不了，
都哭呢。”李紈聽了，嚇了一大跳，也不及問了，連忙站起身來便走。素雲、碧月跟
頭走着，一頭落淚，想着：“姐妹在一處一場，更兼他那容貌才情，真是寡二少雙，惟
女素娥可以佛仿一二，竟這樣小小的年紀就作了北邙鄉女！偏偏鳳姐想出一條偷
柱之計，自己也不好過瀟湘館來，竟未能少盡姊妹之情，真真可憐可嘆！”

　　一頭想着，已走到瀟湘館的門口，裏面卻又寂然無聲，李紈倒着起忙來：“想
是已死，都哭過了，那衣衾未知妝裹妥當了沒有？”連忙三步兩步走進屋子來。裏
口一個小丫頭已經看見，便說：“大奶奶來了。”紫鵑忙往外走，和李紈走了個對臉
紈忙問：“怎麼樣？”紫鵑欲說話時，惟有喉中哽咽的分兒，卻一字說不出，那眼淚一
綫珍珠一般，只將一隻手回過去指着黛玉。李紈看了紫鵑這般光景，更覺心酸，也
問，連忙走過來看時，那黛玉已不能言。李紈輕輕叫了兩聲，黛玉卻還微微的開眼
有知識之狀，但只眼皮嘴唇微有動意，口內尚有出入之息，卻要一句話、一點淚，也
了。李紈回身，見紫鵑不在跟前，便問雪雁。雪雁道：“他在外頭屋裏呢。”李紈連忙
只見紫鵑在外間空床上躺着，顏色青黃，閉了眼只管流淚，那鼻涕眼淚把一個砌花
的褥子已濕了碗大的一片。李紈連忙喚他，那紫鵑才慢慢的睜開眼，欠起身來。李紈
“傻丫頭，這是什麼時候，且只顧哭你的！林姑娘的衣衾還不拿出來給他換上，還
早晚呢？難道他個女孩兒家，你還叫他失身露體，精着來，光着去嗎？”紫鵑聽了這
一發止不住痛哭起來。李紈一面也哭，一面着急，一面拭淚，一面拍着紫鵑的肩膀
“好孩子，你把我的心都哭亂了，快着收拾他的東西罷，再遲一會子就了不得了。”

　　正鬧着，外邊一個人慌慌張張跑進來，倒把李紈唬了一跳。看時，卻是平兒
來看見這樣，只是呆磕磕的發怔。李紈道：“你這會子不在那邊，做什麼來了？”說
之孝家的也進來了。平兒道：“奶奶不放心，叫來瞧瞧。既有大奶奶在這裏，我們奶
只顧那一頭兒了。”李紈點點頭兒。平兒道：“我也見見林姑娘。”說着，一面往裏走
面早已流下淚來。這裏李紈因和林之孝家的道：“你來的正好，快出去瞧瞧去，告
事的預備林姑娘的後事。妥當了叫他來回我，不用到那邊去。”林之孝家的答應
站着。李紈道：“還有什麼話呢？”林之孝家的道：“剛才二奶奶和老太太商量了，那

擦眼一看，可不是寶釵麼！只見他盛妝艷服，豐肩軟體，鬢低鬟鬌，睭眼息微，真是
露垂、杏花烟潤了。寶玉發了一回怔。

　　　　　　　　　　　　　　　　　　　　　　　　　　　　　　　　　　孟慶江

紅樓夢 第玖拾柒回

姑娘使喚使喚呢。”李紈還未答言，只見紫鵑道：“林奶奶，你先請罷！等着人死了，自然是出去的，那裏用這麼……”說到這裏，却又不好說了，因又改說道：“况且我這裏守着病人，身上也不潔净。林姑娘還有氣兒呢，不時的叫我。”李紈在旁解說當真這林姑娘和這丫頭也是前世的緣法兒，倒是雪雁是他南邊帶來的，他倒不理惟有紫鵑，我看他兩個一時也離不開。”林之孝家的頭裏聽了紫鵑的話，未免不受被李紈這番一說，却也没的說。又見紫鵑哭得淚人一般，只好瞅着他微微的笑，因

又説道：“紫鵑姑娘這些閑話倒不要緊，只是他却説得，我可怎麼回老太太呢？況且
是告訴得二奶奶的嗎。”

　　正説着，平兒擦着眼淚出來道：“告訴二奶奶什麼事？”林之孝家的將方才的話□
一遍。平兒低了一回頭説：“這麼着罷，就叫雪姑娘去罷。”李紈道：“他使得嗎？”平□
到李紈耳邊説了幾句，李紈點點頭兒道：“既是這麼着，就叫雪雁過去，也是一樣□
林之孝家的因問平兒道：“雪姑娘使得嗎？”平兒道：“使得，都是一樣。”林家的道：“□
麼姑娘就快叫雪姑娘跟了我去。我先去回了老太太和二奶奶。這可是大
奶奶和姑娘的主意，回來姑娘再各自回二奶奶去。”李紈道：“是了，你
這麼大年紀，連這麼點子事還不耽呢。”林家的笑道：“不是不耽，頭
一宗這件事老太太和二奶奶辦的，我們都不能狠明白；再者又有
大奶奶和平姑娘呢。”説着，平兒已叫了雪雁出來。原來雪雁因這
幾日嫌他小孩子家懂得什麼，便也把心冷淡了；況且聽是老太太
和二奶奶叫，也不敢不去，連忙收拾了頭。平兒叫他換了新鮮衣
服，跟着林家的去了。隨後平兒又和李紈説了幾句話，李紈又囑
咐平兒：“打那麼催着林之孝家的，叫他男人快辦了來。”平兒答
應着出來，轉了個灣子，看見林家的帶着雪雁在前頭走呢，趕忙
叫住道：“我帶了他去罷，你先告訴林大爺辦林姑娘的東西去
罷。奶奶那裏我替回就是了。”那林家的答應着去了。這裏平兒
帶了雪雁到了新房子裏回明了，自去辦事。

　　却説雪雁看見這般光景，想起他家姑娘，也未免傷心，只是
在賈母、鳳姐跟前，不敢露出。因又想道：“也不知用我作什麼？我
且瞧瞧。寶玉一日家和我們姑娘好的蜜裏調油，這時候總不見面
了，也不知是真病假病。怕我們姑娘不依他，假説丟了玉，妝出傻
子樣兒來叫我們姑娘寒了心，他好娶寶姑娘的意思。我看看他去，看他見了我傻不傻□
不成今兒還妝傻麼。”一面想着，已溜到裏間屋子門口，偷偷兒的瞧。這時寶玉雖因
昏憒，但只聽見娶了黛玉爲妻，真乃是從古至今，天上人間第一件暢心滿意的事了，□
子頓覺健旺起來，只不過不似從前那般靈透，所以鳳姐的妙計百發百中，巴不得即□
玉。盼到今日完姻，真樂得手舞足蹈，雖有幾句傻話，却與病時光景大相懸絶了。雪□
了，又是生氣，又是傷心。他那裏曉得寶玉的心事？便各自走開。這裏寶玉便叫襲人
給他裝新，坐在王夫人屋裏，看見鳳姐、尤氏忙忙碌碌，再盼不到吉時，只管問襲人□
“林妹妹打園裏來，爲什麼這麼費事，還不來？”襲人忍着笑道：“等好時辰。”回來又□

與王夫人道："雖然有服，外頭不用鼓樂，咱們南邊規矩要拜堂的，冷清清使不得。了家內學過音樂管過戲子的那些女人來，吹打熱鬧些。"王夫人點頭說："使得。"一時大轎從大門進來，家裏細樂迎出來，十二對宮燈排着進來，倒也新鮮雅致。儐了新人出轎，寶玉見新人蒙着蓋頭，喜娘披着紅，扶着。下首扶新人的你道是誰?就是雪雁。寶玉看見雪雁，猶想："因何紫鵑不來，倒是他呢?"又想道："是了，雪雁原是他南邊家裏帶來的；紫鵑仍是我們家的，自然不必帶來。"因此見了雪雁，竟如見了黛玉的一般歡喜。儐相贊禮，拜了天地，請出賈母受了四拜，後請賈政夫婦登堂行禮畢，送入洞房。還有坐床撒帳等事，俱是按金陵舊例。賈政原爲賈母作主，不敢違拗，不信冲喜之說，那知今日寶玉居然像個好人一般。賈政見了，倒也喜歡。

那新人坐了床，便要揭起蓋頭的。鳳姐早已防備，故請賈母、王夫人等進去照應。寶玉此時到底有些傻氣，便走到新人跟前說道："妹妹身上好了?好些天不見了，蓋着這勞什子做什麼?"欲待要揭去，反把賈母急出一身冷汗來。寶玉又轉念一想道："林妹妹是愛生氣的，不可造次。"又歇了一歇，仍是按捺不住，只得上前揭了。喜娘接了蓋頭，雪雁走開，鶯兒等上來伺候。寶玉睜眼一看，好像寶釵，心中不信；自己一手持燈，一手擦眼一看，可不是寶釵麼! 只見他盛妝艷服，豐肩軟體，鬟低鬢軃，瞤眼息微，真是荷粉露垂、杏花烟潤了。寶玉發了一回怔，又見鶯兒立在旁邊，不見了雪雁。寶玉此時心無主意，自己反以爲是夢中了，呆呆的只管站着。衆人接過燈去，扶了寶玉，仍舊坐下，兩眼直視，半語全無。賈母恐他病發，親自扶他上床。鳳姐、尤氏請了寶釵進入裏間床上坐下。寶釵此時自然是低頭不語。寶玉定了一回神，見賈母、王夫人坐在便輕輕的叫襲人道："我是在那裏呢，這不是做夢麼?"襲人道："你今日好日子，夢不夢的混說。老爺可在外頭呢! "寶玉悄悄兒的拿手指着道："坐在那裏這一位兒是誰?"襲人握了自己的嘴，笑的說不出話來，歇了半日才說道："是新娶的二奶衆人也都回顧頭去，忍不住的笑。寶玉又道："好糊塗! 你說，二奶奶到底是誰?"襲："寶姑娘。"寶玉道："林姑娘呢?"襲人道："老爺作主，娶的是寶姑娘，怎麼混說起娘來?"寶玉道："我才剛看見林姑娘了麼，還有雪雁呢，怎麼說沒有! 你們這都是做頑呢?"鳳姐便走上來，輕輕的說道："寶姑娘在屋裏坐着呢，別混說。回來得罪了

他，老太太不依的。"寶玉聽了這會子，糊塗更利害了。本來原有昏憒的病，加以今
出鬼沒，更叫他不得主意，便也不顧別的了，口口聲聲只要找林妹妹去。賈母等上前
慰，無奈他只是不懂，又有寶釵在內，又不好明說。知寶玉舊病復發，也不講明，只
屋裏點起安息香來，定住他的神魂，扶他睡下。衆人鴉雀無聞，停了片時，寶玉便
睡去，賈母等才得略略放心，只好坐以待旦，叫鳳姐去請寶釵安歇。寶釵置若罔聞
便和衣在內暫歇。

賈政在外，未知內裏原由，只就方才眼見的光景想來，心下倒放寬了。恰是明
是起程的吉日，略歇了一歇，衆人賀喜送行。賈母見寶玉睡着，也回房去暫歇。次早
政辭了宗祠，過來拜別賈母，稟稱："不孝遠離，惟願老太太順時頤養，兒子一到任
即修稟請安，不必挂念。寶玉的事已經依了老太太完結，只求老太太訓誨。"賈母
政在路不放心，並不將寶玉復病的話說起，只說："我有一句話：寶玉昨夜完姻，並
同房，今日你起身，必該叫他遠送才是。他因病冲喜
今才好些，又是昨日一天勞乏，出來恐怕着了風，
問你。你叫他送呢，我即刻去叫他；你若疼他，我就
帶了他來，你見見，叫他給你磕頭就算了。"賈政道
他送什麼，只要他從此已後認真念書，比送我還
呢。"賈母聽了，又放了一條心。便叫賈政坐着，
鴛去，如此如此，帶了寶玉，叫襲人跟着來。鴛鴦
不多一會，果然寶玉來了，仍是叫他行禮。寶玉
父親，神志略斂些，片時清楚，也沒什麼大差
吩咐了幾句，寶玉答應了。賈政叫人扶他回去
自己回到王夫人房中，又切實的叫王夫人
兒子，斷不可如前嬌縱。明年鄉試，務必叫
場。王夫人一一的聽了，也没提起別的。即忙
扶了寶釵過來，行了新婦送行之禮，也不出
其餘內眷俱送至二門而回。賈珍等也受了
訓飭。大家舉酒送行，一班子弟及晚
友直送至十里長亭而別。

不言賈政起程赴任。且說
回來，舊病陡發，更加昏憒，連飲食也不能進了。未知性
何，下回分解。

〈第玖拾捌回〉

苦絳珠魂歸離恨天　病神瑛淚灑相思地

話說寶玉見了賈政，回至房中，更覺頭昏腦悶，懶待動撣，連飯也沒吃了，更昏沉睡去。仍舊延醫診治，服藥不效，索性連人也認不明白了。大家扶着他坐起來，還是像個好人，一連鬧了幾天。那日恰是回九之期，若不過去，薛姨媽臉上過不去；若說去呢，寶玉這般光景，賈母明知是爲黛玉而起，欲要告訴明白，又恐氣急生變。寶釵是新媳婦，又難勸慰，必得姨媽過來才好。若不回九，姨媽嗔怪。便與王夫人、鳳姐商議道：“我看寶玉竟是魂不守舍，起動是不怕的，用兩乘小轎，叫人扶着從園裏過去，應了回九的吉期，已後請姨媽過來安慰寶釵，咱們一心一計的調治寶玉，可不兩全？”王夫人答應了，即刻預備。幸虧寶釵是新媳婦，寶玉是個瘋傻的，由人撥弄過去了。寶釵也明知其事，心裏只怨母親辦得糊塗，事已至此，不肯多言。獨有薛姨媽看見寶玉這般光景，心裏懊悔，只得草草完事。到家，寶玉越加沉重，次日連起坐都不能了。日重一日，甚至湯水不進。薛姨媽等忙了手腳，各處遍請名醫，皆不識病源。只有城外破寺中住着個窮醫姓畢別號知庵的，診得病源是悲喜激射，冷暖失調，飲食失時，憂忿滯中，正氣壅閉：此內傷外感之症。于是度量用藥，至晚服了，二更後果然省些人事，便要水喝。賈母、王夫人等才放了心，請了薛姨媽帶了寶釵，都到賈母那裏，暫且歇息。

寶玉片時清楚，自料難保，見諸人散後，房中只有襲人，因喚襲人至跟前，拉着手哭道：“我問你，寶姐姐怎麼來的？我記得老爺給我娶了林妹妹過來，怎麼被寶姐姐

苦絳珠魂歸離恨天　0923　病神瑛淚灑相思地

趕了去了?他爲什麼霸占住在這裏?我要説呢,又恐怕得罪了他。你們聽見林妹妹□怎麼樣了?"襲人不敢明説,只得説道:"林姑娘病着呢。"寶玉又道:"我瞧瞧他去!□着,要起來,豈知連日飲食不進,身子那能動轉。便哭道:"我要死了!我有一句心□話,只求你回明老太太:橫竪林妹妹也是哭死的,我如今也不能保,兩處兩個病□要死的,死了越發難張羅。不如騰一處空房子,趁早將我同林妹妹兩個抬在那裏,□也好一處醫治伏侍,死了也好一處停放。你依我這話,不枉了幾年的情分。"襲人聽□這些話,便哭的哽嗓氣噎。寶釵恰好同了鶯兒過來,也聽見了,便説道:"你放着病□養,何苦説這些不吉利的話!老太太才安慰了些,你又生出事來。老太太一生疼你一□如今八十多歲的人了,雖不圖你的封誥,將來你成了人,老太太也看着樂一天,也□了老人家的苦心。太太更是不必説了,一生的心血精神撫養了你這一個兒子,若是□死了,太太將來怎麼樣呢?我雖是命薄,也不至于此。據此三件看來,你便要死,那□不容你死的,所以你是不得死的。只管安穩着,養個四五天後,風邪散了,太和正□足,自然這些邪病都沒有了。"寶玉聽了,竟是無言可答,半晌方才嘻嘻的笑道:"□好些時不和我説話了,這會子説這些大道理的話給誰聽?"寶釵聽了這話,便又說□"實告訴你説罷,那兩日你不知人事的時候,林妹妹已經亡故了。"寶玉忽然坐起來□聲咤道:"果真死了嗎?"寶釵道:"果真死了,豈有紅口白舌咒人死的呢。老太太、□知道你姐妹和睦,你聽見他死了,自然你也要死,所以不肯告訴你。"

寶玉聽了,不禁放聲大哭,倒在床上,忽然眼前漆黑,辨不出方向。心中正自恍□見眼前好像有人走來,寶玉茫然問道:"借問此是何處?"那人道:"此陰司泉路,你□終,何故至此?"寶玉道:"適聞有一故人已死,遂尋訪至此,不覺迷途。"那人道:"故□誰?"寶玉道:"姑蘇林黛玉。"那人冷笑道:"林黛玉生不同人,死不同鬼,無魂無魄,□尋訪?凡人魂魄,聚而成形,散而爲氣,生前聚之,死則散焉。常人尚無可尋訪,何況□玉呢?汝快回去罷。"寶玉聽了,呆了半晌道:"既云死者散也,又如何有這個陰司呢□人冷笑道:"那陰司説有便有,説無就無。皆爲世俗溺于生死之説,設言以警世,便道□深怒愚人,或不守分安常,或生祿未終,自行夭折,或嗜淫欲,尚氣逞凶,無故自隕者□設此地獄,囚其魂魄,受無邊的苦,以償生前之罪。汝尋黛玉,是無故自陷也。且黛玉□太虛幻境,汝若有心尋訪,潛心修養,自然有時相見;如不安生,即以自行夭折之罪□陰司,除父母外,欲圖一見黛玉,終不能矣。"那人説畢,袖中取出一石,向寶玉心口擲□寶玉聽了這話,又被這石子打着心窩,嚇的即欲回家,只恨迷了道路。正在躊躇,忽□

半天,黛玉又説道:"妹妹,我這裏並没親人,我的身子是乾净的,你好歹叫他們送去。"説到道裏,又閉了眼,不言語了。

人喚他。回首看時，不是別人，正是賈母、王夫人、寶釵、襲人等，圍繞哭泣叫着，自己躺在床上。見案上紅燈，窗前皓月，依然錦綉叢中，繁華世界。定神一想，原來竟是一夢。渾身冷汗，覺得心內清爽。仔細一想，真正無可奈何，不過長嘆數聲而已。

寶釵早知黛玉已死，因賈母等不許衆人告訴寶玉知道，恐添病難治；自己却深知寶病，實因黛玉而起，失玉次之，故趁勢説明，使其一痛決絶，神魂歸一，庶可療治。王夫人等不知寶釵的用意，深怪他造次，後來見寶玉醒了過來，方才放心，立即書房請了畢大夫進來診視。那大夫進來診了脉，便道："奇怪！這回脉氣沉静，神安明日進調理的藥，就可以望好了。"説着出去。衆人各自安心散去。襲人起初深怨不該告訴，惟是口中不好説出。鴛兒背地也説寶釵道："姑娘忒性急了。"寶釵道知道什麼！好歹橫豎有我呢。"那寶釵任人誹謗，並不介意，只窺察寶玉心病，暗下針一日，寶玉漸覺神志安定，雖一時想起黛玉，尚有糊塗。更有襲人緩緩的將"老爺選姑娘爲人和厚，嫌林姑娘秉性古怪，原恐早夭。老太太恐你不知好歹，病中着急，叫雪雁過來哄你"的話，時常勸解。寶玉終是心酸落淚，欲待尋死，又想着夢中之又恐老太太、太太生氣，又不能撩開。又想黛玉已死，寶釵又是第一等人物，方信"金緣"有定，自己也解了好些。寶釵看來不妨大事，于是自己心也安了，只在賈母、王等前盡行過家庭之禮後，便設法以釋寶玉之憂。寶玉雖不能時常坐起，亦常見寶

釵坐在床前，禁不住生來舊病。寶釵每以正言勸解，以"養身要緊，你我既爲夫婦，□
一時"之語安慰他。那寶玉心裏雖不順遂，無奈日裏賈母、王夫人及薛姨媽等輪流相□
夜間寶釵獨去安寢，賈母又派人服侍，只得安心靜養。又見寶釵舉動溫柔，也就漸□
將愛慕黛玉的心腸，略移在寶釵身上。此是後話。

　　却說寶玉成家的那一日，黛玉白日已經昏暈過去，却心頭口中一絲微氣不斷，□
李紈和紫鵑哭的死去活來。到了晚間，黛玉却又緩過來了，微微睜開眼，似有要水□
的光景。此時雪雁已去，只有紫鵑和李紈在旁。紫鵑便端了一盞桂圓湯和的梨汁，□
銀匙灌了兩三匙。黛玉閉着眼靜養了一會子，覺得心裏似明似暗的。此時李紈見黛□
緩，明知是回光返照的光景，却料着還有一半天耐頭，自己回到稻香村，料理了一□
情。這裏黛玉睜開眼一看，只有紫鵑和奶媽並幾個小丫頭在那裏，便一手攥着紫□
手，使着勁說道："我是不中用的人了！你伏侍我幾年，我原指望咱們兩個總在一處□
想我……"說着，又喘了一會子，閉了眼歇着。紫鵑見他攥着不肯鬆手，自己也不□
動。看他的光景，比早半天好些，只當還可以回轉，聽了這話，又寒了半截。半天，□
又說道："妹妹，我這裏並沒親人，我的身子是乾淨的，你好歹叫他們送我回去。"說□
裏，又閉了眼，不言語了。那手却漸漸緊了，喘成一處，只是出氣大，入氣小，已經□
的狠了。紫鵑忙了，連忙叫人請李紈。可巧探春來了，紫鵑見了，忙悄悄的說道："□
娘，瞧瞧林姑娘罷！"說着，淚如雨下。探春過來，摸了摸黛玉的手，已經涼了，連目□
都散了。探春、紫鵑正哭着叫人端水來給黛玉擦洗，李紈趕忙進來了。三個人才見□
不及說話。剛擦着，猛聽黛玉直聲叫道："寶玉，寶玉！你好……"說到"好"字，便渾□
汗，不作聲了。紫鵑等急忙扶住，那汗愈出，身子便漸漸的冷了。探春、李紈叫人亂□
頭穿衣，只見黛玉兩眼一翻，嗚呼，香魂一縷隨風散，愁緒三更入夢遙。

　　當時黛玉氣絕，正是寶玉娶寶釵的這個時辰。紫鵑等都大哭起來。李紈、探春□
素日的可疼，今日更加可憐，也便傷心痛哭。因瀟湘館離新房子甚遠，所以那邊並□
見。一時大家痛哭了一陣，只聽得遠遠一陣音樂之聲，側耳一聽，却又沒有了。探□
紈走出院外再聽時，惟有竹梢風動，月影移牆，好不凄涼冷淡。一時叫了林之孝家□
來，將黛玉停放畢，派人看守，等明早去回鳳姐。鳳姐因見賈母、王夫人等忙亂，賈□
身，又爲寶玉悒憒更甚，正在着急異常之時，若是又將黛玉的凶信一回，恐賈母、王□
愁苦交加，急出病來，只得親自到園。到了瀟湘館內，也不免哭了一場。見了李紈，□
知道諸事齊備，便說："狠好。只是剛才你們爲什麼不言語，叫我着急?"探春道："□
送老爺，怎麼說呢?"鳳姐道："還倒是你們兩個可憐他些。這麼着，我還得那邊去招□

寶玉聽說，立刻要往瀟湘館來。賈母等只得叫人抬了竹椅子過來，扶寶玉坐上。李紈□

苦絳珠魂歸離恨天

0927

病神瑛淚洒相思地

個冤家呢。但是這件事好累墜，若是今日不回，使不得；若回了，恐怕老太太攔不住
李紈道：「你去見機行事，得回再回方好。」鳳姐點頭，忙忙的去了。鳳姐到了寶玉那
聽見大夫說不妨事，賈母、王夫人略覺放心，鳳姐便背了寶玉，緩緩的將黛玉的事回
了。賈母、王夫人聽得，都唬了一大跳。賈母眼淚交流，說道：「是我弄壞了他了。但
這個丫頭也忒傻氣！」說着，便要到園裏去哭他一場，又惦記着寶玉，兩頭難顧。王
等含悲共勸賈母：「不必過去，老太太身子要緊。」賈母無奈，只得叫王夫人自去。又
「你替我告訴他的陰靈：並不是我忍心不來送你，只爲有個親疏。你是我的外孫女兒
親的了；若與寶玉比起來，可是寶玉比你更親些。倘寶玉有些不好，我怎麼見他
呢？」說着，又哭起來。王夫人勸道：「林姑娘是老太太最疼的，但只壽夭有定，如今
死了，無可盡心，只是葬禮上要上等的發送。一則可以少盡咱們的心，二則就是姑
和外甥女兒的陰靈兒也可以少安了。」賈母聽到這裏，越發痛哭起來。

　　鳳姐恐怕老人家傷感太過，明仗着寶玉心中不甚明白，便偷偷的使人來撒個謊兒
老太太道：「寶玉那裏找老太太呢。」賈母聽見，才止住淚問道：「不是又有什麼緣故？」
陪笑道：「沒什麼緣故，他大約是想老太太的意思。」賈母連忙扶了珍珠兒，鳳姐也跟
來。走至半路，正遇王夫人過來，一一回明了賈母。賈母自然又是哀痛的，只因要到寶
邊，只得忍淚含悲的說道：「既這麼着，我也不過去了，由你們辦罷。我看着心裏也難受
別委屈了他就是了。」王夫人、鳳姐一一答應了。賈母才過寶玉這邊來，見了寶玉，因
「你做什麼找我？」寶玉笑道：「我昨日晚上看見林妹妹來了，他說要回南去，我想沒人
住，還得老太太給我留一留他。」賈母聽着，說：「使得，只管放心罷，襲人可扶寶玉躺
賈母出來，到寶釵這邊來。那時寶釵尚未回九，所以每每見了人，倒有些含羞之意。這
見賈母滿面淚痕，遞了茶，賈母叫他坐下。寶釵側身陪着坐了，才問道：「聽得林妹妹病
不知他可好些了？」賈母聽了這話，那眼淚止不住流下來，因說道：「我的兒，我告訴你
可別告訴寶玉。都是因你林妹妹，才叫你受了多少委屈。你如今作媳婦了，我才告訴你
如今你林妹妹沒了兩三天了，就是娶你的那個時辰死的。如今寶玉這一番病，還是爲
個。你們先都在園子裏，自然也都是明白的。」寶釵把臉飛紅了，想到黛玉之死，又不
下淚來。賈母又說了一回話，去了。自此寶釵千回萬轉，想了一個主意，只不肯造次，
過了回九，才想出弄個法子來。如今果然好些，然後大家說話才不至似前留神。

　　獨是寶玉雖然病勢一天好似一天，他的痴心總不能解，必要親去哭他一場。賈
知他病未除根，不許他胡思亂想，怎奈他鬱悶難堪，病多反覆。倒是大夫看出心病
性叫他開散了，再用藥調理，倒可好得快些。寶玉聽說，立刻要往瀟湘館來。賈母

寶玉一到，想起未病之先，未到這裏，今日屋在人亡，不禁嚎啕大哭。　　　　劉旦宅

苦絳珠魂歸離恨天

0929

病神瑛淚灑相思地

得叫人抬了竹椅子過來，扶寶玉坐上。賈母、王夫人即便先行到了瀟湘館內，一見□
靈柩，賈母已哭得淚亂氣絕，鳳姐等再三勸住。王夫人也哭了一場。李紈便請賈母□
夫人在裏間歇著，猶自落淚。寶玉一到，想起未病之先，未到這裏，今日屋在人亡，□
嚎啕大哭。想起從前何等親密，今日臨死，怎不更加傷感。衆人原恐寶玉病後過□
來解勸。寶玉已經哭得死去活來。大家攙扶歇息。其餘隨來的如寶釵，俱極痛哭□
寶玉，必要叫紫鵑來見，問明姑娘臨死有何話說。紫鵑本來深恨寶玉，見如此心裏□
過來些，又見賈母、王夫人都在這裏，不敢洒落寶玉，便將林姑娘怎麼復病，怎麼□
帕子，焚化詩稿，並將臨死說的話，一一的都告訴了。寶玉又哭得氣噎喉乾。探春□
又將黛玉臨終囑咐帶柩回南的話，也說了一遍。賈母、王夫人又哭起來。多虧鳳姐□
勸慰，略略止些。便請賈母等回去。寶玉那裏肯捨，無奈賈母逼著，只得勉強回房□

　　賈母有了年紀的人，打從寶玉病起，日夜不寧，今又大痛一陣，已覺頭暈身熱□
是不放心惦著寶玉，卻也挣扎不住，回到自己房中睡下。王夫人更加心痛難禁，也□
去，派了彩雲幫著襲人照應，並說：“寶玉若再悲戚，速來告訴我們。”寶釵是知寶□
時必不能捨，也不相勸，只用諷刺的話說他。寶玉倒恐寶釵多心，也便飲泣收心，□
一夜，倒也安穩。明日一早，衆人都來瞧他，但覺氣虛身弱，心病倒覺去了幾分。于□
意調養，漸漸的好起來。賈母幸不成病，惟是王夫人心痛未痊。那日薛姨媽過來□
看見寶玉精神略好，也就放心，暫且住下。

　　一日，賈母特請薛姨媽過去商量說：“寶玉的命，都虧姨太太救的。如今想來不□
獨委屈了你的姑娘。如今寶玉調養百日，身體復舊，又過了娘娘的功服，正好圓房□
姨太太作主，另擇個上好的吉日。”薛姨媽便道：“老太太主意狠好，何必問我。寶丫□
生的粗笨，心裏卻還是極明白的。他的情性，老太太素日是知道的。但願他們兩口兒□
意順，從此老太太也省好些心，我姐姐也安慰些，我也放了心了。老太太便定個日□
通知親戚不用呢？”賈母道：“寶玉和你們姑娘生來第一件大事，況且費了多少周折□
才得安逸，必要大家熱鬧幾天，親戚都要請的。一來酬願，二則咱們吃杯喜酒，也□
老人家操了好些心。”薛姨媽聽說，自然也是喜歡的，便將要辦妝奩的話也說了一番□
母道：“咱們親上做親，我想也不必這些。若說動用的，他屋裏已經滿了，必定寶丫頭□
愛的要你幾件，姨太太就拿了來。我看寶丫頭也不是多心的人，不比的我那外孫女□
脾氣，所以他不得長壽。”說著，連薛姨媽也便落淚。恰好鳳姐進來，笑道：“老太太□
又想著什麼了？”薛姨媽道：“我和老太太說起你林妹妹來，所以傷心。”鳳姐笑道：□
太和姑媽且別傷心。我剛才聽了個笑話兒來了，意思說給老太太和姑媽聽。”賈母拭□
眼淚，微笑道：“你又不知要編派誰呢！你說來我和姨太太聽聽。說不笑，我們可不依□
見那鳳姐未從張口，先用兩隻手比著，笑灣了腰。未知他說出些什麼來，下回分解□

第玖拾玖回

守官箴惡奴同破例　閱邸報老舅自擔驚

話說鳳姐見賈母和薛姨媽爲黛玉傷心，便說："有個笑話兒說給老太太和姑媽聽。"未從開口，先自笑了。因說道："老太太和姑媽打諒是那裏的笑話兒？就是咱們家的那二位新姑爺新媳婦啊。"賈母道："怎麼了？"鳳姐拿手比着道："一個這麼坐着，一個這麼站着；一個這麼扭過去，一個這麼轉過來；一個又……"說到這裏，賈母已經大笑起來，說道："你好生說罷，倒不是他們兩口兒，你倒把人傴的受不得了。"薛姨媽也笑道："你往下直說罷，不用比了。"鳳姐才說道："剛才我到寶兄弟屋裏，我看見好幾個人笑。我只道是誰，巴着窗戶眼兒一瞧，原來寶妹妹坐在炕沿上，寶兄弟站在地下。寶兄弟拉着寶妹妹的袖子，口口聲聲只叫：'寶姐姐，你爲什麼不會說話了？你這麼說一句話，我的病包管全好。'寶妹妹却扭着頭，只管躲。寶兄弟却作了一個揖，上前又拉寶妹妹的衣服。寶妹妹急得一扯，寶兄弟自然病後是脚軟的，索性一撲撲在寶妹妹身上了。寶妹妹急得紅了臉，說道：'你越發比先不尊重了！'"說到這裏，賈母和薛姨媽都笑起來。鳳姐又道："寶兄弟便立起身來，笑道：'虧了跌了這一交，好容易才跌出你的話來了。'"薛姨媽笑道："這是寶丫頭古怪。這有什麼的？既作了兩口兒，說說笑笑的怕什麼？他沒見他璉二哥和你。"鳳姐兒笑道："這是怎麼說呢？我饒說笑話給姑媽解悶兒，姑媽反倒拿我打起卦來了。"賈母也笑道："要這麼着才好。夫妻固然要和氣，也得有個分寸兒。我愛寶丫頭就在這‘尊重’上頭。只是我[…]寶玉還是那麼傻頭傻腦的，這麼說起來，比頭裏竟明白多了。你再說說，還有什[…]話兒沒有。"鳳姐道："明兒寶玉圓了房，親家太太抱了外孫子，那時候不更是笑[…]了麼！"賈母笑道："猴兒，我在這裏同着姨太太想你林妹妹，你來慪個笑兒還罷[…]怎麼臊起皮來了！你不叫我們想你林妹妹，你不用太高興了，你林妹妹恨你，將[…]要獨自一個到園裏去，堤防他拉着你不依。"鳳姐笑道："他倒不怨我。他臨死咬[…]齒，倒恨着寶玉呢！"賈母、薛姨媽聽着，還道是頑話兒，也不理會，便道："你別[…]扯了，你去叫外頭挑個狠好的日子，給你寶兄弟圓了房兒罷。"鳳姐去了，擇吉[…]重新擺酒、唱戲、請親友，這不在話下。

却說寶玉雖然病好復元，寶釵有時高興，翻書觀看，談論起來，寶玉所有眼前[…]見的，尚可記憶；若論靈機，大不似從前活變了，連他自己也不解。寶釵明知是通[…]去，所以如此。倒是襲人時常說他："你何故把從前的靈機都忘了？那是舊毛病忘[…]好，爲什麼你的脾氣還覺照舊，在道理上更糊塗了呢？"寶玉聽了並不生氣，反是[…]的笑。有時寶玉順性胡鬧，多虧寶釵勸說，諸事略覺收斂些。襲人倒可少費些唇舌[…]知悉心伏侍。別的丫頭素仰寶釵貞靜和平，各人心服，無不安靜。只有寶玉到底[…]動不愛靜的，時常要到園裏去逛。賈母等一則怕他招受寒暑，二則恐他睹景傷情[…]黛玉之柩已寄放城外庵中，然而瀟湘館依然人亡屋在，不免勾起舊病來，所以也[…]他去。況且親戚姊妹們，爲寶琴已回到薛姨媽那邊去了；史湘雲因史侯回京，也[…]家去了，又有了出嫁的日子，所以不大常來，只有寶玉娶親那一日與吃喜酒這天[…]兩次，也只在賈母那邊住下，爲着寶玉已經娶親過的人，又想自己就要出嫁的，[…]肯如從前的詼諧談笑，就是有時過來，也只和寶釵說話，見了寶玉不過問好而已[…]邢岫烟却是因迎春出嫁之後，便隨着邢夫人過去；李家姊妹也另住在外，即同着[…]娘過來，亦不過到太太們與姐妹們處請安問好，即回到李紈那裏略住一兩天就去[…]所以園內的只有李紈、探春、惜春。賈母還要將李紈等挪進來，爲着元妃薨後，[…]事情接二連三，也無暇及此。現今天氣一天熱似一天，園裏尚可住得，等到秋天[…]此是後話，暫且不提。

且說賈政帶了幾個在京請的幕友，曉行夜宿，一日到了本省，見過上司，即[…]拜印受事，便查盤各屬州縣糧米倉庫。賈政向來作京官，只曉得郎中事務，都是[…]

次日，果然聚齊，都來告假。賈政不知就裏，便說："要來也是你們，要去也是你們。
這裏不好，就都請便。"

事情；就是外任，原是學差，也無關干吏治上，所以外省州縣，折政糧米、勒索鄉些弊端，雖也聽見別人講究，却未嘗身親其事，只有一心做好官。便與幕賓商議，嚴禁，並諭以一經查出，必定詳參揭報。初到之時，果然胥吏畏懼，便百計鑽營。賈政這般古執，那些家人跟了這位老爺，在都中一無出息，好容易盼到主人放了，便在京指着在外發財的名頭，向人借貸做衣裳，裝體面，心裏想着到了任，銀錢易的了；不想這位老爺呆性發作，認真要查辦起來，州縣饋送一概不受。門房簽人心裏盤算道："我們再挨半個月，衣服也要當完了，債又逼起來，那可怎麼樣好銀見得白花花的銀子，只是不能到手。"那些長隨也道："你們爺們到底還沒花什麼錢來的，我們才冤花了若干的銀子，打了個門子，來了一個多月，連半個錢也沒。想來跟這個主兒是不能撈本兒的了，明兒我們齊打夥兒告假去。"次日，果然聚都來告假。賈政不知就裏，便說："要來也是你們，要去也是你們。既嫌這裏不好，請便。"那些長隨怨聲載道而去。

只剩下些家人，又商議道："他們可去的去了，我們去不了的，到底想個法兒才內中有一個管門的叫李十兒，便說："你們這些没能耐的東西，着什麼忙！我見這

守官箴惡奴同破例　閙邸報老舅自擔驚

'長'字號兒的在這裏，不犯給他出頭；如今都餓跑了，瞧瞧你十太爺的本領，少

本主兒依我。只是要你們齊心，打夥兒弄幾個錢回家受用；若不隨我，我也不管

了。"李十兒道："不要我出了頭，得了銀錢，又說我得了大分兒，窩兒裏反起來

竪拚得過你們。"衆人都說："好十爺，你還主兒信得過。若你不管，我們實在是

家沒意思。"衆人道："你萬安

有的事！就沒有多少，也強

們腰裏掏錢。"

正說着，只見糧房書辦

找周二爺。李十兒坐在椅子上，

一隻腿，挺着腰說道："找他做什

書辦便垂手陪着笑，說道："本官

一個多月的任，這些州縣太爺見得

的告示利害，知道不好說話，到了這

都沒有開倉。若是過了漕，你們太爺們

什麼的？"李十兒道："你別混說！老爺是

蒂的，說到那裏，是要辦到那裏。這兩天

行文催兒，因我說了緩幾天，才歇的。你

找我們周二爺做什麼？"書辦道："原爲

催文的事，沒有別的。"李十兒道："越

說！方才我說催文，你就信嘴胡謅。可別

崇崇來講什麼賬，我叫本官打了你，退

書辦道："我在這衙門內已經三代了，

也有些體面，家裏還過得，就規規矩矩

本官升了還能彀，不像那些等米下鍋

說着，回了一聲："二太爺，我走了。"李十兒便站起

着笑說："這麼不禁頑，幾句話就臉急了！"書辦道

是我臉急，若再說什麼，豈不帶累了二太爺的清名

李十兒過來拉着書辦的手說："你貴姓啊？"書辦道

敢。我姓詹，單名是個會字。從小兒也在京裏渾

年。"李十兒道："詹先生，我是久聞你的名的。我們

們是一樣的。有什麼話，晚上到這裏，咱們說一說

説：“誰不知道李十太爺是能事的，把我一詐，就嚇毛了。”大家笑着走開。那晚便辦咕唧了半夜。

第二天拿話去探賈政，被賈政痛罵了一頓。隔一天拜客，裏頭吩咐伺候，外頭答。停了一會子，打點已經三下了，大堂上沒有人接鼓；好容易叫個人來打了鼓，踱出暖閣，站班喝道的衙役只有一個。賈政也不查問，在墀下上了轎，等轎夫又好一回。來齊了抬出衙門，那個炮只響得一聲，吹鼓亭的鼓手，只有一個打鼓，吹號筒。賈政便也生氣，說：“往常還好，怎麼今兒不齊集至此！”抬頭看那執事，攙前落後。勉強拜客回來，便傳誤班的要打。有的說因沒有帽子誤的，有的說是當了誤的，又有的說是三天沒吃飯抬不動。賈政生氣，打了一兩個，也就罷了。天，管厨房的上來要錢，賈政帶來銀兩付了。已後便覺樣樣不如意，比在京的時不便了好些。無奈，便喚李十兒問道：“我跟來這些人，怎樣都變了？你也管管。帶來銀兩早使沒有了，藩庫俸銀尚早，該打發京裏取去。”李十兒稟道：“奴才那不說他們？不知怎麼樣，這些人都是沒精打彩的，叫奴才也沒法兒。老爺說家銀子，取多少？現在打聽節度衙門這幾天有生日，別的府道老爺都上千上萬的，我們到底送多少呢？”賈政道：“爲什麼不早說！”李十兒說：“老爺最聖明的。我來乍到，又不與別位老爺狠來往，誰肯送信？巴不得老爺不去，便好想老爺的美。”賈政道：“胡說！我這官是皇上放的，不與節度做生日，便叫我不做不成？”李十着回道：“老爺說的也不錯。京裏離這裏狠遠，凡百的事都是節度奏聞，他說好說不好便吃不住。到得明白，已經遲了。就是老太太、太太們，那個不願意老爺頭烈烈轟轟的做官呢。”

賈政聽了這話，也自然心裏明白，道：“我正要問你，爲什麼都說起來？”李十兒：“奴才本不敢說，老爺既問到這裏，若不說，是奴才沒良心；若說了，少不得老生氣。”賈政道：“只要說得在理。”李十兒說道：“那些書吏衙役，都是花了錢買道的衙門，不想發財？——俱要養家活口。自從老爺到了任，並沒見爲國家出力，有了口碑載道。”賈政道：“民間有什麼話？”李十兒道：“百姓說，凡有新到任的，告示出得愈利害，愈是想錢的法兒。州縣害怕了，好多多的送銀子。收糧的時衙門裏便說，新道爺的法令，明是不敢要錢。這一留難扐蹬，那些鄉民心裏願意花錢，早早了事，所以那些人不說老爺好，反說不諳民情。便是本家大人，是老爺好的，他不多幾年，已巴到極頂的分兒，也只爲識時達務，能殺上和下睦罷了。”賈政聽到這話，道：“胡說！我就不識時務嗎？若是上和下睦，叫我與他們貓鼠同？”李十兒回說道：“奴才爲着這點忠心兒掩不住，才這麼說；若是老爺就是這樣

做去，到了功不成名不就的時候，老爺又説奴才没良心，有什麽話不告訴老爺□

賈政道：「依你怎麽做才好？」李十兒道：「也没有别的，趁着老爺的精神年紀，裏□

照應，老太太的硬朗，爲顧着自己就是了。不然到不了一年，老爺家裏的錢也都□

完了，還落了自上至下的人抱怨，都説老爺是做外任的，自然弄了錢藏着受用。□

着一兩件爲難的事，誰肯幫着老爺？那時辦也辦不清，悔也悔不及。」賈政道：「□

一説，是叫我做貪官嗎？送了命還不要緊，必定將祖父的功勳抹了才是！」李十兒

道：「老爺極聖明的人，没看見舊年犯事的幾位老爺嗎？這幾位都與老爺相好，□

常説是個做清官的，如今名在那裏？現有幾位親戚老爺，向來説他們不好的，如□

的升，遷的遷，只在要做的好就是了。老爺要知道：民也要顧，官也要顧。若是依□

爺，不准州縣得一個大錢，外頭這些差使誰辦？只要老爺外面還是這樣清名聲庽□

裏頭的委屈，只要奴才辦去，關礙不着老爺。奴才跟主兒一場，到底也要掏出□

來。」賈政被李十兒一番言語，説得心無主見，道：「我是要保性命的，你們鬧出來□

與我相干。」説着，便踱了進去。李十兒便自己做起威福，鈎連内外一氣的哄着賈□

辦事反覺得事事周到，件件隨心。所以賈政不但不疑，反多相信。便有幾處揭報□

司見賈政古樸忠厚，也不查察。惟是幕友們耳目最長，見得如此，得便用言規諫□

奈賈政不信，也有辭去的，也有與賈政相好在内維持的。于是漕務事畢，尚無阻□

　　一日，賈政無事，在書房中看書，簽押上呈進一封書子，外面官封，上開着「鎮□

門等處總制公文一角，飛遞江西糧道衙門」。賈政拆封看時，只見上寫道：

　　　金陵契好，桑梓情深。昨歲供職來都，竊喜常依座右。仰蒙雅愛，許結朱陳，至今佩□

　　護。只因調任海疆，未敢造次奉求，衷懷歉仄，自嘆無緣。今幸榮戕遄臨，快慰平生之願□

　　燕賀，先蒙翰教，邊恨光生，武夫額手。雖隔重洋，尚叨樾蔭。想蒙不棄卑寒，希望萬難□

　　小兒已承青盼，淑媛素仰芳儀。如蒙踐諾，即遣冰人。途路雖遙，一水可通。不敢云百輛□

　　敬備仙舟以俟。兹修寸幅，恭賀升祺，並求金允。臨潁不勝待命之至。世弟周瓊頓首□

　　賈政看了，心想：「兒女姻緣，果然一定的。舊年因見他就了京職，又是同鄉的□

素來相好，又見那孩子長得好，在席間原提起這件事，因未説定，也没有與他們説□

後來他調了海疆，大家也不説了。不料我今升任至此，他寫書來問。我看起門户□

相當，與探春到也相配。但是我並未帶家眷，只可寫字與他商議。」正在躊躇，只見□

正在納悶，只見李十兒進來：「請老爺到官廳伺候去，大人衙門已經打了二鼓了。」賈□

是發怔，没有聽見。李十兒又請一遍。賈政道：「這便怎麽處？」李十兒道：「老爺□

心事？」賈政將看報之事説了一遍。李十兒道：「老爺放心。若是部裏這麽辦了，還有□

薛大爺呢！」

戴敦□

皇恩吉澤
曰乾坤

端方正直
賈氏祖訓
子孫不忘

九十九四 閣邸報老舅自擔驚 乙卯

傳進一角文書，是議取到省會議事件，賈政只得收拾上省，候節度派委。

一日在公館閑坐，見桌上堆着一堆字紙，賈政一一看去，見刑部一本："爲事，會看得金陵籍行商薛蟠……"賈政便吃驚道："了不得，已經提本了！"隨用心去，是薛蟠毆傷張三身死，串囑尸證，捏供誤殺一案。賈政一拍桌道："完了！"只看，底下是：

> 據京營節度使咨稱："緣薛蟠籍隸金陵，行過太平縣，在李家店歇宿，與店內當槽三素不相認。于某年月日，薛蟠令店主備酒邀請太平縣民吳良同飲，令當槽張三取酒不甘，薛蟠令換好酒，張三因稱酒已沾定難換。薛蟠因伊揮強，將酒照臉潑去，不期去猛，恰值張三低頭拾箸，一時失手，將酒碗擲在張三囟門，皮破血出，逾時殞命。李店主不及，隨向張三之母告知。伊母張王氏往看，見已身死，隨喊禀地保赴縣呈報。前署縣仵作將骨破一寸三分及腰眼一傷，漏報填格，詳府審轉。看得薛蟠實係潑酒失手，擲碗張三身死，將薛蟠照過失殺人，准鬥殺罪收贖"等因前來。臣等細閱各犯證尸親前後供符，且查鬥殺律注云："相爭爲鬥，相打爲毆。"必實無爭鬥情形，邂逅身死，方可以過失擬。應令該節度審明實情，妥擬具題。今據該節度疏稱薛蟠因張三不肯換酒，醉後拉右手，先毆腰眼一拳，張三被毆回罵，薛蟠將碗擲出，致傷囟門深重，骨碎腦破，立時是張三之死，實由薛蟠以酒碗砸傷深重致死，自應以薛蟠擬抵，將薛蟠依鬥殺律擬絞吳良擬以杖徒。承審不實之府州縣，應請……

以下注着："此稿未完。"賈政因薛姨媽之託，曾託過知縣，若請旨革審起來，牽自己，好不放心。即將下一本開看，偏又不是，只好翻來覆去將報看完，終沒有一本的，心中狐疑不定，更加害怕起來。

正在納悶，只見李十兒進來："請老爺到官廳伺候去，大人衙門已經打了了。"賈政只是發怔，沒有聽見。李十兒又請一遍。賈政道："這便怎麼處？"李道："老爺有什麼心事？"賈政將看報之事說了一遍。李十兒道："老爺放心。若裏這麼辦了，還算便宜薛大爺呢！奴才在京的時候，聽見薛大爺在店裏叫了好婦，都喝醉了生事，直把個當槽兒的活活打死的。奴才聽見不但是託了知縣，還二爺去花了好些錢，各衙門打通了才提的，不知道怎麼部裏沒有弄明白。如今鬧破了，也是官官相護的，不過認個承審不實，革職處分罷，那裏還肯認'得銀情'呢？老爺不用想，等奴才再打聽罷，不要誤了上司的事。"賈政道："你們道？只可惜那知縣聽了一個情，把這個官都丟了，還不知道有罪沒有呢！"李十兒"如今想他也無益，外頭伺候着好半天了，請老爺就去罷。"賈政不知節度傳辦且聽下回分解。

第壹佰回

破好事香菱結深恨　悲遠嫁寶玉感離情

話說賈政去見了節度，進去了半日，不見出來，外頭議論不一。李十兒在外也打聽不出什麼事來，便想到報上的饑荒，實在也着急。好容易聽見賈政出來，便迎上來跟着，等不得回去，在無人處便問："老爺進去這半天，有什麼要緊的事？"賈政笑道："並沒有事。只爲鎮海總制是這位大人的親戚，有書來囑託照應我，所以說了些好話。又說'我們如今也是親戚了'。"李十兒聽得，心內喜歡，不免又壯了些膽子，便竭力慫恿賈政許這親事。賈政心想，薛蟠的事到底有什麼窒礙，在外頭信息不早，難以打點，故回到本任來，便打發家人進京打聽，順便將總制求親之事回明賈母，如若願意，即將三姑娘接到任所。家人奉命趕到京中，回明了王夫人，便在吏部打聽得賈政並無處分，惟將署太平縣的這位老爺革職，即寫了稟帖安慰了賈政，然後住着等信。

且說薛姨媽爲着薛蟠這件人命官司，各衙門內不知花了多少銀錢，才定了誤殺具題。原打量將當鋪折變給人，備銀贖罪，不想刑部駁審，又託人花了好些錢，總不中用，依舊定了個死罪，監着守候秋天大審。薛姨媽又氣又疼，日夜啼哭。寶釵雖時常過來勸解，說是"哥哥本來沒造化，承受了祖父這些家業，就該安安頓頓的守着過日子。在南邊已經鬧的不像樣，便是香菱那件事情，就了不得。因爲仗着親戚們的勢力，花了些銀錢，這算白打死了一個公子。哥哥就該改過，做起正經人來，也該奉養母親才是，不想進了京，仍是這樣。媽媽爲他不知受了多少氣，哭掉了多少眼淚。他娶了親，原想大家安安逸逸的過日子，不想命該如此，偏偏娶的嫂子，又是一個安靜的，所以哥哥躲出門的。真正俗語説的'冤家路兒狹'，不多幾天，就鬧出事了！媽媽和二哥哥也算不得不盡心的了，花了銀錢不算，自己還求三拜四的謀幹，無奈命裏應該，也算自作自受。大凡養兒女是爲着老來有靠，便自小户人家，還要一碗飯養活母親；那裏有將現成的鬧光了，反害的老人家哭的死去活來的！不是我説哥哥的這樣行爲，不是兒子，竟是個冤家對頭。媽媽再不明白，明哭到夜，夜哭到明，又受嫂子的氣。我呢，又不能常在這裏勸解。我看見媽媽這樣，那裏放得下心。他是傻，也不肯叫我回去。前兒老爺打發人回來説，看見京報，嚇的了不得，所以才來打點的。我想哥哥鬧了事，擔心的人也不少。幸虧我還是在跟前的一樣，若是調遠，聽見了這個信，只怕我想媽媽，也就想殺了。我求媽媽暫且養養神，趁哥哥在口現在，問問各處的賬目，人家該咱們的，咱們該人家的，亦該請個舊夥計來算一算，看看還有幾個錢没有。”

薛姨媽哭着説道：“這幾天爲鬧你哥哥的事，你來了，不是你勸我，便是我告衙門的事。你還不知道：京裏的官商名字已經退了，兩個當鋪已經給了人家，銀子拿來使完了。還有一個當鋪，管事的逃了，虧空了好幾千兩銀子，也夾在裏頭打官司。你二哥哥天天在外頭要賬，料着京裏的賬已經去了幾萬銀子，只好拿南邊公分子並住房折變才够。前兩天還聽見一個荒信，説是南邊的公當鋪也因爲折了本兒了。若是這麽着，你娘的命可就活不成的了！”説着，又大哭起來。寶釵也哭着勸道：“銀錢的事，媽媽操心也不中用，還有二哥哥給我們料理。單可恨這些夥計們，見主的勢頭兒敗了，各自奔各自的去也罷了，我還聽見説幫着人家來擠我們的訛頭。我哥哥活了這麽大，交的人總不過是些個酒肉弟兄，急難中是一個没有的。媽媽疼我，聽我的話，有年紀的人自己保重些，媽媽這一輩子想來還不致挨凍受餓，這點子衣裳家伙，只好聽憑嫂子去，那是没法兒的了。所有的家人婆子，瞧他們心在這裏，該去的叫他們去。就可憐香菱苦了一輩子，只好跟着媽媽過去。實在不麽，我要是有的，還可以拿些個來，料我們那個也没有不依的。就是襲姑娘也是正道的，他聽見我哥哥的事，他倒提起媽媽來就哭。我們那一個還道是没事的，不大着急；若聽見了，也是要嚇個半死兒的。”薛姨媽不等説完，便説：“好姑娘，

那香菱正走着，原不理會，忽聽寶蟾一嚷，才瞧見金桂在那裏拉住薛蝌往裏死拽。香[菱]嚇的心頭亂跳，自己連忙轉身回去。

王宏[

別告訴他。他爲一個林姑娘，幾乎没要了命，如今才好了些，要是他急出個原故來，□但你添一層煩惱，我越發没了依靠了。"寶釵道："我也是這麽想，所以總没告訴他□

正説着，只聽見金桂跑來外間屋裏哭喊道："我的命是不要的了！男人呢，已無□没有活的分兒了。咱們如今索性鬧一鬧，大夥兒到法場上去拚一拚！"説着，便將□隔斷板上亂撞，撞的披頭散髮。氣得薛姨媽白瞪着兩隻眼，一句話也説不出來，還□寶釵"嫂子"長"嫂子"短，好一夕一句的勸他。金桂道："姑奶奶，如今你是比□裏的了。你兩口兒好好的過日子，我是個單身人兒，要臉做什麽！"説着，便要跑□上回娘家去。虧得人還多，扯住了，又勸了半天方住。把個寶琴唬的再不敢見他。□薛蝌在家，他便抹粉施脂，描眉畫鬢，奇情異致的打扮收拾起來，不時打從薛蝌□前過。或故意咳嗽一聲，或明知薛蝌在屋，特問房裏何人。有時遇見薛蝌，他便妖□喬、嬌嬌痴痴的問問寒熱，忽喜忽嗔。丫頭們看見，都趕忙躲開。他自己也不覺得□是一意一心要弄得薛蝌感情時，好行寶蟾之計。那薛蝌却止躲着，有時遇見，也□不周旋一二，只怕他撒潑放刁的意思。更加金桂一則爲色迷心，越瞧越愛，越想越□那裏還看得出薛蝌的真假來？只有一宗：他見薛蝌有什麽東西都是託香菱收着，□縫洗也是香菱，兩個人偶然説話，他來了，急忙散開，一發動了一個"醋"字。欲□作，薛蝌却是捨不得，只得將一腔隱恨，都擱在香菱身上，却又恐怕鬧了香菱，得□薛蝌，倒弄得隱忍不發。

一日，寶蟾走來笑嘻嘻的向金桂道："奶奶，看見了二爺没有？"金桂道："没□寶蟾笑道："我説二爺的那種假正經是信不得的，咱們前日送了酒去，他説不會喫□才我見他到太太那屋裏去，那臉上紅撲撲兒的，一臉酒氣。奶奶不信，回來只在□院門口等他。他打那邊過來時，奶奶叫住他問問，看他説什麽？"金桂聽了，一心□氣，便道："他那裏就出來了呢！他既無情義，問他説什麽！"寶蟾道："奶奶又迂□好説，咱們也好説；他不好説，咱們再另打主意。"金桂聽着有理，因叫寶蟾："瞧着□看他出去了。"寶蟾答應着出來，金桂却去打開鏡盒，又照了一照，把嘴唇兒又抹□抹，然後拿一條洒花絹子。才要出來，又似忘了什麽的，心裏倒不知怎麽是好了。□寶蟾外面説道："二爺今日高興呵，那裏喝了酒來了？"金桂聽了，明知是叫他出□意思，連忙掀起簾子出來。只見薛蝌和寶蟾説道："今日是張大爺的好日子，所以□們强不過，吃了半鍾，到這時候臉還發燒呢。"一句話没説完，金桂早接口道："自□

寶玉聽了，兩隻手拉住寶釵、襲人道："我也知道。爲什麽散的這麽早呢？等我化了灰□候，再散也不遲。"襲人掩着他的嘴道："又胡説！"

戴敦□

家外人的酒，比咱們自己家裏的酒是有趣兒的。"薛蝌被他拿話一激，臉越紅了，

走過來陪笑道："嫂子說那裏的話。"寶蟾見他二人交談，便躲到屋裏去了。

這金桂初時原要假意發作薛蝌兩句，無奈一見他兩煩微紅，雙眸帶澀，別有一

願可憐之意，早把自己那驕悍之氣感化到爪洼國去了。因笑說道："這麼說，你的

硬强着才肯喝的呢！"薛蝌道："我那裏喝得來？"金桂道："不喝也好，强如像你哥

出亂子來，明兒娶了你們奶奶兒，像我這樣守活寡受孤單呢！"說到這裏，兩個眼

乜斜了，兩腮上也覺紅暈了。薛蝌見這話越發邪僻了，打算着要走。金桂也看出來

那裏容得？早已走過來一把拉住。薛蝌急了，道："嫂子，放尊重些！"說着，渾身亂顫

桂索性老着臉道："你只管進來，我和你說一句要緊的話。"正鬧着，忽聽背後一個

道："奶奶，香菱來了。"把金桂唬了一跳，回頭瞧時，却是寶蟾掀着簾子看他二人

景，一抬頭見香菱從那邊來了，趕忙知桂。金桂這一驚不小，手已鬆了，薛蝌便脫身跑了。那香菱正走着，原不理忽聽寶蟾一嚷，才瞧見金桂在那裏薛蝌往裏死拽。香菱却唬的心頭亂跳己連忙轉身回去。這裏金桂早已連氣，呆呆的瞅着薛蝌去了。怔了半天一聲，自己掃興歸房。從此把香菱恨髓。那香菱本是要到寶琴那裏，剛走門，看見這般，嚇回去了。

是日寶釵在賈母屋裏，聽得人告訴老太太要聘探春一事。賈道："既是同鄉的人，狠好。只是說那孩子到過我裏，怎麼你老爺提起？"王夫人"連我們也不知賈母道："好便好，但是太遠。雖然老爺在那裏，倘或將爺調任，可不是我們孩子太單了嗎？"人道："兩家都是做官的，也是拿不定。或者那

來；即不然，終有個葉落歸根。況且老爺既在那裏做官，上司已經説了，好意思不
～。想來老爺的主意定了，只是不敢做主，故遣人來回老太太的。"賈母道："你們願
更好，但是三丫頭這一去了，不知三年兩年，那邊可能回家？若再遲了，恐怕我趕不
見他一面了。"説着，掉下淚來。王夫人道："孩子們大了，少不得總要給人家的。
本鄉本土的人，除非不做官還使得；若是做官的，誰保得住總在一處？只要孩子
造化就好。譬如迎姑娘倒配得近呢，偏是時常聽見他被女婿打鬧，甚至不給飯
就是我們送了東西去，他也摸不着。近來聽見益發不好了，也不放他回來。兩口子
來，就説咱們使了他家的銀錢。可憐這孩子，總不得個出頭的日子。前兒我惦記
打發人去瞧他，迎丫頭藏在耳房裏，不肯出來。老婆子們必要進去，看見我們姑娘
冷天，還穿着幾件舊衣裳。他一包眼淚的告訴婆子們説：'回去別説我這麼苦，這
命裏所招。也不用送什麼衣服東西來，不但摸不着，反要添一頓打。──説是我
的。'老太太想想：這倒是近處眼見的，若不好更難受。倒虧了大太太也不理會
大老爺也不出頭。如今迎姑娘實在比我們三等使唤的丫頭還不如。我想探丫頭
是我養的，老爺既看見過女婿，定然是好才許的。只請老太太示下，擇個好日子，
幾個人送到他老爺任上。該怎麼着，老爺也不肯將就。"賈母道："有他老子作主，
料理妥當，揀個長行的日子送去，也就定了一件事。"王夫人答應着是。

寶釵聽得明白，也不敢則聲，只是心裏叫苦："我們家裏姑娘們，就算他是個尖
如今又要遠嫁。眼看着這裏的人一天少似一天了！"見王夫人起身告辭出去，他也
出來，一徑回到自己房中，並不與寶玉説話。見襲人獨自一個做活，便將聽見的
了，襲人也狠不受用。却説趙姨娘聽見探春這事，反歡喜起來，心裏説道："我這
頭在家忒瞧不起我，我何從還是個娘，比他的丫頭還不濟！况且沿上水護着別
他擋在頭裏，連環兒也不得出頭。如今老爺接了去，我倒乾净。想要他孝敬我，不
了，只願意他像迎丫頭似的，我也稱稱願！"一面想着，一面跑到探春那邊與他道
："姑娘，你是要高飛的人了，到了姑爺那邊，自然比家裏還好，想來你也是願意
更是養了你一場，並沒有借你的光兒，就是我有七分不好，也有三分的好，總不要
了，把我攔在腦杓子後頭。"探春聽着毫無道理，只低頭作活，一句也不言語。趙
見他不理，氣忿忿的自己去了。

這裏探春又氣，又笑，又傷心，也不過自己掉淚而已。坐了一回，悶悶的走到寶玉
來。寶玉因問道："三妹妹，我聽見林妹妹死的時候，你在那裏來着。我還聽見説，
妹死的時候，遠遠的有音樂之聲，或者他是有來歷的，也未可知。"探春笑道："那
心裏想着罷了。只是那夜却怪，不似人家鼓樂之音，你的話或者也是。"寶玉聽了，

更以爲實。又想前日自己神魂飄蕩之時，曾見一人説是黛玉生不同人，死不同鬼，必那裏的仙子臨凡。忽又想起那年唱戲做的嫦娥，飄飄艷艷，何等風致。過了一回，拉去了，因必要紫鵑過來，立刻回了賈母去叫他。無奈紫鵑心裏不願意，雖經賈母、人派了過來，也就没法，只是在寶玉跟前，不是噯聲，就是嘆氣的。寶玉背地裏拉着低聲下氣要問黛玉的話，紫鵑從没好話回答。寶釵倒背地裏夸他有忠心，並不嗔怪那雪雁雖是寶玉娶親這夜出過力的，寶釵見他心地不甚明白，便回了賈母、王夫人他配了一個小廝，各自過活去了。王奶媽養着他，將來好送黛玉的靈柩回南。鸚哥等丫頭仍伏侍了老太太。寶玉本想念黛玉，因此及彼，又想跟黛玉的人已經雲散，更悶。悶到無可如何，忽又想黛玉死得這樣清楚，必是離凡返仙去了，反又歡喜。

忽然聽見襲人和寶釵那裏講究探春出嫁之事，寶玉聽了，"啊呀"的一聲，哭倒上。唬得寶釵、襲人都來扶起説："怎麼了?"寶玉早哭的説不出來，定了一回子神，説"這日子過不得了! 我姊妹們都一個一個的散了! 林妹妹是成了仙去了。大姐姐呢，也死了。——這也罷了，没天天在一塊。二姐姐呢，碰着了一個混賬不堪的東西。三妹妹要遠嫁，總不得見的了。史妹妹又不知要到那裏去?薛妹妹是有了人家的。這些姐妹，難道一個都不留在家裏，單留我做什麼?"襲人忙又拿話解勸，寶釵擺着手説："你用勸他，讓我來問他。"因問着寶玉道："據你的心裏，要這些姐妹都在家裏陪到你，都不要爲終身的事嗎?若説别人，或者還有别的想頭;你自己的姐姐妹妹，不用説遠嫁的，就是有，老爺作主，你有什麼法兒?打量天下獨是你一個人愛姐姐妹妹呢。都像你，就連我也不能陪了你。大凡人念書原爲的是明理，怎麼你益發糊塗了! 這么起來，我同襲姑娘各自一邊兒去，讓你把姐姐妹妹們都邀了來守着你。"寶玉聽了，手拉住寶釵、襲人道："我也知道。爲什麼散的這麼早呢?等我化了灰的時候，再散也遲。"襲人掩着他的嘴道："又胡説! 才這兩天身上好些，二奶奶才吃些飯。若是你又了，我也不管了。"寶玉慢慢的聽他兩個人説話都有道理，只是心上不知道怎樣才好，得强説道："我却明白，但只是心裏鬧得慌。"寶釵也不理他，暗叫襲人快把定心丸兒吃了，慢慢的開導他。

襲人便欲告訴探春，説臨行不必來辭。寶釵道："這怕什麼?等消停幾日，待他明白，還要叫他們多説句話兒呢。況且三姑娘是極明白的人，不像那些假惺惺的人，少不得有一番箴諫，他已後便不是這樣了。"正説着，賈母那邊打發過鴛鴦來説："知玉舊病又發，叫襲人勸説安慰，叫他不要胡思亂想。"襲人等應了，鴛鴦坐了一會了。那賈母又想起探春遠行，雖不備妝奩，其一應動用之物，俱該預備，便把鳳姐叫將老爺的主意告訴了一遍，即叫他料理去。鳳姐答應。不知怎麼辦理，下回分解。

第壹佰零壹回

大觀園月夜感幽魂　散花寺神籤驚異兆

却説鳳姐回至房中，見賈璉尚未回來，便分派那管辦探春行妝奩事的一干人。那天已有黃昏已後，因忽然想起探春來，要瞧瞧他去，便叫豐兒與兩個丫頭跟着，頭裏一個丫頭打着燈籠。走出門來，見月光已上，照耀如水，鳳姐便命打燈籠的："回去罷。"因而走至茶房窗下，聽見裏面有人喊喊喳喳的，又似哭，又似笑，又似議論什麼的。鳳姐知道不過是家下婆子們，又不知搬什麼是非，心內大不受用，便命小紅進去，妝做無心的樣子細細打聽着，用話套出原委來。小紅答應着去了。

鳳姐只帶着豐兒來至園門前，門尚未關，只虛虛的掩着，于是主僕二人方推門進去。只見園中月色，比着外面更覺明朗，滿地下重重樹影，杳無人聲，甚是凄涼寂靜。剛欲往秋爽齋這條路來，只聽"唿"的一聲風過，吹的那樹枝上落葉滿園中"唰唰唰"的作響，枝梢上"吱嘍嘍"發哨，將那些寒鴉宿鳥都驚飛起來。鳳姐吃了酒，被風一吹，只覺身上發噤起來。那豐兒也把頭一縮，説："好冷！"鳳姐也掌不住，便叫豐兒："快回去把那件銀鼠坎肩兒拿來，我在三姑娘那裏等着。"豐兒巴不得一聲，也要回去穿衣裳來，答應了一聲，回頭就跑了。鳳姐剛舉步走了不遠，只覺身後"咈咈哧哧"，似有聞嗅之聲，不覺頭髮森然竪了起來。由不得回頭一看，只見黑油油一個東西在後面伸着鼻子聞他呢，那兩隻眼睛恰似燈光一般。鳳姐嚇的魂不附體，不覺失聲的咳了一聲，却是一隻大狗。那狗抽

頭回身，拖着一個掃帚尾巴，一氣跑上大土山上，方站住了，回身猶向鳳姐拱爪兒
姐兒此時心跳神移，急急的向秋爽齋來。已將來至門口，方轉過山子，只見迎面
個人影兒一恍。鳳姐心中疑惑，心裏想着必是那一房裏的丫頭，便問："是誰?"問
聲，並沒有人出來，已經嚇得神魂飄蕩，恍恍忽忽的似乎背後有人說道："嬸娘，
也不認得了?"鳳姐忙回頭一看，只見這人形容俊俏，衣履風流，十分眼熟，只是
起是那房那屋裏的媳婦來。只聽那人又說道："嬸娘只管享榮華受富貴的心盛，
那年說的立萬年永遠之基都付于東洋大海了。"鳳姐聽說，低頭尋思，總想不起。
冷笑道："嬸娘那時怎樣疼我了，如今就忘在九霄雲外了!"鳳姐聽了，此時方想
是賈蓉的先妻秦氏，便說道："噯呀，你是死了的人哪，怎麼跑到這裏來了呢!"啐
口，方轉回身，腳下不防一塊石頭絆了一跤，猶如夢醒一般，渾身汗如雨下。雖然
悚然，心中卻也明白。只見小紅、豐兒影影綽綽的來了，鳳姐恐怕落人的褒貶，連
起來說道："你們做什麼呢，去了這半天?快拿來我穿上罷。"一面豐兒走至跟前，
穿上，小紅過來攙扶。鳳姐道："我才到那裏，他們都睡了。咱們回去罷。"一面說，
帶了兩個丫頭，急急忙忙回到家中。賈璉已回來了，只是見他臉上神色更變，不
常，待要問他，又知他素日性格，不敢突然相問，只得睡了。

　　至次日五更，賈璉就起來要往總理內庭都檢點太監裘世安家來打聽事務，因
了，見桌上有昨日送來的抄報，便拿起來閑看。第一件是雲南節度使王忠一本，新
一起私帶神槍火藥出邊事，共有十八名人犯，頭一名鮑音，口稱係太師鎮國公賈
人;第二件蘇州刺史李孝一本，參劾縱放家奴倚勢凌辱軍民，以致因姦不遂，殺死
一家人命三口事，凶犯姓時名福，自稱係世襲三等職銜賈範家人。賈璉看見這兩件
中早又不自在起來。待要看第三件，又恐遲了不能見裘世安的面，因此急急的穿
服，也等不得吃東西。恰好平兒端上茶來，喝了兩口，便出來騎馬走了。

　　平兒在房內收拾換下的衣服。此時鳳姐尚未起來，平兒因說道："今兒夜裏
着奶奶沒睡什麼覺，我這會子替奶奶捶着，好生打個盹兒罷。"鳳姐半日不言語，
料着這意思是了，便爬上炕來，坐在身邊輕輕的捶着。才捶了幾拳，那鳳姐剛有
之意，只聽那邊大姐兒哭了，鳳姐又將眼睜開。平兒連向那邊叫道："李媽，你到
怎麼着?姐兒哭了，你到底拍着他些;你也忒好睡了。"那邊李媽從夢中驚醒，聽
兒如此說，心中沒好氣，只得狠命拍了幾下，口裏嘟嘟噥噥的罵道："真真的小短

鳳姐聽了，此時方想起來是賈蓉的先妻秦氏，便說道："噯呀，你是死了的人哪，怎麼
這裏來了呢!"啐了一口，方轉回身，腳下不防一塊石頭絆了一跤，猶如夢醒一般，
汗如雨下。

王宏

故着尸不挺，三更半夜嚎你娘的喪！"一面説，一面咬牙便向那孩子身上擰了一把，
子"哇"的一聲大哭起來了。鳳姐聽見，説："了不得！你聽聽，他該挫磨孩子了。你
把那黑心的養漢老婆下死勁的打他幾下子，把姐姐抱過來。"平兒笑道："奶奶別
，他那裏敢挫磨姐兒？只怕是不堤防錯磞了一下子，也是有的。這會子打他幾下子
緊，明兒叫他們背地裏嚼舌根，倒説三更半夜打人。"鳳姐聽了，半日不言語，長嘆
説道："你瞧瞧，這會子不是我十旺八旺的呢！明兒我要是死了，剩下這小孽障，還
怎麼樣呢。"平兒笑道："奶奶這怎麼説！大五更的，何苦來呢？"鳳姐冷笑道："你
知道？我是早已明白了，我也不久了。雖然活了二十五歲，人家没見的也見了，没

也吃了，也算
，所以世上有
都有了，氣也
盡了，强也算
了，就是'壽'
上頭缺一點
也罷了。"平兒
，由不的滚下
。鳳姐笑道：
這會子不用假
。我死了，你
有歡喜的。你
心一計和和
的，省得我是
眼裏的刺是
只有一件：你
好歹，只疼我
子就是了。"
聽説這話，越
的淚人是的。
．．．．．．．．

大觀園月夜感幽魂

散花寺神籤驚異兆

鳳姐笑道：「別扯你娘的臊了，那裏就死了呢？哭的那麼痛，我不死還叫你哭死了呢」平兒聽説，連忙止住哭道：「奶奶説得這麼傷心。」一面説，一面又捶，半日不言語，鳳姐又朦朧睡去。

平兒方下炕來要去，只聽外面腳步響。誰知賈璉去遲了，那裘世安已經上了，不遇而回，心中正没好氣，進來就問平兒道：「那些人還没來呢麼？」平兒回道：「没有呢。」賈璉一路摔簾子進來，冷笑道：「好，好！這會子還都不起來，安心打擂撒手兒！」一叠聲又要吃茶，平兒忙倒了一碗茶來。原來那些丫頭老婆見賈璉出去，又復睡了，不打諒這會子回來，原不曾預備。平兒便把温過的拿了，賈璉生氣，碗來，「嘩啷」一聲，摔了個粉碎。鳳姐驚醒，唬了一身冷汗，「嗳喲」一聲，睜開眼，見賈璉氣狠狠的坐在旁邊，平兒彎着腰拾碗片子呢。鳳姐道：「你怎麼就回來了？」賈璉一聲，半日不答應，只得又問一聲。賈璉嚷道：「你不要我回來，叫我死在外頭罷！」鳳姐笑道：「這又是何苦來呢？常時我見你不像今兒回來的快，問你一聲，也没什麼的。」賈璉又嚷道：「又没遇見，怎麼不快回來呢！」鳳姐笑道：「没有遇見，少不得再坐些，明兒再去早些兒，自然遇見了。」賈璉嚷道：「我可不吃着自己的飯，替人家忙着了子呢！我這裏一大堆的事，没個動秤兒的，没來由爲人家的事瞎鬧了這些日子做什麼呢？正經那有事的人，還在家裏受用，死活不知，還聽見説要鑼鼓喧天的唱戲做生日呢，我可瞎跑他娘的腿子。」一面説，一面往地下啐了一口，又罵平兒。

鳳姐聽了，氣的乾咽，要和他分證，想了一想，又忍住了，勉強陪笑道：「何苦這麼大氣，大清早起和我叫喊什麼？誰叫你應了人家的事，你既應了，就得耐煩，少不得替人家辦辦。也没見這個人自己有爲難的事，還有心腸唱戲擺酒的鬧。」賈璉道：「你可説麼！你明兒道也問問他。」鳳姐咤異道：「問誰？」賈璉道：「問誰？問璉二哥。」鳳姐道：「是他嗎？」賈璉道：「可不是他！還有誰呢？」鳳姐忙問道：「他又有事，叫你替他跑？」賈璉道：「你還在鑼子裏呢！」鳳姐道：「真真這就奇了！我連一點兒也不知道。」賈璉道：「你怎麼能知道呢。這個事，連太太和姨太太還不知道呢；一件，怕太太和姨太太不放心；二則你身上又常嚷不好，所以我在外頭壓住了，不叫裏頭知道的。説起來，真真可人惱！你今兒不問我，我也不便告訴你。你打諒你行事像個人呢，你知道外頭人都叫他什麼？」鳳姐道：「叫他什麼？」賈璉道：「叫什麼！叫他『忘仁』！」鳳姐「撲哧」的一笑：「他可不叫王仁，叫什麼呢？」賈璉道：「你那個『王仁』嗎？是忘了仁義禮智信的那個『忘仁』哪！」鳳姐道：「這是什麼人？刻薄嘴兒遭塌人！」賈璉道：「不是遭塌他嗎，今兒索性告訴你：你也不知道知道哥哥的好處，到底知道他給他二叔做生日呵。」鳳姐想了一想，道：「嗳喲！可是呢

了問你：二叔不是冬天的生日嗎，我記得年年都是寶玉去。前者老爺升了，二叔
送過戲來，我還偷偷兒的說，二叔爲人是最嗇刻的，比不得大舅太爺他們，各自
還烏眼雞是的。不麼，昨兒大舅太爺沒了，你瞧他是個兄弟，他還出了個頭兒攬
事兒嗎？所以那一天說趕他的生日，咱們還他一班子戲，省了親戚跟前落虧欠
這麼早就做生日，也不知是什麼意思。賈璉道："你還作夢呢！他一到京，接着舅
的首尾就開了一個吊。他怕咱們知道攔他，所以沒告訴咱們，弄了好幾千銀子。
二舅嗔着他，說他不該一網打盡，他吃不住了，變了個法子，就指着你們二叔的
撒了個網，想着再弄幾個錢，好打點二舅太爺不生氣。也不管親戚朋友'冬天'、
天'的，人家知道不知道，這麼丟臉！你知道我起早爲什麼？這如今因海疆的事情，
參了一本，說是大舅太爺的虧空，本員已故，應着落其弟王子勝、侄王
補。爺兒兩個急了，找了我給他們託人情。我見他們嚇的那麼個樣
再者又關係太太和你，我才應了。想着找找總理內庭都
老裘替辦辦，或者前任後任挪移挪移，偏又去晚了，他
頭去了。我白起來跑了一趟，他們家裏還那裏定戲擺
。你說說，叫人生氣不生氣！"

鳳姐聽了，才知王仁所行如此，但他素性要強
，聽賈璉如此說，便道："憑他怎麼樣，到底是
親大舅兒。再者這件事，死的大太爺，活的二
都感激你罷了，沒什麼說的！我們家的事，少不
低三下四的求你了，省的帶累別人受氣，背地
我。"說着，眼淚早流下來，掀開被窩，一面坐
，一面挽頭髮，一面披衣裳。賈璉道："你倒不
麼着。是你哥哥不是人，我並沒說你呀。況且我
了，你身上又不好，我都起來了，他們還睡覺，
老輩子有這個規矩麼？你如今作好好先生，不
了。我說了一句，你就起來；明兒我要嫌這些
難道你都替了他們麼？好沒意思啊。"鳳姐聽了
話，才把淚止住了，說道："天呢不早了，我也該
了。你有這麼說的，你替他們家在心的辦辦，那
你的情分了。再者也不光爲我，就是太太聽見
歡。"賈璉道："是了，知道了。大蘿蔔還用屎澆？"

平兒道：“奶奶這麼早起來做什麼？那一天奶奶不是起來有一定的時候兒呢。爺
知是那裏的邪火，拿着我們出氣，何苦來呢！奶奶也算替爺挣够了，那一點兒不
奶擋頭陣？不是我説爺，把現成兒的也不知吃了多少，這會子替奶奶辦了一點子
就關會着好幾層兒呢，就是這麼拿糖作醋的起來，也不怕人家寒心。況且這也不
奶奶的事呀！我們起遲了原該爺生氣，左右到底是奴才呀；奶奶跟前，儘着身子
成了個病包兒了，這是何苦來呢。”説着，自己的眼圈兒也紅了。那賈璉本是一肚
氣，那裏見得這一對嬌妻美妾又尖利又柔情的話呢，便笑道：“够了，算了罷。他
人就够使的了，不用你幫着。左右我是外人，多早晚我死了，你們就清净了。”鳳姐
“你也别説那個話，誰知道誰怎麼樣呢？你不死，我還死呢。早死一天早心净！”説
又哭起來。平兒只得又勸了一回。

　　那時天已大亮，日影橫窗，賈璉也不便再説，站起來出去了。這裏鳳姐自己起
正在梳洗，忽見王夫人那邊小丫頭過來道：“太太説了，叫問二奶奶今日過太舅爺
去不去？要去，説叫二奶奶同着寶二奶奶一路去呢。”鳳姐因方才一段話，已經灰
意，恨娘家不給争氣；又兼昨夜園中受了那一驚，也實在没精神，便説道：“你先回
去，我還有一兩件事没辦清，今日不能去，況且他們那又不是什麼正經事。寶二奶
去，各自去罷。”小丫頭答應着回去回覆了，不在話下。

　　且説鳳姐梳了頭，换了衣服，想了想，雖然自己不去，也該帶個信兒；再者寶
是新媳婦，出門子自然要過去照應照應的。于是見過王夫人，支吾了一件事，便過
寶玉房中。只見寶玉穿着衣服，歪在炕上，兩個眼睛呆呆的看寶釵梳頭。鳳姐站在門
還是寶釵一回頭看見了，連忙起身讓坐。寶玉也爬起來，鳳姐才笑嘻嘻的坐下。寶
説麝月道：“你們瞧着二奶奶進來，也不言語聲兒。”麝月笑着道：“二奶奶頭裏進來
擺手兒不叫言語麼。”

　　鳳姐因向寶玉道：“你還不走，等什麼呢？没見這麼大人了，還是這麼小孩
的。人家各自梳頭，你爬在旁邊看什麼？成日家一塊子在屋裏，還看不够？也不怕
們笑話。”説道，“哧”的一笑，又瞅着他咂嘴兒。寶玉雖也有些不好意思，還不理會
個寶釵直臊的滿臉飛紅，又不好聽着，又不好説什麼。只見襲人端過茶來，只得
着自己遞了一袋烟。鳳姐兒笑着站起來接了，道：“二妹妹，你别管我們的事，你
衣服罷。”寶玉一面也搭訕着找這個，弄那個，鳳姐道：“你先去罷，那裏有個爺們

大了道：“奶奶大喜。這一籤巧得狠：奶奶自幼在這裏長大，何曾回南京去？如今
了外任，或者接家眷來順便還家，奶奶可不是‘衣錦還鄉’了？”一面説，一面抄了
經交與丫頭。鳳姐也半疑半信的。

戴敦

0953

奶奶們一塊兒走的理呢！"寶玉道："我只是嫌我這衣裳不大好，不如前年穿着老□給的那件金雀泥好。"鳳姐因慪他道："你爲什麼不穿？"寶玉道："穿着太早些。"忽然想起，自悔失言。幸虧寶釵也和王家是内親，只是那些丫頭們跟前，已經□思了。襲人却接着説道："二奶奶還不知道呢，就是穿得，他也不穿了。"鳳姐兒□是什麼原故？"襲人道："告訴二奶奶，真真是我們這位爺的行事，都是天外飛來□一年因二舅太爺的生日，老太太給了他這件衣裳，誰知那一天就燒了。我媽病重□没在家，那時候還有晴雯妹妹呢，聽見説病着整給他縫了一夜，第二天老太太才没□來呢。去年那一天上學天冷，我叫焙茗拿了去給他披披，誰知這位爺見了這件衣□起晴雯來了，説了總不穿了，叫我給他收一輩子呢。"鳳姐不等説完，便道："你提□可惜了兒的！那孩子模樣兒手兒都好，就只嘴頭子利害些，偏偏兒的太太不知聽了□的謠言，活活兒的把個小命兒要了。還有一件事，那一天我瞧見厨房裏柳家的女□女孩兒叫什麼五兒，那丫頭長的和晴雯脱了個影兒是的。我心裏要叫他進來，後□他媽，他媽説是狠願意。我想着寶二爺

屋裏的小紅跟了我去，我還没還他呢，就把五兒補過來。平兒説太太那一天説了，凡像那個樣兒的都不叫派到寶二爺屋裏呢，我所以也就攔下了。這如今寶二爺也成了家了，還怕什麼呢。不如我就叫他進來，可不知寶二爺願意不願意？要想着晴雯，只瞧見這五兒就是了。"寶玉本要走，聽見這些話已呆了。襲人道："爲什麼不願意？早就要弄了來的，只是因爲太太的話説的結實罷了。"鳳姐道："那麼着，明兒我就叫他進來。太太的跟前有我呢。"寶

了，喜不自勝，才走到賈母那邊去了。

這裏寶釵穿衣服。鳳姐兒看他兩口兒這般恩愛纏綿，想起賈璉方才那種光景，好心坐不住，便起身向寶釵笑道：“我和你向太太屋裏去罷。”笑着出了房門，一同見賈母。寶玉正在那裏回賈母往舅舅家去，賈母點頭說道：“去罷。只是少吃酒，早些來。你身子才好些。”寶玉答應着出來，剛走到院內，又轉身回來向寶釵耳邊說了不知什麼，寶釵笑道：“是了，你快去罷。”將寶玉催着去了。這賈母和鳳姐、寶釵沒三句話，只見秋紋進來傳說：“二爺打發焙茗轉來，說請二奶奶。”寶釵說道：“又忘了什麼，又叫他回來？”秋紋道：“我叫小丫頭問了焙茗，說是二爺忘了一句，二爺叫我回來告訴二奶奶：‘若是去呢，快些來罷；若不去呢，別在風地裏站着。’”賈母、鳳姐並地下站着的衆老婆子丫頭都笑了。寶釵飛紅了臉，把秋紋啐了一口，說：“好個糊塗東西，這也值得這樣慌慌張張跑了來說！”秋紋也笑着回去，叫小丫頭罵焙茗。那焙茗一面跑着，一面回頭說道：“二爺把我巴巴的叫下馬來，叫回來說，我若不說，回來對出來又罵我了。這會子說了，他們又罵我！”那丫頭笑着，跑回來了。賈母向寶釵道：“你去罷，省的他這麼記挂。”說的寶釵站不住，才走了，又被鳳姐他頑笑，正沒好意思。

只見散花寺的姑子大了來了，給賈母請安，見過了鳳姐，坐着吃茶。賈母因問他這幾日怎麼不來，大了道：“因這幾日廟中作好事，有幾位誥命夫人不時在廟裏起坐，所以得不空兒來。今日特來回老祖宗：明兒還有一家作好事，不知老祖宗高興不高興？若高興，也去隨喜隨喜。”賈母便問做什麼好事，大了道：“前月爲王夫人府裏不乾净，見神見鬼的，偏生那太太夜間又看見去世的老爺。因此昨日在我廟裏告訴我，要在散花菩薩跟前許願燒香，做四十九天的水陸道場，保佑家口安寧，亡者升天，生者護福。所以今日不得空兒來請老太太的。”

却説鳳姐素日最厭惡這些事的，自從昨夜見鬼，心中總只是疑疑惑惑的，如今聽了這些話，不覺把素日的心性改了一半，已有三分信意，便問大了道：“這散花菩薩是誰？他怎麼就能避邪除鬼呢？”大了見問，便知他有些信意，便説道：“奶奶今日問我，並不是我胡說，菩薩的來歷原有原本。我告訴奶奶知道：這個散花菩薩，來歷根基不淺，道行非常。生在西天大樹國中，父親是大樹國王，以販賣人口爲生，養下菩薩來，頭長三角，眼橫四目，身長三尺，兩手拖地。父母說這是妖精，便棄在冰山之後了。誰知這山上，有一個得道的老獼猴出來打食，看見菩薩頂上白氣衝天，便知菩薩來歷非常，便抱回洞中撫養。誰知菩薩帶了來的聰慧，禪也會談，與老猴天天談道參禪，説的天花散漫繽紛。至一千年後飛升了。至今山上猶見談經之處，天花散漫，所求必靈，時常顯聖，救人苦厄。因此世人才蓋了廟塑了像供奉。”鳳姐道：

"這有什麼憑據呢?"大了道:"奶奶又來搬駁了。一個佛爺,可有什麼憑據呢?就是揣也不過哄一兩個人罷咧,難道古往今來多少明白人都被他哄了不成?奶奶只想:惟家香火歷來不絕,他到底是祝國祝民有些靈驗,人才信服。"鳳姐聽了,大有道理,"既這麼,我明兒去試試。你廟裏可有籤?我求一籤,我心裏的事籤上批的出?批來,我從此就信了。"大了道:"我們的籤最是靈的,明兒奶奶去求一籤就知道了。"道:"既這麼着,索性等到後日初一,你再去求。"說着,大了吃了茶,到王夫人各房請了安,回去不提。

這裏鳳姐勉强扎挣着,到了初一清早,令人預備了車馬,帶着平兒並許多奴僕至散花寺。大了帶了衆姑子接了進去,獻茶後便洗手至大殿上焚香。那鳳姐兒也無仰聖像,一秉虔誠磕了頭,舉起籤筒,默默的將那見鬼之事並身體不安等故祝告回,才搖了三下,只聽"唰"的一聲,筒中撺出一支籤來。于是叩頭,拾起一看,只見"第三十三籤,上上大吉"。大了忙查籤簿看時,只見上面寫着:"王熙鳳衣錦還鄉"姐一見這幾個字,吃一大驚,驚問大了道:"古人也有叫王熙鳳的麼?"大了笑道:"最是通今博古的,難道漢朝的王熙鳳求官的這一段事也不曉得?"周瑞家的在旁笑"前年李先兒還說這一回書。我們還告訴他重着奶奶的名字,不要叫呢。"鳳姐"可是呢,我倒忘了。"說着,又瞧底下的寫的是:

> 去國離鄉二十年,于今衣錦返家園。蜂采百花成蜜後,爲誰辛苦爲誰甜?行人至
> 遲,訟宜和,婚再議。

看完也不甚明白。大了道:"奶奶大喜。這一籤巧得狠:奶奶自幼在這裏長大,何曾京了?如今老爺放了外任,或者接家眷來順便還家,奶奶可不是'衣錦還鄉'了面說,一面抄了個籤經交與丫頭。鳳姐也半疑半信。大了擺了齋果,鳳姐只動了放下了要走,又給了香銀。大了苦留不住,只得讓他走了。鳳姐回至家中,見了賈夫人等,問起籤來,命人一解,都歡喜非常:"或者老爺果有此心,咱們走一趟也好姐兒見人人這麼説,也就信了。不在話下。

却說寶玉這一日正睡午覺,醒來不見寶釵。正要問時,只見寶釵進來。寶玉"那裏去了,半日不見?"寶釵笑道:"我給鳳姐姐瞧一回籤。"寶玉聽說,便問是怎的。寶釵把籤帖念了一回,又道:"家中人人都說好的,據我看這'衣錦還鄉'四字還有原故,後來再瞧罷了。"寶玉道:"你又多疑了,妄解聖意。'衣錦還鄉'四字,從今都知道是好的,今兒你又偏生出緣故來了。依你說,這'衣錦還鄉'還有什麼解説?"寶釵正要解説,只見王夫人那邊打發丫頭過來請二奶奶,寶釵立刻過去。何事,下回分解。

第壹佰零貳回

寧國府骨肉病災禈　大觀園符水驅妖孽

話説王夫人打發人來喚寶釵，寶釵連忙過來請了安。王夫人道：「你三妹妹如今要出嫁了，只得你們作嫂子的大家開導開導他，也是你們姊妹之情。況且他也是個明白孩子，我看你們兩個也狠合的來。只是我聽見説，寶玉聽見他三妹妹出門子，哭的了不的，你也該勸勸他。如今我的身子是十病九痛的，你二嫂子也是三日好兩日不好，你還心地明白些，諸事也別説只管吞着，不肯得罪人。將來這一番家事，都是你的擔子。」寶釵答應着。王夫人又説道：「還有一件事，你二嫂子昨兒帶了柳家媳婦的丫頭來，説補在你們屋裏。」寶釵道：「今日平兒才帶過來，説是太太和二奶奶的主意。」王夫人道：「是呦，你二嫂子和我説，我想也沒要緊，不便駁他的回。只是一件，我見那孩子眉眼兒上頭也不是個狠安頓的，起先爲寶玉房裏的丫頭，狐狸是的，我攆了幾個。那時候你也知道，不然你怎麼搬回家去了呢。如今有你，自然不比先前了。我告訴你，不過留點神兒就是了。你們屋裏，就是襲人那孩子還可以使得。」寶釵答應了，又説了幾句話，便過來了。飯後到了探春那邊，自有一番殷勤勸慰之言，不必細説。次日，探春將要起身，又來辭寶玉，寶玉自然難割難分。探春便將綱常大體的話，説的寶玉始而低頭不語，後來轉悲作喜，似有醒悟之意。于是探春放心辭別衆人，竟上轎登程，水舟車陸而去。

先前，衆姊妹們都住在大觀園中，後

來賈妃薨後，也不修葺。到了寶玉娶親，林黛玉一死，史湘雲回去，寶琴在家住着，人少，況兼天氣寒冷，李紈姊妹、探春、惜春等俱挪回舊所，到了花朝月夕，依舊相邀。如今探春一去，寶玉病後不出屋門，益發沒有高興的人了，所以園中寂寞，只家看園的人住着。那日尤氏過來送探春起身，因天晚省得套車，便從前年在園裏開府的那個便門裏走過去了，覺得淒涼滿目：臺榭依然，女墻一帶都種作園地一般。悵然，如有所失。因到家中，便有些身上發熱，扎挣一兩天，竟躺倒了。日間的發燒猶夜裏身熱異常，便譫語綿綿。賈珍連忙請了大夫看視，說感冒起的，如今纏經入了明胃經。所以譫語不清，如有所見，有了大穢，即可身安。尤氏服了兩劑，並不稍減，發起狂來。賈珍着急，便叫賈蓉來，打聽外頭有好醫生，再請幾位來瞧瞧。賈蓉回道兒這位太醫是最興時的了，只怕我母親的病不是藥治得好的。」賈珍道：「胡說！不□難道由他去罷。」賈蓉道：「不是説不治，爲的是前日母親從西府去，回來是穿着園走來家的，一到了家就身上發燒，別是憧客着了罷。外頭有個毛半仙，是南方人，□的狠靈，不如請他來占卦占卦。看有信兒呢，就依着他；要是不中用，再請別的好來。」賈珍聽了，即刻叫人請來。坐在書房內喝了茶，便説：「府上叫我，不知占什麽賈蓉道：「家母有病，請教一卦。」毛半仙道：「既如此，取净水洗手，設下香案，讓我一課來看就是了。」

一時下人安排定了，他便懷裏掏出卦筒來，走到上頭恭恭敬敬的作了一個□內搖着卦筒，口裏念道：「伏以太極兩儀，絪緼交感，圖書出而變化不窮，神聖作而必應。兹有信官賈某，爲因母病，虔請伏羲、文王、周公、孔子四大聖人，鑒臨在□感則靈，有凶報凶，有吉報吉。先請內象三爻。」説着，將筒內的錢倒在盤內，説：「□的。頭一爻就是‘交’。」拿起來又搖了一搖，倒出來，説是「單」。第三爻又是「交」。□錢來，嘴裏説是：「內爻已示，更請外象三爻，完成一卦。」起出來，是「單拆單」。那□仙收了卦筒和銅錢，便坐下問道：「請坐，請坐，讓我來細細的看看。這個卦乃□□濟’之卦。世爻是第三爻，午火兄弟劫財，悔氣是一定該有的。如今尊駕爲母問病□神是初爻，真是父母爻動出鬼來。五爻上又有一層官鬼。我看令堂太夫人的病□輕的。還好，還好，如今子亥之水休囚，寅木動而生火，世爻上動出一個子孫□是剋鬼的。況且日月生身，再隔兩日，子水官鬼落空，交到戌日就好了。但是父母□變鬼，恐怕令尊大人也有些關礙，就是本身世鬼比劫過重，到了水旺土衰的日子，

那日尤氏過來送探春起身，因天晚省得套車，便從前年在園裏開通寧府的那個便門裏去了，覺得淒涼滿目：臺榭依然，女墻一帶都種作園地一般。心中悵然，如有所失。戴敦

好說。"完了，便撅着鬍子坐着。

賈蓉起先聽他搗鬼，心裏忍不住要笑；聽他講的卦理明白，又說生怕父親好，便說道："卦是極高明的，但不知我母親到底是什麼病?"毛半仙道："據這卦上爻午火變水相剋，必是寒火凝結。若要斷得清楚，揲蓍也不大明白，除非用'大六才斷得准。"賈蓉道："先生都高明的麼?"毛半仙道："知道些。"賈蓉便要請教，報個時辰。毛先生便畫了盤子，將神將排定算去，是戌上白虎，"這課叫做魄化課，白虎乃是凶將，乘旺象氣受制，便不能爲害；如今乘着死神死煞，及時令囚死，則虎，定是傷人，就如魄神受驚消散，故名'魄化'。這課象說是人身喪鬼，憂患相仍多喪死，訟有憂驚。按象有日墓虎臨，必定是傍晚得病的。象內說凡占此課，必定有伏虎作怪，或有形響。如今尊駕爲大人而占，正合着虎在陽憂男、在陰憂女，此分凶險呢。"賈蓉沒有聽完，唬得面上失色道："先生說得狠是。但與那卦又不大相到底有妨礙麼?"毛半仙道："你不用慌，待我慢慢的再看。"低着頭又咕噥了一會便說："好了，有救星了! 算出已上有貴神救解，謂之'魄化魂歸'，先憂後喜，是不的，只要小心些就是了。"

賈蓉奉上卦金，送了出去，回稟賈珍，說是："母親的病，是在舊宅傍晚得的，着什麼伏尸白虎。"賈珍道："你說你母親前日從園裏走回來的，可不是那裏撞着你還記得你二嬸娘到園裏去，回來就病了?他雖沒有見什麼，後來那些丫頭老婆說是山子上一個毛烘烘的東西，眼睛有燈籠大，還會說話，把他二奶奶趕了回來出一場病來。"賈蓉道："怎麼不記得?我還聽見寶叔家的茗烟，晴雯是做了園蓉花的神了，林姑娘死了，半空裏有音樂，必定他也是管什麼花兒了。想這許多在園裏，還了得! 頭裏人多陽氣重，常來常往不打緊；如今冷落的時候，母親打走，還不知踹了什麼花兒呢，不然就是撞着那一個……那卦也還算的准的。"賈珍"到底說有妨礙沒有呢?"賈蓉道："據他說，到了戌日就好了。只願早兩天好，或天才好。"賈珍道："這又是什麼意思?"賈蓉道："那先生若是這樣准，生怕老爺也不自在。"正說着，裏頭喊說："奶奶要坐起到那邊園裏去，丫頭們都按捺不住。"等進去安慰定了，只聞尤氏嘴裏亂說："穿紅的來叫我，穿綠的來趕我!"地下這又怕又好笑。賈珍便命人買些紙錢，送到園裏燒化。果然那夜出了汗，便安靜些。戌日，也就漸漸的好起來。

三位法師，一位手提寶劍，拿着法水；一位捧着七星皂旗；一位舉着桃木打妖鞭，立前。只聽法器一停，上頭令牌三下，口中念念有詞。

戴敦

由是一人傳十，十人傳百，都説大觀園中有了妖怪，唬得那些看園的人也不修
樹、灌溉果蔬。起先晚上不敢行走，以致鳥獸逼人，甚至日裏也是約伴持械而行。這
些時，果然賈珍也病，竟不請醫調治，輕則到園化紙許願，重則詳星拜斗。賈珍方好，
蓉等相繼而病，如此接連數月，鬧得兩府俱怕。從此風聲鶴唳，草木皆妖，園中出息
概全蠲，各房月例，重新添起，反弄得榮府中更加拮据。那些看園的沒有了想頭，便
要離此處，每每造言生事，便將花妖樹怪編派起來，各要搬出，將園門封固，再無人
到園中，以致崇樓高閣，瓊館瑤臺，皆爲禽獸所栖。

却説晴雯的表兄吳貴正住在園門口，他媳婦自從晴雯死後，聽見説作了花神，
日晚間便不敢出門。這一日，吳貴出門買東西回來晚了，那媳婦子本有些感冒着
日間吃錯了藥，晚上吳貴到家，已死在炕上。外面的人因那媳婦子不妥當，便都説
怪爬過墻吸了精去死的。于是老太太着急的了不得，替另派了好些人將寶玉的住
圍住，巡邏打更。這些小丫頭們還説，有的看見紅臉
有的看見狠俊的女人的，吵嚷不休，唬得寶玉天天
害怕。虧得寶釵有把持的，聽得丫頭們混説
唬嚇着要打，所以那些謡言略好些。無奈
房的人都是疑人疑鬼的不安静，也添
坐更，于是更加了好些食用。

獨有賈赦不大狠信，説："好好
子，那裏有什麽鬼怪！"挑了個風
日暖的日子，帶了好幾個家人
内持着器械到園踱看動静，衆
勸他不依。到了園中，果然陰
逼人，賈赦還扎挣前走，跟的
都探頭縮腦。内中有個年
家人，心内已經害怕，只
"呼"的一聲，回過頭來，
五色燦爛的一件東西跑
去了，唬得"噯喲"一聲
子發軟，便躺倒了。賈赦回
查問，那小子喘噓噓的回

眼看見一個黃臉紅鬚綠衣青裳一個
，走到樹林子後頭山窟窿裏去了。」
聽了，便也有些膽怯，問道：「你們都
麼？」有幾個推順水船兒的回說：「怎
瞧見？因老爺在頭裏，不敢驚動罷
奴才們還掌得住。」說得賈赦害怕，也
再走，急急的回來吩咐小子們不要
，只說看遍了，沒有什麼東西。心裏
相信，要到真人府裏請法官驅邪。豈
些家人無事還要生事，今見賈赦怕
不但不瞞着，反添些穿鑿，說得人人
。賈赦沒法，只得請道士到園作法
驅邪逐妖。擇吉日先在省親正殿上鋪
壇場，上供三清聖像，旁設二十八
並馬、趙、溫、周四大將，下排三十六
圖像，香花燈燭設滿一堂，鐘鼓法器
邊，插着五方旗號。道紀司派定四十
道衆的執事，淨了一天的壇。三位法
香取水畢，然後擂起法鼓，法師們俱
七星冠，披上九宮八卦的驅衣，踏着
履，手執牙笏，便拜表請聖，又念了
的消災邪的接福的《洞元經》。已後
榜召將，榜上大書「太乙、混元、上清
靈寶符籙演教大法師，行文敕令本
神到壇聽用」。那日，兩府上下爺們
法師擒妖，都到園中觀看，都說：「好
令！呼神遣將的鬧起來，不管有多少
，也唬跑了。」大家都擠到壇前，只見
士們將旗幡舉起，按定五方站住，伺
師號令。三位法師，一位手提寶劍，

拿着法水；一位捧着七星皂旗；一位舉着桃木打妖鞭，立在壇前。只聽法器一停，□令牌三下，口中念念有詞，那五方旗便團團散布。法師下壇，叫本家領着到各處樓閣亭、房廊屋舍、山崖水畔洒了法水，將劍指畫了一回，回來連擊牌令，將七星旗祭起道士將旗幡一聚，接下打怪鞭，望空打了三下。本家衆人都道拿住妖怪，爭着要看到跟前，並不見有什麼形響。只見法師叫衆道士拿取瓶罐，將妖收下，加上封條，法朱筆書符收，令人帶回，在本觀塔下鎭住，一面撤壇謝將。

　　賈赦恭敬叩謝了法師。賈蓉等小弟兄背地都笑個不住，説："這樣的大排場，我量拿着妖怪，給我們瞧瞧到底是些什麼東西，那裏知道是這樣收羅，究竟妖怪拿去了有？"賈珍聽見，罵道："糊塗東西！妖怪原是聚則成形，散則成氣，如今多少神將在這還敢現形嗎？無非把這妖氣收了，便不作祟，就是法力了。"衆人將信將疑，且等不見動再説。那些下人只知妖怪被擒，疑心去了，便不大驚小怪，往後果然没人提起了珍等病愈復原，都道法師神力。獨有一個小子笑説道："頭裏那些響動，我也不知道是跟着大老爺進園這一日，明明是個大公野鷄飛過去了，拴兒嚇離了眼，説得活像們都替他圓了個謊，大老爺就認真起來，倒瞧了個狠熱鬧的壇場。"衆人雖然聽見裏肯信？究無人住。

　　一日，賈赦無事，正想要叫幾個家下人搬住園中看守書屋，惟恐夜晚藏匿奸人欲傳出話去，只見賈璉進來請了安，回説今日到他大舅家去，聽見一個荒信，"説是叔被節度使參進來，爲的是失察屬員，重徵糧米，請旨革職的事。"賈赦聽了，吃驚："只怕是謡言罷？前兒你二叔帶書子來，説探春于某日到了任所。擇了某日吉時，送你妹子到了海疆，路上風恬浪静，合家不必挂念。還説節度認親，倒設席賀喜。那裏做了親戚，倒提參起來的？且不必言語，快到吏部打聽明白，就來回我。"賈璉即刻出不到半日回來，便説："才到吏部打聽，果然二叔被參。題本上去，虧得皇上的恩典有交部，便下旨意，説是'失察屬員，重徵糧米，苛虐百姓，本應革職；姑念初膺外任諳吏治，被屬員蒙蔽，着降三級，加恩仍以工部員外上行走，並令即日回京'。這信的。正在吏部説話的時候，來了一個江西引見知縣，説起我們二叔，是狠感激的。□是個好上司，只是用人不當，那些家人在外招搖撞騙，欺凌屬員，已經把好名聲都□了。節度大人早已知道，也説我們二叔是個好人。不知怎麼樣，這回又參了。想是□得不好，恐將來弄出大禍，所以借了一件失察的事情參的，倒是避重就輕的意思，□可知。"賈赦未聽説完，便叫賈璉："先去告訴你嬸子知道，且不必告訴老太太就是□賈璉去回王夫人。未知有何話説，下回分解。

〈第壹佰零叁回〉

施毒計金桂自焚身｜昧真禪雨村空遇舊

話説賈璉到了王夫人那邊，一一的説了。次日到了部裏，打點停妥，回來又到王夫人那邊將打點吏部之事告知。王夫人便道："打聽准了麼？果然這樣，老爺也願意，合家也放心。那外任是何嘗做得的？若不是那樣的參回來，只怕叫那些混賬東西把老爺的性命都坑了呢！"賈璉道："太太那裏知道？"王夫人道："自從你二叔放了外任，並沒有一個錢拿回來，把家裏的倒掏摸了好些去了。你瞧那些跟老爺去的人，他男人在外頭不多幾時，那些小老婆子們便金頭銀面的妝扮起來了，可不是在外頭瞞着老爺弄錢？你叔叔便由着他們鬧去，若弄出事來，不但自己的官做不成，只怕連祖上的官也要抹掉了呢。"賈璉道："嬸子説得狠是。方才我聽見參了，嚇的了不得。直等打聽明白，才放心。也願意老爺做個京官，安安逸逸的做幾年，才保得住一輩子的聲名。就是老太太知道了，倒也是放心的。只要太太説得寬緩些。"王夫人道："我知道。你到底再去打聽打聽。"賈璉答應了，才要出來，只見薛姨媽家的老婆子慌慌張張的走來。到王夫人裏間屋内，也沒説請安，便道："我們太太叫我來告訴這裏的姨太太，説我們家了不得了，又鬧出事來了。"王夫人聽了，便問："鬧出什麼事來？"那婆子又説："了不得，了不得！"王夫人哼道："糊塗東西，有要緊事，你到底説啊。"婆子便説："我們家二爺不在家，一個男人也沒有，這件事情出來，怎麼辦？要求太太打發幾位爺們去料理料

理。"王夫人聽着不懂，便着急道："究竟要爺們去幹什麼事?"婆子道："我們大奶奶

了。"王夫人聽了，便啐道："這種女人死，死了罷咧，也值得大驚小怪的!"婆子道：

是好好兒死的，是混鬧死的。快求太太打發人去辦辦。"說着就要走。王夫人又生氣

好笑，說："這婆子好混賬! 璉哥兒倒不如的過去瞧瞧，別理那糊塗東西。"那婆子沒

見"打發人去"，只聽見說"別理他"，他便賭氣跑回去了。

　　這裏薛姨媽正在着急，再等不來。好容易見那婆子來了，便問："姨太太打發誰死

婆子嘆說道："人最不要有急難事，什麼好親好眷，看來也不中用。姨太太不但不肯

應我們，倒罵我糊塗。"薛姨媽聽了，又氣又急道："姨太太不管，你姑奶奶怎麼說了

婆子道："姨太太既不管，我們家的姑奶奶自然更不管了，沒有去告訴。"薛姨媽啐道

"姨太太是外人，姑娘是我養的，怎麼不管?"婆子一時省悟道："是啊，怎

着我還去。"正說着，只見賈璉來了，給薛姨媽請了安，道了惱，道

"我嬸子知道弟婦死了，問老婆子再說不明，着急得狠，打發我

問個明白，還叫我在這裏料理。該怎麼樣，姨

太太只管說了辦去。"

　　　　　薛姨媽本來氣得乾哭，聽見賈璉

話，便笑着說："倒要二爺費心。我說

太太是待我最好的，都是這老貨說不

清，幾乎誤了事。請二爺坐下，等我

慢慢的告訴你。"便說："不爲別的

事，爲的是媳婦不是好死的。"賈璉

道："想是爲兄弟犯事，怨命死的。"

薛姨媽道："若這樣倒好了。前兒一個

月頭裏，他天天蓬頭赤腳的瘋

後來聽見你兄弟問了死罪，他竟哭

了一場，已後倒擦胭抹粉的起來

我若說他，又要吵個了不得，我也

不理他。有一天，不知怎麼樣

香菱去作伴。我說：'你放着寶

還要香菱做什麼?況且香菱是你

管的，何苦招氣生?'他必不依，我

沒法兒，便叫香菱到他屋裏去。可憐這

不敢違我的話，帶着病就去了。誰知道

香菱狠好，我倒喜歡。你大妹妹知道了

怕不是好心罷，我也不理會。頭幾天香菱病着，

去做湯給他吃。那知香菱没福，剛端到跟前，他自己燙了手，連碗都砸了。我只説
遷怒在香菱身上，他倒没生氣，自己還拿笤帚掃了，拿水潑净了地，仍舊兩個人狠
昨兒晚上，又叫寶蟾去做了兩碗湯來，自己説同香菱一塊兒喝。隔了一回，聽見他
兩隻脚蹬響，寶蟾急的亂嚷，已後香菱也嚷着，扶着墻出來叫人。我忙着看去，只
婦鼻子眼睛裏都流出血來，在地下亂滾，兩手在心口亂抓，兩脚亂蹬。把我就嚇死
問他，也説不出來，只管直嚷，鬧了一回，就死了。我瞧那光景是服了毒的，寶蟾便
來揪香菱，説他把藥藥死了奶奶了。我看香菱也不是這麽樣的人，再者他病的起
不來，怎麽能藥人呢？無奈寶蟾一口咬定，我的二爺，這叫我怎麽辦？只得硬着心
叫老婆子們把香菱捆了，交給寶蟾，便把房門反扣了。我同你二妹妹守了一夜，等
的門開了，才告訴去的。二爺，你是明白人，這件事怎麽好？”賈璉道：“夏家知道了
？”薛姨媽道：“也得撕擄明白了才好報啊。”賈璉道：“據我看起來，必要經官才了
來。我們自然疑在寶蟾身上，別人便説寶蟾爲什麽藥死他奶奶？——也是没答對
若説在香菱身上，竟還裝得上。”

　正説着，只見榮府女人們進來説：“我們二奶奶來了。”賈璉雖是大伯子，因從小兒
，也不回避。寶釵進來見了母親，又見了賈璉，便往裏間屋裏同寶琴坐下，薛姨媽
前事告訴一遍。寶釵便説：“若把香菱捆了，可不是我們也説是香菱藥死的了麽？
説這湯是寶蟾做的，就該捆起寶蟾來問他呀。一面便該打發人報夏家去，一面報
且。”薛姨媽聽見有理，便問賈璉。賈璉道：“二妹子説得狠是。報官還得我去託了刑
的人，相驗問口供的時候有照應得。只是要捆寶蟾放香菱，倒怕難些。”薛姨媽道：
不是我要捆香菱，我恐怕香菱病中受冤着急，一時得死，又添了一條人命，才捆了交
寶蟾，也是一個主意。”賈璉道：“雖是這麽説，我們倒幫了寶蟾。若要放都放，要捆
，他們三個人是一處的。只要叫人安慰香菱就是了。”薛姨媽便叫人開門進去，寶
派了帶來幾個女人，幫着捆寶蟾。只見香菱已哭得死去活來，寶蟾反得意洋洋，已
人要捆他，便亂嚷起來。那禁得榮府的人吆喝着，也就捆了。竟開着門，好叫人看
這裏報夏家的人已經出了。那夏家先前不住在京裏，因近年消索，又記挂女兒，新
進京來。父親已没，只有母親，又過繼了一個渾賬兒子，把家業都花完了，不時的
薛家。那金桂原是個水性人兒，那裏守得住空房？況兼天天心裏想念薛蝌，便有些
擇食的光景。無奈他這一干兄弟又是個蠢貨，雖也有些知覺，只是尚未入港，所以
時常回去，也幫貼他些銀錢。這些時正盼金桂回家，只見薛家的人來，心裏就想又
麽東西來了。不料説這裏姑娘服毒死了，他便氣得亂嚷亂叫。金桂的母親聽見了，
喊起來，説：“好端端的女孩兒，在他家爲什麽服了毒呢？”哭着喊着的帶了兒子，
不得雇車，便要走來。那夏家本是買賣人家，如今没了錢，那顧什麽臉面？兒子頭
走，他跟了一個破老婆子出了門，在街上啼啼哭哭的雇了一輛破車，便跑到薛家。
也不打話，便“兒”一聲、“肉”一聲的要討人命。

那時賈璉到刑部託人，家裏只有薛姨媽、寶釵、寶琴，何曾見過個陣仗？都嚇得
敢則聲。便要與他講理，他們也不聽，只説："我女孩兒在你家，得過什麼好處？兩口
打暮駡的鬧了幾時，還不容他兩口子在一處。你們商量着把女婿弄在監裏永不見
你們娘兒們仗着好親戚受用也罷了，還嫌他礙眼，叫人藥死了他，倒説是服毒！
什麼服毒？"説着，直奔着薛姨媽來。薛姨媽只得後退，説："親家太太，且請瞧瞧你
兒，問問寶蟾，再説歪話不遲。"那寶釵、寶琴因外面有夏家的兒子，難以出來攔護
在裏邊着急。恰好王夫人打發周瑞家的照看，一進門來，見一個老婆子指着薛姨媽
臉哭駡，周瑞家的知道必是金桂的母親，便走上來説："這位是親家太太麼？大奶奶
已服毒死的，與我們姨太太什麼相干？也不犯這麼遭塌呀！"那金桂的母親問："你
誰？"薛姨媽見有了人，膽子略壯了些，便説："這就是我親戚賈府裏的。"金桂的母親
便説道："誰不知道你們有仗腰子的親戚，才能殼叫姑爺坐在監裏。如今我的女兒
倒白死了不成！"説着，便拉薛姨媽説："你到底把我女兒怎樣弄殺了？給我瞧瞧！"周
瑞家的一面勸説："只管瞧瞧，用不着拉拉扯扯。"便把手一推。夏家的兒子便跑上來
不依道："你仗着府裏的勢頭兒來打我母親麼！"説着，便將椅子打去，卻沒有打着。外
頭跟寶釵的人聽見外頭鬧起來，趕着來瞧，恐怕周瑞家的吃虧，齊打夥的上去半攔
喝。那夏家的母子索性撒起潑來，説："知道你們榮府的勢頭兒！我們家的姑娘已
了，如今也都不要命了！"説着仍奔薛姨媽拚命。地下的人雖多，那裏擋得住。自
的："一人拚命，萬夫莫當。"

正鬧到危急之際，賈璉帶了七八個家人進來，見是如此，便叫人先把夏家的
拉出去，便説："你們不許鬧，有話好好兒的説。快將家裏收拾收拾，刑部裏頭的
們就來相驗了。"金桂的母親正在撒潑，只見來了一位老爺，幾個在頭裏吆喝，那
都垂手侍立。金桂的母親見這個光景，也不知是賈府何人，又見他兒子已被衆
住，又聽見説刑部來驗，他心裏原想看見女兒尸首，先鬧了一個稀爛，再去喊官去
承望這裏先報了官，也便軟了些。薛姨媽已嚇糊塗了，還是周瑞家的回説："他
了，也沒有去瞧他姑娘，便作踐起姨太太來了。我們為好勸他，那裏跑進一個野人
在奶奶們裏頭渾撒村打，這可不是沒有王法了！"賈璉道："這回子不用和他講
等一會子打着問他，説男人有男人的所在，裏頭都是些姑娘奶奶們。況且有他母
還瞧不見他們姑娘麼？他跑進來，不是要打搶來了麼！"家人們做好做歹，壓伏
周瑞家的仗着人多，便説："夏太太，你不懂事，既來了，該問個青紅皂白。你們姑
自己服毒死了，不然便是寶蟾藥死他主子了，怎麼不問明白，又不看尸首，就想
來了呢？我們就肯叫一個媳婦兒白死了不成？現在把寶蟾捆着，因為你們姑娘必

金桂的母親此時勢孤，也只得跟着周瑞家的到他女孩兒屋裏。只見滿臉黑血，直挺挺
在炕上，便叫哭起來。

戴敦

施毒計金桂自焚身　昧真禪雨村空遇舊

病兒，所以叫香菱陪着他，也在一個屋裏住，故此兩個人都看守在那裏。原等你們看看刑部相驗，問出道理來才是啊。”

金桂的母親此時勢孤，也只得跟着周瑞家的到他女孩兒屋裏。只見滿臉黑血，挺的躺在炕上，便叫哭起來。寶蟾見是他家的人來，便哭喊說：“我們姑娘好意待香□叫他在一塊兒住，他倒抽空兒藥死我們姑娘。”那時薛家上下人等俱在，便齊聲吆喝“胡說！昨日奶奶喝了湯才藥死的，這湯可不是你做的？”寶蟾道：“湯是我做的，端□我有事走了，不知香菱起來放些什麼在裏頭藥死的。”金桂的母親未聽說完，就奔香□衆人攔住。薛姨媽便道：“這樣子是砒霜藥的，家裏決無此物。不管香菱、寶蟾，終□他買的。回來刑部少不得問出來，才賴不去。如今把媳婦權放平正，好等官來相驗□婆子上來抬放。寶釵道：“都是男人進來，你們將女人動用的東西檢點檢點。”只見□底下有一個揉成團的紙包兒，金桂的母親瞧見便拾起，打開看時，並沒有什麼，便□了。寶蟾看見道：“可不是有了憑據了？這個紙包兒我認得。頭幾天耗子鬧得慌，奶□去與舅爺要的，拿回來擱在首飾匣內，必是香菱看見了，拿來藥死奶奶的。若不信□們看見首飾匣裏有沒有了。”金桂的母親便依着寶蟾的所在，取出匣子，只有幾支□子。薛姨媽便說：“怎麼好些首飾都沒有了？”寶釵叫人打開箱匣，俱是空的，便道□子這些東西被誰拿去了？這可要問寶蟾。”金桂的母親心裏也虛了好些，見薛姨媽查□蟾，便說：“姑娘的東西他那裏知道？”周瑞家的道：“親家太太別這麼說呢。我知道□娘是天天跟着大奶奶的，怎麼說不知？”這寶蟾見問得緊，又不好胡賴，只得說道□奶奶自己每每帶回家去，我管得麼！”衆人便說：“好個親家太太！哄着拿姑娘的東西□完了，叫他尋死來訛我們！好罷了，回來相驗，便是這麼說。”寶釵叫人到外頭告訴□爺說：“別放了夏家的人！”

裏面金桂的母親忙了手腳，便罵寶蟾道：“小蹄子，別嚼舌頭了！姑娘幾時拿東□我家去？”寶蟾道：“如今東西是小，給姑娘償命是大。”寶琴道：“有了東西，就有償□人了。快請璉二哥哥問准了夏家的兒子買砒霜的話，回來好回刑部裏的話。”金桂□親着了急道：“這寶蟾必是撞見鬼了，渾說起來！我們姑娘何嘗買過這砒霜？若這麼說□是寶蟾藥死了的。”寶蟾急的亂嚷，說：“別人賴我也罷了，怎麼你們也賴起我來呢？□不是常和姑娘說，叫他別受委屈，鬧得他們家破人亡，那時將東西卷包兒一走，再□個好姑娘。這個話是有的沒有？”金桂的母親還未及答言，周瑞家的便接口說道：“□你們家的人說的，還賴什麼呢？”金桂的母親恨的咬牙切齒的罵寶蟾說：“我待你□呀，爲什麼你倒拿話來葬送我呢？回來見了官，我就說是你藥死姑娘的。”寶蟾氣得□眼說：“請太太放了香菱罷，不犯着白害別人。我見官自有我的話。”寶釵聽出這□兒來了，便叫人反倒放開了寶蟾，說：“你原是個爽快人，何苦白冤在裏頭？你有話

寶蟾道：“那裏知道這死鬼奶奶要藥香菱，必定趁我不在，將砒霜撒上了。” 王宏

，大家明白，豈不完了事了呢。"寶蟾也怕見官受苦，便説："我們奶奶天天抱怨説：
這樣人，爲什麼碰着這個瞎眼的娘，不配給二爺，偏給了這麼個混賬糊塗行子。要
够同二爺過一天，死了也是願意的。'説到那裏，便恨香菱。我起初不理會，後來看
香菱好了，我知道是香菱教他什麼了。不承望昨兒的湯不是好意……"金桂的母
説道："益發胡説了！若是要藥香菱，爲什麼倒藥了自己呢？"寶釵便問道："香菱，
你喝湯來着没有？"香菱道："頭幾天我病得抬不起頭來，奶奶叫我喝湯，我不敢説
。剛要扎挣起來，那碗湯已經灑了，倒叫奶奶收拾了個難，我心裏狠過不去。昨兒
叫我喝湯，我喝不下去，没有法兒。正要喝的時候兒呢，偏又頭暈起來。只見寶蟾
端了去，我正喜歡，剛合上眼，奶奶自己喝着湯，叫我嘗嘗，我便勉强也喝了。"寶
待説完，便道："是了，我老實説罷。昨兒奶奶叫我做兩碗湯，説是和香菱同喝。我
過，心裏想着香菱那裏配我做湯給他喝呢。我故意的一碗裏頭多抓了一把鹽，記
記兒，原想給香菱喝

剛端進來，奶奶却攔
列，外頭叫小子們雇
兄今日回家去。我出
了回來，見鹽多的這
在奶奶跟前呢。我恐
奶喝着鹹又要罵我，
法的時候，奶奶往後
動，我眼錯不見就把
這碗湯換了過來。也
該如此，奶奶回來就
湯去到香菱床邊喝
：'你到底嘗嘗。'那
也不覺鹹，兩個人都
了。我正笑香菱没嘴
，那裏知道這死鬼奶
藥香菱，必定趁我不
將砒霜撒上了，也不
我換碗。這可就是天
彰，自害自身了。"于
人往前後一想，真正

一絲不錯，便將香菱也放了，扶着他仍舊睡在床上。

　　不說香菱得放，且說金桂的母親心虛，事實還想辯賴。薛姨媽等你言我語，反兒子償還金桂之命。正然吵嚷，賈璉在外嚷說：「不用多說了，快收拾停當，刑部的人就到了。」此時惟有夏家母子着忙，想來總要吃虧的，不得已反求薛姨媽道：「千不萬不是，終是我死的女孩兒不長進。這也是他自作自受。若是刑部相驗，到底府上不好看，求親家太太息了這件事罷。」寶釵道：「那可使不得。已經報了，怎麼能歇？」周瑞家的等人大家做好做歹的勸說：「若要息事，除非夏親家太太自己出去攔驗，不提，長短罷了。」賈璉在外也將他兒子嚇住，他情願迎到刑部具結攔驗，衆人依允，姨媽命人買棺成殮。不題。

　　且說賈雨村升了京兆府尹，兼管稅務，一日出都查勘開墾地畝，路過知機縣，到了急流津。正要渡過彼岸，因待人夫，暫且停轎。只見村旁有一座小廟，墻壁坍頹，露出幾株古松，倒也蒼老。雨村下轎，閑步進廟，但見廟內神像金身脫落，殿宇歪斜，有斷碣，字跡模糊，也看不明白。意欲行至後殿，只見一株翠柏下蔭着一間茅廬，有一個道士合眼打坐。雨村走近時，面貌甚熟，想着倒像在那裏見來的，一時想不出。從人便欲吆喝，雨村止住，徐步向前，叫一聲：「老道。」那道士雙眼微啓，的笑道：「貴官何事？」雨村便道：「本府出都查勘事件，路過此地，見老道靜修自得，來道行深通，意欲冒昧請教。」那道人說：「來自有地，去自有方。」雨村知是有些來歷的，便長揖請問：「道老從何處修來，在此結廬？此廟何名？廟中共有幾人？或欲訪道，豈無名山？或欲廬緣，何不通衢？」那道人道：「葫蘆尚可安身，何必名山結舍？廟因物隱，斷碣猶存，形影相隨，何須修募？豈似那『玉在匱中求售價，釵於匣內待時飛』者那？」雨村原是個穎悟人，初聽見「葫蘆」兩字，後聞「寶釵」一對，忽然想起甄士隱來。重複將那道士端詳一回，見他容貌依然，便屏退從人問道：「君家莫非甄老先麼？」那道人從容笑道：「什麼『真』，什麼『假』？要知道，『真』即是『假』，『假』即是『真』。」雨村聽說出「賈」字來，益發無疑，便從新施禮道：「學生自蒙慨贈到都，託隽公車，受任貴鄉，始知老先生超悟塵凡，飄舉仙境。學生雖溯洄思切，自念風塵俗吏，未由再覲仙顏，今何幸於此處相遇！求老仙翁指示愚蒙，倘荷不棄，京寓甚近，學生當得供奉，得以朝夕聆教。」那道人也站起來回禮道：「我於蒲團之外，不知天上尚有何物。適才尊官所言，貧道一概不解。」說畢，依舊坐下。雨村復又心疑想去：非士隱，何貌言相似若此？離別來十九載，面色如舊，必是修煉有成，未肯將前事說破。但我既遇恩公，又不可當面錯過。看來不能以富貴動之，那妻女之私更不消了。」想罷又道：「仙師既不肯說破前因，弟子於心何忍？」正要下禮，只見從人進說：「天色將晚，快請渡河。」雨村正無主意，那道人道：「請尊官速登彼岸，見面遲則風浪頓起。果蒙不棄，貧道他日尚在渡頭候教。」說畢，仍合眼打坐。雨村無得辭了道人出廟。正要渡過，只見一人飛奔而來。未知何事，下回分解。

〈第壹佰零肆回〉

醉金剛小鰍生大浪｜痴公子餘痛觸前情

　　話說賈雨村剛欲過渡，見有人飛奔而來，跑到跟前，口稱："老爺方才逛的那廟火起了！"雨村回首看時，只見烈炎燒天，飛灰蔽目。雨村心想："這也奇怪！我才出來走不多遠，這火從何而來？莫非士隱遭劫于此？"欲待回去，又恐誤了過河；若不回去，心下又不安。想了一想，便問道："你方才見這老道士出來了沒有？"那人道："小的原隨老爺出來，因腹內疼痛，略走了一走。回頭看見一片火光，原來就是那廟中火起，特趕來稟知老爺，並沒有見有人出來。"雨村雖則心裏狐疑，究竟是名利關心的人，那肯回去看視？便叫那人："你在這裏等火滅了，進去瞧那老道在與不在，即來回稟。"那人只得答應了伺候。雨村過河，仍自去查看。查了幾處，遇公館便自歇下。明日又行一程，進了都門，眾衙役接着，前呼後擁的走着。雨村坐在轎內，聽見轎前開路的人吵嚷。雨村問是何事，那開路的拉了一個人過來，跪在轎前稟道："那人酒醉，不知回避，反衝突過來。小的吆喝他，他倒恃酒撒賴，躺在街心，說小的打了他了。"雨村便道："我是管理這裏地方的，你們都是我的子民，知道本府經過，喝了酒不知退避，還敢撒賴！"那人道："我喝酒是自己的錢，醉了躺的是皇上的地，便是大人老爺也管不得。"雨村怒道："這人目無法紀，問他叫什麼名字？"那人回道："我叫醉金剛倪二。"雨村聽了生氣，叫人："打這金剛，瞧他是金剛不是！"手下把倪二按倒，着實的打了幾鞭。倪二負痛，酒醒求饒。雨村在轎內笑道："原來是這麼個金剛麼！我且不打

你，叫人帶進衙門慢慢的問你。"眾衙役答應，拴了倪二，拉着便走。倪二哀求，也
用。雨村進內覆旨回曹，那裏把這件事放在心上？

　　那街上看熱鬧的，三三兩兩傳說："倪二仗着有些力氣，恃酒訛人，今兒硼在賈
手裏，只怕不輕饒的。"這話已傳到他妻女耳邊，那夜果等倪二不見回家。他女兒
各處賭場尋覓，那賭博的都是這麼說，他女兒急得哭了。眾人都道："你不用着急。
大人是榮府的一家，榮府裏的一個什麼二爺和你父親相好，你因你母親去找他，說
就放出來了。"倪二的女兒聽了，想了一想，"果然我父親常說間壁賈二爺和他好，
麼不找他去？"趕着回來，即和母親說了，娘兒兩個去找賈芸。那日賈芸恰在家，見
女兩個過來，便讓坐，賈芸的母親便倒茶。倪家母女即將倪二被賈大人拿去的話說
遍，"求二爺說情放出來。"賈芸一口應承："這算不得什麼。我到西府裏說一聲
了。那賈大人全仗我家的西府裏，才得做了這麼大官，只要打發個人去一說就完
倪家母女歡喜，回來便到府裏告訴了倪二，叫他不用忙，已經求了賈二爺，他滿口應
討個情便放出來的。倪二聽了也喜歡。

　　不料賈芸自從那日給鳳姐送禮不收，不好意思進來，也不常到榮府。那榮府的
原看着主子的行事，叫誰走動才有些體面，一時來了，他便進去通報；若主子不大理
不論本家親戚，他一概不回，支了去就完事。那日賈芸到府上，說給璉二爺請安，
的說："二爺不在家。等回來，我們替說罷。"賈芸欲要說請二奶奶的安，生恐門上眉
只得回家。又被倪家母女催逼着，說："二爺常說府上是不論那個衙門，說一聲誰
依。如今還是府裏的一家，又不爲什麼大事，這個情還討不來？白是我們二爺了。"
臉上下不來，嘴裏還說硬話："昨兒我們家裏有事，沒打發人說去。少不得今兒說
放，什麼大不了的事。"倪家母女只得聽信。豈知賈芸近日大門竟不得進去，繞到後
要進園內找寶玉，不料園門鎖着，只得垂頭喪氣的回來。想起："那年倪二借銀與我
了香料送給他，才派我種樹；如今我沒有錢去打點，就把我拒絕。他也不是什麼好
拿着太爺留下的公中銀錢在外放'加一錢'，我們窮本家要借一兩也不能。他打諒
住一輩子不窮的了，那知外頭的聲名狠不好，我不說罷了；若說起來，人命官司不
多少呢！"一面想着，來到家中，只見倪家母女都等着。賈芸無言可支，便說道："西
已經打發人說了，只言賈大人不依。你還求我們家的奴才周瑞的親戚冷子興去
用。"倪家母女聽了，說："二爺這樣體面爺們還不中用，若是奴才，是更不中用了。"
芸不好意思，心裏發急道："你不知道，如今的奴才比主子強多着呢。"倪家母女聽

寶玉獨坐外納悶。寶釵叫襲人送過茶去，知他必是怕老爺查問工課，所以如此，只得
安慰。寶玉便借此說："你們今夜先睡一回，我要定定神。"　　　　　　　　　　戴敦

法，只得冷笑幾聲説：「這倒難爲二爺白跑了這幾天。等我們那一個出來再道乏罷。」

畢，出來另託人將倪二弄了出來。只打了幾板，也沒有什麼罪。

　　倪二回家，他妻女將賈家不肯説情的話説了一遍。倪二正喝着酒，便生氣要

芸，説：「這小雜種，没良心的東西！頭裏他没有飯吃，要到府内鑽謀事辦，虧我倪

幫了他。如今我有了事，他不管。好罷咧！若是我倪二鬧出來，連兩府裏都不乾净！」

妻女忙勸道：「噯，你又喝了黄湯，便是這樣有天没日頭的。前兒可不是醉了鬧的亂

挨了打還没好呢，你又鬧。」倪二道：「挨了打便怕他不成？只怕拿不着由頭！我

裏的時候，倒認得了好幾個有義氣的朋友。聽見他們説起來，不獨是城内姓賈的多

省姓賈的也不少，前兒監裏收下了好幾個賈家的家人。我倒説這裏的賈家，小一輩

奴才們雖不好，他們老一輩的還好，怎麼犯了事？我打聽打聽，説是這裏和賈家是

都住在外省，審明白了解進來問罪的，我才放心。若説賈二這小子，他忘恩負義，

和幾個朋友説他家怎樣倚勢欺人，怎樣盤剥小民，怎樣強娶有男婦女，叫你們吵

來。有了風聲，到了都老爺耳朵裏，這一鬧起來，叫你們才認得倪二金剛呢！」他女人

「你喝了酒，睡去罷！他又強占誰家的女人來了？没有的事，你不用混説了。」倪二道：

們在家裏那裏知道外頭的事。前年我在賭場裏碰見了小張，説他女人被賈家占了，

和我商量，我倒勸他，了了事的。但不知這小張如今那裏去了？這兩年没見。若碰

他，我倪二出個主意，叫賈老二死給我，好好的孝敬孝敬我倪二太爺才罷。你倒

我了！」説着，倒身躺下，嘴裏還是咕咕嘟嘟的説了一回，便睡去了。他妻女只當是醉

也不理他。明日早起，倪二又往賭場中去了，不題。

　　且説雨村回到家中，歇息了一夜，將道上遇見甄士隱的事告訴了他夫人一遍。

人便埋怨他：「爲什麼不回去瞧一瞧？倘或燒死了，可不是咱們没良心。」説着，掉

來。雨村道：「他是方外的人了，不肯和咱們在一處的。」正説着，外頭傳進話來，裏

日老爺吩咐瞧火燒廟去的，回來了回話。雨村踱了出來。那衙役打千請了安，回説

的奉老爺的命回去，也不等火滅，便冒火進去瞧那個道士，豈知他坐的地方多燒

的想着那道士必定燒死了。那燒的牆屋往後塌去，道士的影兒都没有，只有一個蒲

一個瓢兒，還是好好的。小的各處找尋他的尸首，連骨頭都没有一點兒。小的恐老

信，想要拿這蒲團、瓢兒回來做個證見，小的這麼一拿，豈知都成了灰了。」雨村聽

心下明白，知士隱仙去，便把那衙役打發了出去。回到房中，並没提起士隱火化之言

他婦女不知，反生悲感，只説並無形迹，必是他先走了。

寶玉道：「我所以央你去説明白了才好。」襲人道：「叫我説什麼？」寶玉道：「你還

我的心，也不知道他的心麼？都爲的是林姑娘。你説我並不是負心的，我如今叫你們

了一個負心人了。」

唐本

雨村出來，獨坐書房，正要細想士隱的話，忽有家人傳報說內廷傳旨，交看事件□村疾忙上轎進內，只聽見人說：「今日賈存周江西糧道被參回來，在朝內謝罪。」雨村□□了內閣，見了各大人，將海疆辦理不善的旨意看了出來，即忙找着賈政，先說了些爲□屈的話，後又道喜問一路可好。賈政也將違別以後的話，細細的說了一遍。雨村道：「□的本上了去沒有？」賈政道：「已上去了，等膳後下來，看旨意罷。」正說着，只聽裏頭□旨來，叫賈政。賈政即忙進去，各大人有與賈政關切的，都在裏頭等着。等了好一回，□賈政出來。看見他帶着滿頭的汗，衆人迎上去，接着問有什麼旨意。賈政吐舌道：「□人，嚇死人！倒蒙各位大人關切，幸喜沒有什麼事。」衆人道：「旨意問了些什麼？」賈政□「旨意問的是雲南私帶神槍一案，本上奏明是原任太師賈化的家人，主上一時記着□先祖的名字，便問起來。我忙着磕頭奏明先祖的名字是代化，主上便笑了，還降旨意□『前放兵部、後降府尹的，不是也叫賈化麼？』」那時雨村也在旁邊，倒嚇了一跳，便問□道：「老先生怎麼奏的？」賈政道：「我便慢慢奏道：『原任太師賈化是雲南人，現任府□是浙江湖州人。』主上又問：『蘇州刺史奏的賈範，是你□了？』我又磕頭奏道：『是。』主上便變色道：『縱使家奴强□民妻女，還成事麼？』我一句不敢奏。主上又問道：『賈□你什麼人？』我忙奏道：『是遠族。』主上哼了一聲，降□出來了。可不是咤事！」

衆人道：「本來也巧，怎麼一連有這兩件事□政道：「事倒不奇，倒是都姓賈的不好。算來我□族人多，年代久了，各處都有。現在雖沒有事，□主上記着一個『賈』字，就不好。」衆人說：「真是□假是假，怕什麼？」賈政道：「我心裏巴不得不做□只是不敢告老。現在我們家裏兩個世襲，這□可奈何的。」雨村：「如今老先生仍是工部□京官是沒有事的。」賈政道：「京官雖然無事，□竟做過兩次外任，也就說不齊了。」衆人道：「□爺的人品行事，我們都佩服的。就是令兄大老爺，也是□人。只要在令侄輩身上嚴緊些就是了。」賈政道：「我因□日子少，舍侄的事情不大查考，我心裏也不甚放心。諸位☐起，都是至相好，或者聽見東宅的侄兒家有什麼不奉規矩的事麼□人道：「沒聽見別的，只有幾位侍郎心裏不大和睦，內監裏頭也有些□不怕什麼，只要囑咐那邊令侄，諸事留神就是了。」衆人說畢，舉手而□

賈政然後回家，衆子侄等都迎接上來。賈政迎着請賈母的安，然後衆子侄俱請了賈□的安，一同進府。王夫人等已到了榮禧堂迎接，賈政先到了賈母那裏拜見了，陳述些□的話。賈母問探春消息，賈政將許嫁探春的事都稟明了，還說：「兒子起身急促，難□重陽，雖沒有親見，聽見那邊親家的人來説的極好，親家老爺太太都説請老太太的□，還説今冬明春大約還可調進京來，這便好了。如今聞得海疆有事，只怕那時還不能□」賈母始則因賈政降調回來，知探春遠在他鄉一無親顧，心下不悦；後聽賈政將官□明，探春安好，也便轉悲爲喜，便笑着叫賈政出去。然後弟兄相見，衆子侄拜見，定□日清晨拜祠堂。賈政回到自己屋內，王夫人等見過，寶玉、賈璉替另拜見。賈政見□寶玉，果然比起身之時臉面豐滿，倒覺安静，並不知他心裏糊塗，所以心甚喜歡，不以□爲念。心想，幸虧老太太辦理的好。又見寶釵沈厚更勝先時，蘭兒文雅俊秀，便喜□色。獨見環兒仍是先前，究不甚鍾愛。歇息了半天，忽然想起：「爲何今日短了一□」王夫人知是想着黛玉，前因家書未報，今日又初到家，正是喜歡，不便直告，只説□着。豈知寶玉的心裏已如刀絞，因父親到家，只得把持心性伺候。王夫人家筵接風，□系敬酒。鳳姐雖是侄媳，現辦喪事，也隨着寶釵等遞酒。賈政便叫：「遞了一巡酒，都□去罷。」命衆家人不必伺候，待明早拜過宗祠，然後進見。分派已定，賈政與王夫人□別後的話。餘者王夫人都不敢言，倒是賈政先提起王子騰的事來，王夫人也不敢悲□賈政又説蟠兒的事，王夫人只説他是自作自受，趁便也將黛玉已死的話告訴。賈政□了一驚，不覺掉下淚來，連聲嘆息，王夫人也掌不住，也哭了。旁邊彩雲等即忙拉□王夫人止住，重又説些喜歡的話，便安寢了。

次日一早，至宗祠行禮，衆子侄都隨往。賈政便在祠旁厢房坐下，叫了賈珍、賈璉□，問起家中事務，賈珍揀可説的説了。賈政又道：「我初回家，也不便來細細查問；□聽見外頭説起，你家裏更不比往前，諸事要謹慎才好。你年紀也不小了，孩子們該□管教，別叫他們在外頭得罪人。璉兒也該聽聽。不是才回家便説你們，因我有所聞，□才説的，你們更該小心些。」賈珍臉漲通紅的，也只答應個「是」字，不敢説什麼，□也就罷了。回歸西府，衆家人磕頭畢，仍復進內，衆女僕行禮，不必多贅。

只説寶玉因昨賈政問起黛玉，王夫人答以有病，他便暗裏傷心。直待賈政命他回□，一路上已滴了好些眼淚。回到房中，見寶釵和襲人等説話，他便獨坐外納悶。寶釵叫□送過茶去，知他必是怕老爺查問工課，所以如此，只得過來安慰。寶玉便借此説：「□們今夜先睡一回，我要定定神。這時更不如從前，三言可忘兩語，老爺瞧了不好。你□罷，叫襲人陪着我。」寶釵聽去有理，便自己到房中睡。

寶玉輕輕的叫襲人坐着，央他：「把紫鵑叫來，有話問他。但是紫鵑見了我，臉上嘴□是有氣的，須得你去解釋開了，他來才好。」襲人道：「你説要定神，我倒喜歡。怎麼又定到這上頭了?有話你明兒問不得。"寶玉道:"我就是今晚得閑,明日倘或老爺叫{我}麼,便沒空兒。好姐姐,你快去叫他來。"襲人道:"他不是二奶奶叫,是不來的。"寶玉{道:}"我所以央你去説明白了才好。"襲人道:"叫我説什麼?"寶玉道:"你還不知道我的心{,我}不知道他的心麼?都爲的是林姑娘。你説我並不是負心的,我如今叫你們弄成了一{個負}心人了。"説着這話,便瞧瞧裏頭,用手一指説:"他是我本不願意的,都是老太太他{們}弄的,好端端把一個林妹妹弄死了。就是他死,也該叫我見見,説個明白,他自己死{了}不怨我。你是聽見三姑娘他們説的,臨死恨怨我,那紫鵑爲他姑娘,也恨得我了不得{。你}想,我是無情的人麼?晴雯到底是個丫頭,也沒有什麼大好處,他死了,我老實告訴你{,}我還做個祭文去祭他,那時林姑娘還親眼見的。如今林姑娘死了,莫非倒不如晴雯麼{?除}了連祭都不能祭一祭。林姑娘死了還有知的,他想起來不要更怨我麼?"襲人道:"你{要}便祭去,要我們做什麼?"寶玉道:"我自從好了起來,就想要做一首祭文的,不知道{如}今一點靈機都沒有了。若祭別人,胡亂却使得;若是他,斷斷俗俚不得一點兒的。所以{叫}紫鵑來問,他姑娘這條心他們打從那樣上看出來的。我沒病的頭裏還想得出來,一{病以}後都不記得。你説林姑娘已經好了,怎麼忽然死的?他好的時候我不去,他怎麼説?{死的}時候他不來,他也怎麼説?所以有他的東西,我誆了過來,你二奶奶總不叫我動,不{知什}麼意思?"襲人道:"二奶奶惟恐你傷心罷了,還有什麼。"寶玉道:"我不信。既是他這{樣想}我,爲什麼臨死都把詩稿燒了,不留給我作個記念?又聽見説天上有音樂響,必是他{成了}神,或是登了仙去。我雖見過了棺材,到底不知道棺材裏有他沒有。"襲人:"你這話{越發}糊塗了。怎麼一個人不死,就攔上一個空棺材當死了人呢!"寶玉道:"不是嘎,大{凡成}仙的人,或是肉身去的,或是脱胎去的。好姐姐,你到底叫了紫鵑來。"襲人道:"如今{我}細細的説明了你的心,他若肯來還好,若不肯來,還得費多少話。就是來了,見你也{不能}細説。據我主意,明後日等二奶奶上去了,我慢慢的問他,或者倒可存細。遇着閑空兒{,}再慢慢的告訴你。"寶玉道:"你説得也是,你不知道我心裏的着急。"

　　正説着,麝月出來説:"二奶奶説天已四更了,請二爺進去睡罷。襲人姐姐必是{説}了興了,忘了時候兒了。"襲人聽了道:"可不是該睡了,有話明兒再説罷。"寶玉無奈{,只}得含愁進去,又向襲人耳邊道:"明兒不要忘了。"襲人笑説:"知道了。"麝月笑道:"{你們}兩個又鬧鬼了,何不和二奶奶説了,就到襲人那邊睡去,由着你們説一夜,我們{也不}管。"寶玉擺手道:"不用言語。"襲人恨道:"小蹄子,你又嚼舌根,看我明兒撕你!{"回}頭來對寶玉道:"這不是二爺鬧的,説了四更的話,總沒有説到這裏。"一面説,一面{讓寶}玉進屋,各人散去。那夜寶玉無眠。到了明日,還思這事。只聞得外頭傳進話來説:"{朋}朋因老爺回家,都要送戲接風,老爺再四推辭,説唱戲不必,竟在家裏備了水酒,倒{請衆}朋過來,大家談談。于是定了後兒擺席請人,所以進來告訴。"不知所請何人,下回分{解。}

第壹佰零伍回

錦衣軍查抄寧國府　驄馬使彈劾平安州

話說賈政正在那裏設宴請酒，忽見賴大急忙走上榮禧堂來，回賈政道：「有錦衣府堂官趙老爺帶領好幾位司官，説來拜望。奴才要取職名來回，趙老爺説：『我們至好，不用的。』一面就下車來走進來了。請老爺同爺們快接去。」賈政聽了，心想：「趙老爺並無來往，怎麼也來？現在有客，留他不便；不留，又不好。」正自思想，賈璉説：「叔叔快去罷。再想一回，人都進來了。」正説着，只見二門上家人又報進來説：「趙老爺已進二門了。」賈政等搶步接去，只見趙堂官滿臉笑容，並不説什麼，一徑走上廳來。後面跟着五六位司官，也有認得的，也有不認得的，但是總不答話。賈政等心裏不得主意，只得跟了上來讓坐。衆親友也有認得趙堂官的，見他仰着臉不大理人，只拉着賈政的手，笑着説了幾句寒温的話。衆人看見來頭不好，也有躲進裏間屋裏的，也有垂手侍立的。

賈政正要帶笑叙話，只見家人慌張報道：「西平王爺到了。」賈政慌忙去接，已見王爺進來，趙堂官搶上去請了安，便説：「王爺已到，隨來各位老爺，就該帶領府役把守前後門。」衆官應了出去。賈政等知事不好，連忙跪接。西平郡王用兩手扶起，笑嘻嘻的説道：「無事不敢輕造，有奉旨交辦事件，要煩老接旨。如今滿堂中筵席未散，想有親友在此未便，且請衆位府上親友各散，獨留本宅的人聽候。」趙堂官回説：「王爺雖是恩典，但東邊的事，這位王爺辦事認真，想是早已封門。」衆人知是兩府干係，恨不能脱身。只見王爺笑道：「衆位只

管就請。叫人來給我送出去，告訴錦衣府的官員說，這都是親友，不必盤查，快忄
出。"那些親友聽見，就一溜烟如飛的出去了。獨有賈赦、賈政一干人，唬得面如土
滿身發顫。不多一回，只見進來無數番役，各門把守。本宅上下人等，一步不能亂
趙堂官便轉過一副臉來，回王爺道："請爺宣旨意，就好動手。"這些番役却撩衣勒
專等旨意。西平王慢慢的說道："小王奉旨，帶領錦衣府趙全來查看賈赦家產。"賈
等聽見，俱俯伏在地。王爺便站在上頭說："有旨意：賈赦交通外官，倚勢凌弱，辜負
恩，有忝祖德，着革去世職。欽此。"趙堂官一叠聲叫："拿下賈赦。其餘皆看守。"繞
賈赦、賈政、賈璉、賈珍、賈蓉、賈薔、賈芝、賈蘭俱在，惟寶玉假說有病，在賈母那ਂ
鬧，賈環本來不大見人的，所以就將現在幾人看住。

　　趙堂官即叫他的家人："傳齊司員，帶同番役，分頭按房抄查登賬。"這一言不打
唬得賈政上下人等，面面相看，喜得番役家人，摩拳擦掌，就要往各處動手。西平王
"聞得赦老與政老同房各爨的，理應遵旨查看賈赦的家資，其餘且按房封鎖，我們彵
去，再候定奪。"趙堂官站起來說："回王爺：賈璉、賈赦並未分家，聞得他侄兒賈璉玴
承總管家，不能不盡行查抄。"西平王聽了，也不言語。趙堂官便說："賈璉、賈赦兩
須得奴才帶領去查抄才好。"西平王便說："不必忙。先傳信後宅，且請內眷回避，毠
不遲。"一言未了，老趙家奴番役已經拉着本宅家人領路，分頭查抄去了。王爺喝命
許囉唣，待本爵自行查看。"說着，便慢慢的站起來要走，又吩咐說："跟我的人一個ㅡ
動，都給我站在這裏候着，回來一齊瞧着登數。"正說着，只見錦衣司官跪禀說："柎
查去御用衣裙並多少禁用之物，不敢擅動，回來請示王爺。"一回兒，又有一起人來抌
王爺，就回說："東跨所抄出兩箱房地契，又一箱借票，却都是違例取利的。"老趙便
"好個重利盤剝，狠該全抄！請王爺就此坐下，叫奴才去全抄來，再候定奪罷。"說着
見王府長史來禀說："守門軍傳進來說，主上特北靜王到這裏宣旨，請爺接去。"趙㤏
聽了心裏喜歡，說："我好悔氣，碰着這個酸王！如今那位來了，我好施威。"一面想
也迎出來。只見北靜王已到大廳，就向外站着說："有旨意，錦衣府趙全聽宣。"說ㅡ
旨意：着衣官惟提賈赦質審，餘交西平王遵旨查辦。欽此。"西平王領了，好不喜歡
與北靜王坐下，着趙堂官提取賈赦回衙。

　　裏頭那些查抄的人，聽得北靜王到，俱一齊出來。及聞趙堂官走了，大家沒趣
得侍立聽候。北靜王便揀選兩個誠實司官並十來個老年番役，餘者一概逐出。西平
說："我正與老趙生氣，幸得王爺到來降旨。不然，這裏狠吃大虧。"北靜王說："我

錦衣軍查抄寧國府　0983　驄馬使彈劾平安州

內聽見王爺奉旨查抄賈宅，我甚放心，諒這裏不致荼毒，不料老趙這麼渾賬。但不知在政老及寶玉在那裏？裏面不知鬧到怎麼樣了？"眾人回稟："賈政等在下房看守着，面已抄得亂騰騰的了。"西平王便吩咐司員："快將賈政帶來問話。"眾人命帶了上，賈政跪了請安，不免含淚乞恩。北靜王便起身拉着說："政老放心。"便將旨意說了。感激涕零，望北又謝了恩，仍上來聽候。王爺道："政老，方才老趙在這裏的時候，呈稟有禁用之物並重利欠票，我們也難掩過。這禁用之物，原辦進貴妃用的，我們也無礙。獨是借券，想個什麼法兒才好。如今政老且帶司員實在將赦老家產呈出，了事，切不可再有隱匿，自干罪戾。"賈政答應道："犯官再不敢。但犯官祖父遺產，分過，惟各人所住的房屋有的東西，便爲己有。"兩王便說："這也無妨。惟將赦老邊所有的交出就是了。"又吩咐司員等依命行去，不許胡混亂動。司官領命去了。

且說賈母那邊女眷，也擺家宴，王夫人正在那邊說："不到外頭，恐他老子生氣。"鳳姐帶病，哼哼唧唧的說："我看寶玉也不是怕人，他見前頭陪客的人也不少了，在這裏照應，也是有的。倘或老爺想起裏頭少個人在那裏照應，太太便把寶兄弟叫去，可不是好？"賈母笑道："鳳丫頭病到這地位，這張嘴還是那麼尖巧！"正說到高，只聽見邢夫人那邊的人一直聲的嚷進來說："老太太、太太，不……不好了！多少的穿靴帶帽的強……強盜來了，翻箱倒籠的來拿東西。"賈母等聽着發呆。又見披頭散髮，拉着巧姐哭啼啼的來說："不好了！我正與姐兒吃飯，只見來旺被人拴來說：'姑娘快快傳進去，請太太們回避，外面王爺就進來查抄家產。'我聽了着忙要進房拿要緊東西，被一夥人渾推渾趕出來的。咱們這裏該穿該帶的，快快收拾。"王、邢夫人等聽得，俱魂飛天外，不知怎樣才好。獨見鳳姐先前圓睜兩眼聽着，後一仰身，栽倒地下死了。賈母沒有聽完，便嚇得涕淚交流，連話也說不出來。那時屋子人拉這個，扯那個，正鬧得翻天覆地，又聽見一叠聲嚷說："叫裏面女眷們回王爺進來了！"可憐寶釵、寶玉等正在沒法，只見地下這些丫頭婆子亂抬亂扯的時，賈璉喘吁吁的跑進來說："好了，好了，幸虧王爺救了我們了！"眾人正要問他，賈鳳姐死在地下，哭着亂叫；又怕老太太嚇壞了，急得死去，也回過來氣活來。還虧將鳳姐叫醒，令人扶着。老太太也回過氣來，哭得氣短神昏，躺在炕上。李紈有慰。然後賈璉定神，將兩王恩典說明。惟恐賈母、邢夫人知道賈赦被拿，又要唬壞且不敢明說，只得出來照料自己屋內。

一進屋門，只見箱開櫃破，物件搶得半空。此時急得兩眼直竪，淌淚發呆。聽，只得出來。見賈政同司員登記物一人報說：“赤金首飾共一百二十，珠寶俱全。珍珠十三挂。淡金盤。金碗二對。金搶碗二個。金匙四。銀大碗八十個。銀盤二十個。三象牙箸二把。鍍金執壺四把。鍍金三對。茶托二件。銀碟七十六件。杯三十六個。黑狐皮十八張。青狐。貂皮三十六張。黃狐三十張。猞皮十二張。麻葉皮三張。洋灰皮六。灰狐腿皮四十張。醬色羊皮二十朔狸皮二張。黃狐腿二把。小白狐十塊。洋泥三十度。嗶嘰二十三古絨十二度。香鼠筒子十件。豆鼠方。天鵝絨一卷。梅鹿皮一方。雲子二件。貉崽皮一卷。鴨皮七把。一百六十張。獾子皮八張。虎皮六海豹三張。海龍十六張。灰色羊四。黑色羊皮六十三張。元帽沿十矮刀帽沿十二副。貂帽沿二副。小十六張。江貉皮二張。獺子皮二齒皮三五張。倭股十二度。綢緞一十卷。紗綾一百八一卷。羽綾綢三。氆氌三十卷。妝蟒緞八卷。葛布各色布三捆。各色皮衣一百三二絹夾單紗絹衣三百四十件。玉玩三件。帶頭九副。銅錫等物五百餘錶十八件。朝珠九挂。各色妝蟒四件。上用蟒緞迎手靠背三分。宮

妆衣裙八套。脂玉圈帶一條。黃緞十二卷。潮銀五千二兩。赤金五十兩。錢七千吊
切動用家伙，攢釘登記，以及榮國賜第，俱一一開列。其房地契紙、家人文書，亦
裏。賈璉在旁邊竊聽，只不聽見報他的東西，心裏正在疑惑。只聞兩家王子問賈政
"所抄家資內有借券，實係盤剝。究是誰行的?政老據實才好。"賈政聽了，跪在地
頭說："實在犯官不理家務，這些事全不知道，問他官姪兒賈璉才知。"賈璉連忙走
跪下稟說："這一箱文書既在奴才屋內抄出來的，敢說不知道麼?只求王爺開恩，
叔叔並不知道的。"兩王道："你父已經獲罪，只可並案辦理。你今認了，也是正理
此叫人將賈璉看守，餘俱散收宅內。政老你須小心候旨，我們進內覆旨去了。這
官役看守。"說着，上轎出門。賈政等就在二門跪送。北靜王把手一伸，說："請放
覺得臉上大有不忍之色。

　　此時賈政魂魄方定，猶是發怔。賈蘭便說："請爺爺進內瞧老太太，再想法兒打
府裏的事。"賈政疾忙起身進內，只見各門上婦女亂糟糟的，不知要怎樣。賈政無
問，一直到賈母房中，只見人人淚痕滿面，王夫人、寶玉等圍住賈母，寂靜無言，各
淚，惟有邢夫人哭作一團。因見賈政進來，都說："好了，好了。"便告訴老太太說："
仍舊好好的進來，請老太太安心罷。"賈母奄奄一息的，微開雙目，說："我的兒，不
見得着你!"一聲未了，便嚎咷的哭起來，于是滿屋裏人俱哭個不住。賈政恐哭壞老
即收淚說："老太太放心罷。本來事情原不小，蒙主上天恩，兩位王爺的恩典，萬般輕
就是大老爺暫時拘質，等問明白了，主上還有恩典。如今家裏一些也不動了。"賈母
赦不在，又傷心起來，賈政再三安慰方止。眾人俱不敢走散，獨邢夫人回至自己那遍
門總封鎖，丫頭婆子亦鎖在幾間屋內，邢夫人無處可走，放聲大哭起來。只得往鳳
邊去，見二門旁舍亦上封條，惟有屋門開着，裏頭嗚咽不絕。邢夫人進去，見鳳姐面
灰，合眼躺着，平兒在旁暗哭。邢夫人打諒鳳姐死了，又哭起來。平兒迎上來說："太
要哭。奶奶抬回來，覺着像是死的了，幸得歇息一回，蘇過來哭了幾聲，如今痰息多
略安一安神。太太也請定定神罷。但不知老太太怎樣了?"邢夫人也不答言，仍走到
那邊，見眼前俱是賈政的人，自己夫子被拘，媳婦病危，女兒受苦，現在身無所歸，
禁得住?眾人勸慰，李紈等令人收拾房屋，請邢夫人暫住，王夫人撥人服侍。

　　賈政在外，心驚肉跳，擔鬚搓手的等候旨意。聽見外面看守軍人亂嚷道："你到
那一邊的?既碰在我們這裏，就記在這裏冊上，拴着他交給裏頭錦衣府的爺們。"
出外看時，見是焦大，便說："怎麼跑到這裏來?"焦大見問，便號天蹈地的哭道："

那時，一屋子人拉這個，扯那個，正鬧得翻天覆地，又聽見一叠聲嚷說："叫裏面女眷
避，王爺進來了!"
　　　　　　　　　　　　　　　　　　　　　　　　　　　　　　　　　　　陳安

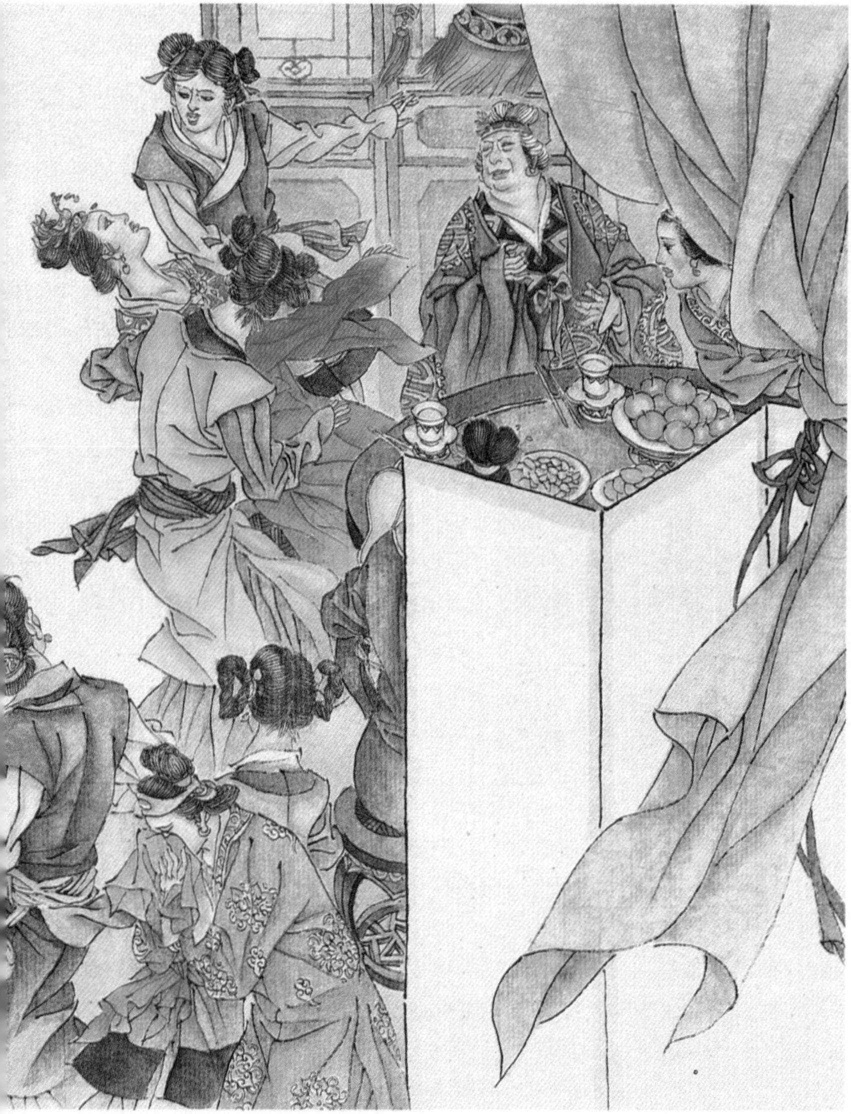

天勸這些不長進的，爺們倒拿我當作冤家，連爺還不知道焦大跟着太爺受的苦！今到這個田地，珍大爺、蓉哥兒都叫什麼王爺拿了去了，裏頭女主兒們都被什麼府裏搶得披頭散髮，攝在一處空房裏，那些不成材料的狗男女卻像豬狗似的攔起來了，的都抄出來閣着，木器釘得破爛，磁器打得粉碎。他們還要把我拴起來！我活了八歲，只有跟着太爺捆人的，那裏倒叫人捆起來？我便說我是西府裏，就跑出來，那不依，押到這裏，不想這裏也是那麼着。我如今也不要命了，和那些人拚了罷！」說頭。衆役見他年老，又是兩王吩咐，不敢發狠，便說：「你老人家安靜些，這是奉旨的你且這裏歇歇，聽個信兒再說。」賈政聽明，雖不理他，但是心裏刀絞似的，便道：「'完了，不料我們一敗塗地如此！」

正在着急聽候內信，只見薛蝌氣噓噓的跑進來說：「好容易進來了，姨父在那賈政道：「來得好。但是外頭怎麼放進來的？」薛蝌道：「我再三央說，又許他們錢，我才能彀出入的。」賈政便將抄去之事告訴了他，便煩去打聽打聽：「就有好親，在

上也不便送信，是你就好通信了。」薛蝌道：「的事，我倒想不到；那邊東府的事，我已聽見了。」賈政道：「究竟犯什麼事？」薛蝌道：「今朝哥哥打聽決罪的事，在衙內聞得有兩位御史得珍大爺引誘世家子弟賭博，——這款還輕；一大款是強占良民妻女爲妾，因其女不從，凌死。那御史恐怕不准，還將咱們家的鮑二拿云還拉出一個姓張的來。只怕連都察院都有不是的是姓張的曾告過的。」賈政尚未聽完，便跺脚「了不得！罷了，罷了！」嘆了一口氣，撲簌簌的

淚來。薛蝌寬慰了幾句，即便又出來打聽去了。隔了半日，仍舊進來說：「事情不好，刑科打聽，倒沒有聽見兩王覆旨的信，但聽得說李御史早已參奏平安州奉承京官，上司、虐害百姓，好幾大款。」賈政慌道：「那管他人的事，到底打聽我們的怎麼樣蝌道：「說是平安州，就有我們。那參的京官就是赦老爺，說的是包攬詞訟，所以火油。就是同朝這些官府，俱藏躲不送，誰肯送信？就即如才散的這些親友，有的竟去了，也有遠遠兒的歇下打聽的。可恨那些貴本家，便在路上說：'祖宗擲下的功出事來了，不知道飛到那個頭上，大家也好施威。'」賈政沒有聽完，復又頓足道：「我們大爺忒糊塗，東府也忒不成事體！如今老太太與璉兒媳婦是死是活，還不知你再打聽去，我到老太太那邊瞧瞧。若有信，能彀早一步才好。」正說着，聽見裏頭出來說：「老太太不好了！」急得賈政即忙進去。未知生死如何，下回分解。

第壹佰零陸回

王熙鳳致禍抱羞慚　賈太君禱天消禍患

話説賈政聞知賈母危急，即忙進去看視，見賈母驚嚇氣逆，王夫人、鴛鴦等喚醒回來，即用疏氣安神的丸藥服了，漸漸的好些，只是傷心落淚。賈政在旁勸慰，總説："是兒子們不肖，招了禍來累老太太受驚。若老太太寬慰些，兒子們尚可在外料理；若是老太太有什麼不自在，兒子們的罪孽更重了。"賈母道："我活了八十多歲，自作女孩兒起到你父親手裏，都託着祖宗的福，從沒有聽見過那些事；如今到老了，見你們倘或受罪，叫我心裏過得去麼？倒不如合上眼，隨你們去罷了。"説着，又哭。賈政此時着急異常，又聽外面説："請老爺，内廷有信。"賈政急忙出來，見是北静王府長史。一見面便説："大喜！"賈政謝了，請長史坐下，請問王爺有何諭旨。那長史道："我們王爺同西平郡王進内覆奏，將大人的懼怕的心、感激天恩之話，都代奏了，主上甚是憫恤，並念及貴妃薨逝未久，不忍加罪，着加恩仍在工部員外上行走。所封家產，惟將賈赦的入官，餘俱給還，並傳旨令盡心供職。惟抄出借券，令我們王爺查核，如有違禁重利的，一概照例入官；其在定例生息的，同房地文書，盡行給還。賈璉着革去職銜，免罪釋放。"賈政聽畢，即起身叩謝天恩，又拜謝王爺恩典："先請長史大人代爲稟謝，明晨到闕謝恩，並到府裏磕頭。"那長史去了。少停，傳出旨來。承辦官遵旨一一查清，入官者入官，給還者給還。將賈璉放下，所有賈赦名下男婦人等，造册入官。

可憐賈璉屋內東西，除將按例放出的文書發給外，其餘雖未盡入官的，早被查抄人盡行搶去，好存者只有家伙物件。賈璉始則懼罪，後蒙釋放，已是大幸，及想起歷年積聚的東西，並鳳姐的體己，不下七八萬金，一朝而盡，怎得不痛？且他父親現禁在錦衣府，鳳姐病在垂危，一時悲痛。又見賈政含淚叫他問道：「我因官事在身，不大理家，你們夫婦總理家事。你父親所為，固難勸諫，那重利盤剝，究竟是誰幹的？況且非咱們這樣人家所為。如今入了官，在銀錢是不打緊的，這種聲名出去還了得嗎！」賈璉跪道：「姪兒辦家事，並不敢存一點私心，所有出入的賬目，自有賴大、吳新登、戴良等記，老爺只管叫他們來查問。現在這幾年庫內的銀子出多入少，雖沒貼補在內，已在外處做了好些空頭，求老爺問太太就知道了。這些放出去的賬，連姪兒也不知道那裏的底子，要問周瑞、旺兒才知道。」賈政道：「據你說來，連你自己屋裏的事還不知道，那外頭上下的事更不知道了！我這回也不來查問你。現今你無事的人，你父親的事和你哥哥的事，還不快去打聽打聽。」賈璉一心委屈，含着眼淚答應了出去。

賈政嘆氣連連的，想道：「我祖父勤勞王事，立下功勛，得了兩個世職，如今兩件事，都革去了。我瞧這些子姪，沒一個長進的。老天啊，老天啊，我賈家何至一敗如此！我雖蒙聖恩格外垂慈，給還家產，那兩處費用，自應歸併一處，叫我一人那裏支撐的住。方才璉兒所說，更加咤異。說不但庫上無銀，而且尚有虧空，這幾年竟是虛名在外。我自己為什麼糊塗若此！倘或他珠兒在世，尚有膀臂；寶玉雖大，更是無用之物。」想到那裏，不覺淚滿衣襟。又想：「老太太偌大年紀，兒子們並沒有自能奉養一日，反累得死去活來，種種罪孽，叫我委之何人？」正在獨自悲切，只見家人稟報各親友進候，賈政一一道謝，說起：「家門不幸，是我不能管教子姪，所以至此。」有的說：「我令兄赦大老爺行事不妥，那邊珍哥更加驕縱。若說因官事錯誤，得個不是，于心無愧，如今自己鬧出的，倒帶累了二老爺。」有的說：「人家鬧的也多，也沒見御史參奏。珍老大得罪朋友，何重如此！」有的說：「也不怪御史，我們聽見說是府上的家人同泥腿在外頭哄嚷出來的。御史恐參奏不實，所以誆了這裏的人去，才說出來的。我上待下人最寬的，為什麼還有這事？」有的說：「大凡奴才們是一個養活不得的。今這裏都是好親友，我才敢說。就是尊駕在外任，我保不得你是不愛錢的，那外頭的也不好，都是奴才們鬧的，你該堤防些。如今雖說沒有動你的家，倘或再遇着主上起來，好些不便呢。」賈政聽說，心下着忙，道：「衆位聽見我的風聲怎樣？」衆人道

熙鳳致禍

王宏喜寫

們雖沒聽見實據，只聞外面人說你在糧道任上，怎麼叫門上家人要錢。"賈政聽了道："我是對得天的，從不敢起這要錢的念頭。只是奴才在外招搖撞騙，鬧出事來，吃不住了。"衆人道："如今怕也無益，只好將現在的管家們都嚴嚴的查一查，若有的奴才，查出來嚴嚴的辦一辦。"

賈政聽了點頭，便見門上進來回稟說："孫姑爺那邊打發人來說，自己有事不能着人來瞧瞧。說大老爺該他一種銀子，要在二老爺身上還的。"賈政心內憂悶，只說道了。"衆人都冷笑道："人說令親孫紹祖混賬，真有些。如今丈人抄了家，不但不看，幫補照應，倒趕忙的來要銀子，真真不在理上。"賈政道："如今且不必說他，那說原是家兄配錯的。我的姪女兒的罪已經受戮了，如今又招我來。"正說着，只見進來說道："我打聽錦衣府趙堂官必要照御史參的辦去，只怕大老爺和珍大爺吃不衆人都道："二老爺，還得是你出去求求王爺，怎麼挽回挽回才好。不然，這兩家了。"賈政答應致謝，衆人都散。那時天已點燈時候，賈政進去請賈母的安，見賈母好些。回到自己房中，埋怨賈璉夫婦不知好歹，如今鬧出放賬取利的事情，大家不方見鳳姐所爲，心裏狠不受用。鳳姐現在病重，知他所有什物盡被抄搶一光，心內一時未便埋怨，暫且隱忍不言。一夜無話。次早，賈政進內謝恩，並到北靜王府、西府兩處叩謝，求兩位王爺照應他哥哥姪兒，兩位應許。賈政又在同寅相好處託情

且說賈璉打聽得父親之事不狠妥，無法可施，只得回到家中。平兒守着鳳姐哭秋桐在耳房中抱怨鳳姐。賈璉走近旁邊，見鳳姐奄奄一息，就有多少怨言，一時也出來。平兒哭道："如今事已如此，東西已去，不能復來，奶奶這樣，還得再請個大治調治才好。"賈璉啐道："我的性命還不保，我還管他麼！"鳳姐聽見，睜眼一瞧，言語，那淚滾流個不盡。見賈璉出去，便與平兒道："你別不達事務了。到了這樣田地還顧我做什麼？我巴不得今兒就死才好。只要你能殼眼裏有我，我死之後，你扶養巧姐兒，我在陰司裏也感激你的。"平兒聽了，放聲大哭。鳳姐道："你也是聰明人，雖沒有來說我，他必抱怨我。雖說事是外頭鬧的，我若不貪財，如今也沒有我的事但是枉費心計，掙了一輩子的強，如今落在人後頭。我只恨用人不當，恍惚聽得那大爺的事，說是強占良民妻子爲妾，不從逼死，有個姓張的在裏頭，你想想還有誰是這件事審出來，咱們二爺是脫不了的，我那時怎樣見人？我要即時就死，又耽金服毒的，你倒還要請大夫！可不是你爲顧我，反倒害了我了麼？"平兒愈聽愈慘，

一日傍晚，賈母叫寶玉回去，自己扎挣坐起，叫鴛鴦等各處佛堂上香，又命自己院中斗香，用拐拄着出到院中。琥珀知是老太太拜佛，鋪下大紅短氈拜墊。賈母上香，跪了好些頭。念了一回佛，含淚祝告天地。

戴敦

實在難處。恐鳳姐自尋短見，只得緊緊守着。

幸賈母不知底細，因近日身子好些，又見賈政無事，寶玉、寶釵在旁，天天不離左右，略覺放心。素來最疼鳳姐，便叫鴛鴦：「將我體己東西拿些給鳳丫頭，再拿些銀錢給平兒，好好的伏侍好了鳳丫頭，我再慢慢的分派。」又命王夫人照看了邢夫人。了寧國府第入官，所有財產房地等並家奴等，俱造冊收盡，這裏賈母命人將車接了几婆媳等過來。可憐赫赫寧府，只剩得他們婆媳兩個，並佩鳳、偕鸞二人，連一個下人有。賈母指出房子一所居住，就在惜春所住的間壁，又派了婆子四人、丫頭兩個伏一應飯食起居，在大厨房內分送，衣裙什物又是賈母送去，零星需用亦在賬房內開俱照榮府每人月例之數。那賈赦、賈珍、賈蓉在錦衣府使用，賬房內實在無項可支今鳳姐一無所有，賈璉況又多債務滿身，賈政不知家務，只説已經託人，自有照應。賈無計可施，想到那親戚裏頭，薛姨媽家已敗，王子騰已死，餘在親戚雖有，俱是不肯應，只得暗暗差人下屯，將地畝暫賣了數千金，作爲監中使費。賈璉如此一行，那奴見主家勢敗，也便趁此弄鬼，並將東莊租税也就指名借些。此是後話，暫且不

且説賈母見祖宗世職革去，現在子孫在監質審，邢夫人、尤氏等日夜啼哭，鳳在垂危，雖有寶玉、寶釵在側，只可解勸，不能分憂，所以日夜不寧，思前想後，眼乾。一日傍晚，叫寶玉回去，自己扎挣坐起，叫鴛鴦等各處佛堂上香，又命自己院內焚斗香，用拐拄着出到院中。琥珀知是老太太拜佛，鋪下大紅短氈拜墊。賈母上香，磕了好些頭。念了一回佛，含淚祝告天地道：「皇天菩薩在上，我賈門史氏，虔誠禱告菩薩慈悲。我賈門數世以來，不敢行凶霸道，我幫夫助子，雖不能爲善，亦不敢作惡是後輩兒孫，驕侈暴佚，暴殄天物，以致闔府抄檢。現在兒孫監禁，自然凶多吉少，皆我一人罪孽，不教兒孫，所以至此。我今即求皇天保佑：在監逢凶化吉，有病的早早身。總有闔家罪孽，情願一人承當，只求饒恕兒孫。若皇天見憐，念我虔誠，早早賜死，寬免兒孫之罪。」默默説到此，不禁傷心，嗚嗚咽咽的哭泣起來。鴛鴦、珍珠一勸，一面扶進房去。只見王夫人帶了寶玉、寶釵過來請晚安，見賈母悲傷，三人也起來。寶釵更有一層苦楚：想哥哥也在外監，將來要處決，不知可減緩否；翁姑雖事，是見家業蕭條；寶玉依然瘋傻，毫無志氣。想到後來終身，更比賈母、王夫人哭得痛。寶玉見寶釵如此大慟，他亦有一番悲戚，想的是：老太太年老不得安，老爺太此光景，不免悲傷，衆姐妹風流雲散，一日少似一日。追想在園中吟詩起社，何等熱自從林妹妹一死，我鬱悶到今，又有寶姐姐過來，未使時常悲切。見他憂兄思母，日得笑容，今見他悲哀欲絕，心裏更加不忍，竟嚎啕大哭。鴛鴦、彩雲、鶯兒、襲人見如此，也各有所思，便也嗚咽起來。餘者丫頭們看得傷心，也便陪哭，竟無人解慰，滿

聲驚天動地，將外頭上夜婆子嚇慌，急報于賈政知道。

那賈政正在書房納悶，聽見賈母的人來報，心中着忙，飛奔進內。遠遠聽得哭聲甚

打諒老太太不好，急得魂魄俱喪。疾忙進來，只見坐着悲啼，神魂方定，説是："老太

心，你們該勸解，怎麽的齊打夥兒哭起來了？"衆人聽得賈政聲氣，急忙止哭，大家

發怔。賈政上前安慰了老太太，又説了衆人幾句。各自心想道："我們原恐老太太

，故來勸解，怎麽忘情，大家痛哭起來？"正自不解，只見老婆子帶了史侯家的兩個

進來，請了賈母的安，又向衆人請安畢，便説："我們家老爺、太太、姑娘打發我來

聽見府裏的事，原沒有什麽大事，不過一時受驚。恐怕老爺太太煩惱，叫我們過來

一聲，説這裏二老爺是不怕的了。我們姑娘本要自

的，因不多幾日就要出閣，所以不能來了。"

賈母聽了，不便道謝，説："你回去給我問

這是我們的家運合該如此，承你老爺

惦記，過一日再來奉謝。你家姑娘出

想來你們姑爺是不用説的了，他們

計如何？"兩個女人回道："家計倒

麽着，只是姑爺長的狠好，爲人又

。我們見過好幾次，看來與這裏寶二

不多。還聽得説，才情學問都好的。"

聽了，喜歡道："咱們都是南邊人，雖

裏住了，那些大規矩還是從南方禮

所以新姑爺我們都没見過。我前兒還

我娘家的人來，最疼的就是你們家姑

一年三百六十天，在我跟前的日子倒

百多天。渾得這麽大了，我原想給他

個好女婿，又爲他妹妹不在家，我又不

主。他既造化配了個好姑爺，我也放

月裏出閣，我原想過來吃杯喜酒的，不

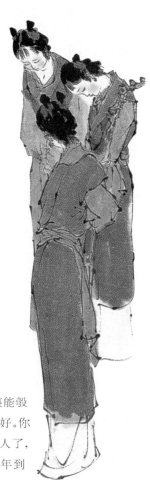

家鬧出這樣事來，我的心就像在熱鍋裏熬的似的，那裏能彀

你們家去？你回去説我問好，我們這裏的人都説請安問好。你

告訴你家姑娘，不要將我放在心裏。我是八十多歲的人了，

也算不得没福的了。只願他過了門，兩口子和順，百年到

王熙鳳致禍抱羞慚

0995

賈太君禱天消禍患

老，我便安心了。”説着不覺掉下淚來。那女人道：“老太太也不必傷心。姑娘過了等回了九，少不得同姑爺過來請老太太的安，那時老太太見了才喜歡呢。”賈母點那女人出去。別人都不理論，只有寶玉聽了，發了一回怔，心裏想道：“如今一天一的都過不得了，爲什麼人家養了女兒，到大了必要出嫁？一出了嫁就改變。史妹樣一個人，又被他妹妹硬壓着配人了，他將來見了我，必是又不理我了。我想一到了這個没人理的分兒，還活着做什麼！”想到那裏，又是傷心；見賈母此時才安不敢哭泣，只是悶悶的。

一時賈政不放心，又進來瞧瞧老太太。見是好些，便出來傳了賴大，叫他將闔府管事家人的花名册子拿來，一齊點了一點。除去賈赦入官的人，當有三十餘家，共二百十二名。賈政叫現在府內當差的男人共二十一名進來，問起歷年居家用度，共干進來，該用若干出去。那管總的家人將近來支用簿子呈上。賈政看時，所入不敷所又加連年宮裏花用，賬上有在外浮借的也不少。再查東省地租，近年頭交不及祖半，如今用度比祖上更加十倍。賈政不看則已，看了急得跺脚道：“這了不得！我打是璉兒管事，在家自有把持；豈知好幾年頭裏已就寅年用了卯年的，還是這樣裝竟把世職俸禄當作不打緊的事情，爲什麼不敗呢！我如今要就省儉起來，已是遲想到那裏，背着手踱來踱去，竟無方法。

衆人知賈政不知理家，也是白操心着急，便説道：“老爺也不用焦心，這是家樣的。若是統總算起來，連王爺家還不彀，不過是裝着門面，過到那裏就到那裏。老爺到底得了主上的恩典，才有這點子家産；若是一併了官，老爺就不用過了不賈政嗔道：“放屁！你們這班奴才最没有良心的，仗着主子好的時候任意開銷，到了，走的走，跑的跑，還顧主子的死活嗎？如今你們道是没有查封的好，那知道外名聲大，本兒都保不住，還攔得住你們在外頭支架子説大話，誆人騙人！到鬧出事望主子身上一推就完了。如今大老爺與珍大爺的事，説是咱們家人鮑二在外傳播的看這人口册上並没有鮑二，這是怎麼説？”衆人回道：“這鮑二是不在册檔上的。先寧府册上，爲二爺見他老實，把他們兩口子叫過來了。及至他女人死了，他又回寧府後來老爺衙門事，老太太們爺們往陵上去，珍大爺替理家事帶過來的，已後也就老爺數年不管家事，那裏知道這些事來？老爺打諒册上有這名字就只這個人，不個人手下，親戚們也有，奴才還有奴才呢。”賈政道：“這還了得！”想去一時不能清只得喝退衆人，早打了主意在心裏了，且聽賈赦等事審得怎樣再定。

一日，正在書房籌算，只見一人飛奔進來説：“請老爺快進內廷問話。”賈政聽心下着忙，只得進去。未知凶吉，下回分解。

第壹佰零柒回

散餘資賈母明大義　復世職政老沐天恩

　　話說賈政進內，見了樞密院各位大人，又見了各位王爺。北靜王道：「今日我們傳你來，有遵旨問你的事。」賈政即忙跪下。眾大人便問道：「你哥哥交通外官，恃強凌弱，縱兒聚賭，強占良民妻女不遂逼死的事，你都知道麼？」賈政回道：「犯官自從主恩欽點學政任滿後，查看賑恤，于上年冬底回家，又蒙堂派工程，後又往江西監道，題參回都，仍在工部行走，日夜不敢怠惰。一應家務，並未留心伺察，實在糊塗。不能管教子侄，這就是辜負聖恩，亦求主上重重治罪。」北靜王據說轉奏。不多時傳出旨來，北靜王便述道：「主上因御史參奏賈赦交通外官，恃強凌弱。據該御史指出安平州互相往來，賈赦包攬詞訟。嚴鞫賈赦，據供平安州原係姻親來往，並未干涉官事，該御史亦不能指實；惟有倚勢強索石呆子古扇一款是實的，然係玩物，究非強索良民之物可比。雖石呆子自盡，亦係瘋傻所致，與逼勒致死者有間。今從寬將賈赦發往臺站效力贖罪。所參賈珍強占良民妻女為妾不從逼死一款，提取都察院原案，看得尤二姐實係張華指腹為婚未娶之妻，因伊貧苦自願退婚，尤三姐之母願結賈珍之弟為妾，並非強占。再尤三姐自刎掩埋，並未報官一款，查尤三姐原係賈珍妻妹，本意為伊擇配，因被逼索定禮，眾人揚言穢亂，以致羞忿自盡，並非賈珍逼勒致死。但身係世襲職員，罔知法紀，私埋人命，本應重治，念伊究屬功臣後裔，不忍加罪，亦從寬革去世職，派往海疆效力贖罪。賈蓉年幼無干，省釋。賈政實係在外任多年，居官尚屬勤慎，免治伊治家不正之罪。"賈政聽了，感激涕零，□不及。又叩求王爺代奏下忱。北靜王道："你該叩謝天恩，更有何奏？"賈政道："犯官蒙聖恩，不加大罪，又蒙將家產給還，實在捫心惶愧。願將祖宗遺受重祿，積餘置產併交官。"北靜王道："主上仁慈待下，明慎用刑，賞罰無差。如今既蒙莫大深恩，給□產，你又何必多此一奏？"眾官也說不必。賈政便謝了恩，叩謝了王爺出來，恐賈母□心，急忙趕回。

上下男女人等不知傳進賈政，是何吉凶，都在外頭打聽。一見賈政回家，都略略□心，也不敢問。只見賈政忙忙的走到賈母跟前，將蒙聖恩寬免的事，細細告訴了一遍□母雖則放心，只是兩個世職革去，賈赦又往臺站效力，賈珍又往海疆，不免又悲傷起□

邢夫人、尤氏聽見那話，更哭起來。賈政便道："老太太放心。大哥雖則臺站效□也是為國家辦事，不致受苦。只要辦得妥當，就可復職。珍兒正是年輕，狠該出力。□是這樣，便是祖父的餘德，亦不能久享。"說了些寬慰的話。賈母素來本不大喜歡賈□那邊東府賈珍究竟隔了一層，只有邢夫人、尤氏痛哭不已。邢夫人想著："家產一空□夫年老遠出，膝下雖有璉兒，又是素來順他二叔的，如今是都靠著二叔他兩口子，□順著那邊去了。獨我一人孤苦伶仃，怎麼好？"那尤氏本來獨掌寧府的家計，除了□也算是惟他為尊，又與賈珍夫婦相和。如今犯事遠出，家財抄盡，依住榮府，雖則□太疼愛，終是依人門下，又帶了佩鸞、佩鳳，蓉兒夫婦又是不能興家立業的人。又想□"二妹妹、三妹妹俱是璉二叔鬧的，如今他們倒安然無事，依舊夫婦完聚，只留我□人，怎生度日？"想到這裏，痛哭起來。

賈母不忍，便問賈政道："你大哥和珍兒現已定案，可能回家？蓉兒既沒他的事，□放出來了。"賈政道："若在定例，大哥是不能回家的，我已託人徇個私情，叫我們大□同侄兒回家，好置辦行裝，衙門內業已應了。想來蓉兒同著他爺爺父親一起出來。只□太太放心，兒子辦去。"賈母又道："我這幾年老的不成人了，總沒有問過家事。如今□是全抄去了，房屋入官不消說的。你大哥那邊，璉兒那裏，也都抄去了。咱們西府銀庫□省地土，你知道到底還剩了多少？他兩個起身，也得給他們幾千銀子才好。"賈政正□法，聽見賈母一問，心想著："若是說明，又恐老太太著急；若不說明，不用說將來，現□樣辦法？"定了主意，便回道："若老太太不問，兒子也不敢說。如今老太太既問到這裏□在璉兒也在這裏，昨日兒子已查了，舊庫的銀子早已虛空，不但用盡，外頭還有虧□今大哥這件事，若不花銀託人，雖說主上寬恩，只怕他們爺兒兩個也不大好，就是這□

賈母叫邢、王二夫人同了鴛鴦等，開箱倒籠，將做媳婦到如今積攢的東西都拿出來，□賈赦、賈政、賈珍等，一一的分派。

彭玉□

向無打算。東省的地畝，早已寅年吃了卯年的租兒了，一時也算不轉來，只好盡所有的□□恩沒有動的衣服首飾，折變了給大哥珍兒作盤費罷了。過日的事，只可再打算。"賈□聽了，又急得眼淚直淌，説道："怎麽着？咱們家到了這樣田地了麽！我雖没有經過，我□我家向日比這裏還强十倍，也是擺了幾年虛架子，没有出這樣事，已經塌下來了，不□一二年就完了。據你説起來，咱們竟一兩年就不能支了？"賈政道："若是這兩個世俸不□外頭還有些挪移，如今無可指稱，誰肯接濟？"説着，也淚流滿面，"想起親戚來，用過□□的，如今都窮了；没有用過我們的，又不肯照應了。昨日兒子也没有細查，只看家下□丁册子，别説上頭的錢，一無所出，那底下的人，也養不起許多。"

賈母正在憂慮，只見賈赦、賈珍、賈蓉一齊進來給賈母請安。賈母看這般光景，隻手拉着賈赦，一隻手拉着賈珍，便大哭起來。他兩人臉上羞慚，又見賈母哭泣，都在地下哭着說道：「兒孫們不長進，將祖上功勛丟了，又累老太太傷心，兒孫們是死葬身之地的了。」滿屋中人看這光景，又一齊大哭起來。賈政只得勸解：「倒先要打他兩個的使用，大約在家只可住得一兩日，遲則人家就不依了。」老太太含悲忍泣說道：「你兩個且各自同你們媳婦們說說話兒去罷。」又吩咐賈政道：「這件事是緩不久待的。想來外面挪移，恐不中用，那時誤了欽限，怎麼好？只好我替你們打算罷。就是家中如此亂糟糟的，也不是常法兒。」一面說着，便叫鴛鴦吩咐去了。這裏賈赦出來，又與賈政哭泣了一會，都不免將從前任性、過後惱悔、如今分離的話說了，各自同媳婦那邊悲傷去了。賈赦年老，倒也拋的下，獨有賈珍與尤氏，怎忍分離，璉、賈蓉兩個也只有拉着父親啼哭。雖說是比軍流減等，究竟生離死別。這也是事如此，只得大家硬着心腸過去。

却說賈母叫邢、王二夫人同了鴛鴦等，開箱倒籠，將做媳婦到如今積攢的東西都拿出來，又叫賈赦、賈政、賈珍等，一一的分派道：「這裏現有的銀子交賈赦三千兩，你拿二千去做你的盤費使用，留一千給大太太另用；這三千給珍兒，你只許拿一千去，留下二千交你媳婦過日子，仍舊各自度日。房子是在一處，飯是各自吃罷。四丫頭將來的親事，是我的事。只可憐鳳丫頭操心了一輩子，如今弄得精光，也給他三千兩，叫他自己收着，不許叫璉兒用，如今他還病得神昏氣喪。叫平兒拿去。這是你祖父留下來的衣裳，還有我少年穿的衣服首飾，如今我用不着。男的呢，叫大老爺、珍兒、璉兒、蓉兒拿去分了；女的呢，叫大太太、珍兒媳婦、鳳丫頭拿了分去。這五百兩銀子交給璉兒，明年將林丫頭的棺材送回南去。」分派定了，又叫賈政道：「你說現在該着人的使用，這是少不得的，你叫拿這金子變賣

這是他們鬧掉了我的，你也是我的兒子，我並不偏向。寶玉已經成了家，我剩下這些
等物，大約還值幾千兩銀子，這是都給寶玉的了。珠兒媳婦向來孝順我，蘭兒也好，
分給他們些。這便是我的事情完了。」

賈政見母親如此明斷分晰，俱跪下哭着說：「老太太這麼大年紀，兒孫們没點孝順，
老祖宗這樣恩典，叫兒孫們更無地自容了！」賈母道：「別瞎說。若不鬧出這個亂兒，
收着呢。只是現在家人過多，只有二老爺是當差的，留幾個人就彀了。你就吩咐管
，將人叫齊了，他分派妥當，各家有人，便就罷了。譬如一抄盡了，怎麼樣呢？我們
的，也要叫人分派，該配人的配人，賞去的賞去。如今雖說咱們這房子不入官，你
把這園子交了才好。那些田地原交璉兒清理，該賣的賣，該留的留，斷不要支架子
頭。我索性說了罷，江南甄家還有幾兩銀子，大太太那裏收着，該叫人就送去罷。
再有點事出來，可不是他們躲過了風暴，又遇了雨了麼。」賈政本是不知當家立計
，一聽賈母的話，一一領命，心想：「老太太實在真真是理家的人，都是我們這些不
的鬧壞了。」賈政見賈母勞乏，求着老太太歇歇養神。賈母又道：「我所剩的東西也
，等我死了，做結果我的使用，餘的都給我伏侍的丫頭。」賈政等聽到那裏，更加傷
大家跪下：「請老太太寬懷，只願兒子們託老太太的福，過了些時，都邀了恩眷，那時
業業的治起家來，以贖前愆，奉養老太太到一百歲的時候。」賈母道：「但願這樣才
我死了也好見祖宗。你們別打諒我是享得富貴、受不得貧窮的人哪，不過這幾年看
們轟轟烈烈，我落得都不管，說說笑笑，養身子罷了。那知道家運一敗，直到這樣！
外頭好看，裏頭空虛，是我早知道的了；只是『居移氣，養移體』，一時下不得臺來。
借此正好收斂，守住這個門頭，不然叫人笑話你。你還不知，只打諒我知道窮了，
急的要死，我心裏是想着祖宗莫大的功勛，無一日不指望你們比祖宗還強，能彀
，也就罷了；誰知他們爺兒兩個做些什麼勾當！」

賈母正自長篇大論的說，只見豐兒慌慌張張的跑來回王夫人道：「今早我們奶奶聽
頭的事，哭了一場，如今氣都接不上來，平兒叫我來回太太。」豐兒没有說完，賈母
便問：「到底怎麼樣？」王夫人便代回道：「如今說是不大好。」賈母起身道：「嗳，這
家，竟要磨死我了！」說着，叫人扶着，要親自看去。賈政即忙攔住，勸道：「老太太
好一回的心，又分派了好些事，這會該歇歇。便是孫子媳婦有什麼事，該叫媳婦瞧
是了，何必老太太親身過去呢。倘或再傷感起來，老太太身上要有一點兒不好，叫
子的怎麼處呢？」賈母道：「你們各自出去，等一會子再進來，我還有話說。」賈政不
言，只得出來料理兄侄起身的事，又叫賈璉挑人跟去。這裏賈母才叫鴛鴦等派人
給鳳姐的東西，跟着過來。

鳳姐正在氣厥，平兒哭得眼紅，聽見賈母帶着王夫人、寶玉、寶釵過來，疾忙出來

迎接。賈母便問："這會子怎麼樣了?"平兒恐驚了賈母，便説："這會子好些。老太太█了，請進去瞧瞧。"他先跑進去，輕輕的揭開帳子。鳳姐開眼瞧着，只見賈母進來，滿█愧。先前原打算賈母等惱他，不疼的了，是死活由他的;不料賈母親自來瞧，心裏一█那擁塞的氣略鬆動些，便要扎挣坐起。賈母叫平兒按着："不要動。你好些麼?"鳳姐道："我從小兒過來，老太太、太太怎麼樣疼我。那知我福氣薄，叫神鬼支使的失魂落█不但不能㑇在老太太跟前盡點孝心，婆前討個好，還是這樣把我當人，叫我幫着料█務，被我鬧的七顛八倒，我還有什麼臉兒見老太太、太太呢?今日老太太、太太親自█我更當不起了，恐怕該活三天的，又折上了兩天去了!"説着悲咽。賈母道："那些事█外頭鬧起來的，與你什麼相干?就是你的東西被人拿去，這也算不了什麼呀。我帶了█東西給你，任你自便。"説着，叫人拿上來給他瞧瞧。鳳姐本是貪得無厭的人，如今被█净，本是愁苦，又恐人埋怨，正是幾不欲生的時候。今兒賈母仍舊疼他，王夫人也不█過來安慰他，又想賈璉無事，心下安放好些。便在枕上與賈母磕頭，説道："請老太█心。若是我的病託着老太太的福好了些，我情願自己當個粗使丫頭，盡心竭力的伏█太太、太太罷。"賈母聽他説得傷心，不免掉下淚來。寶玉是從來沒有經過這大風浪的█下只知安樂，不知憂患的人，如今碰來碰去都是哭泣的事，所以他竟比傻子尤甚，█他就哭。鳳姐看見衆人憂悶，反倒勉強説幾句寬慰賈母的話，求着："請老太太、太█去，我略好些，過來磕頭。"説着，將頭仰起。賈母叫平兒："好生服侍，短什麼到我那█去。"説着，帶了王夫人將要回到自己房中。只聽見兩三處哭聲，賈母實在不忍聞見，█王夫人散去，叫寶玉:"去見你大爺大哥，送一送就回來。"自己躺在榻上下淚。幸喜█等能用百樣言語勸解，賈母暫且安歇。不言賈赦等分離悲痛，那些跟去的人，誰是█的?不免心中抱怨，叫苦連天。正是生離果勝死別，看者比受者更加傷心，好好的一█國府，鬧到人嚎鬼哭。賈政最循規矩，在倫常上也講究的:執手分別後，自己先騎馬█城外，舉酒送行，又叮嚀了好些"國家軫恤勛臣，已圖報稱"的話。賈赦等揮淚分頭█

　　賈政帶了寶玉回家，未及進門，只見門上有好些人在那裏亂嚷，説:"今日旨意█榮國公世職着賈政承襲。"那些人在那裏要喜錢。門上人和他們分爭，説是"本來█職，我們本家襲了，有什麼喜報"。那些人説道:"那世職的榮耀，比任什麼還難得。█大老爺鬧掉了，想要這個，再不能的了。如今的聖人在位，赦過宥罪，還賞給二老█了，這是千載難逢的，怎麼不給喜錢?"正鬧着，賈政回家，門上回了，雖則喜歡，究█哥犯事所致，反覺感極涕零，趕着進內告訴賈母。王夫人正恐賈母傷心，過來安█

散餘資賈母明大義　1003　復世職政老沐天恩

得世職復還，自是歡喜。又見賈政進來，賈母拉了說些勸電報恩的話，獨有邢夫人氏心下悲苦，只不好露出來。

且說外面這些趨炎奉勢的親戚朋友，先前賈宅有事，都遠避不來；今兒賈政襲知聖眷尚好，大家都來賀喜。那知賈政純厚性成，因他襲哥哥的職，心內反生煩惱知感激天恩，于第二日進內謝恩，到底將賞還府第園子，備摺奏請入官。內廷降旨不賈政才得放心回家。已後循分供職，但是家計蕭條，入不敷出，賈政又不能在外應

家人們見賈政忠厚，鳳姐抱病不能理家，賈璉的虧缺一日重似一日，難免典房賣府內家人，幾個有錢的，怕賈璉纏擾，都裝窮躲事，甚至告假不來，各自另尋門路。獨個包勇，雖是新投到此，恰遇榮府壞事，他倒有些真心辦事，見那些人欺瞞主子，便不忿。奈他是個新來乍到的人，一句話也插不上，他便生氣，每天吃了就睡。衆人嫌肯隨和，便在賈政前說他終日貪杯生事，並不當差。賈政道："隨他去罷。原是甄府薦不好意思。橫豎家內添這一人吃飯，雖說是窮，也不在他一人身上。"並不叫來驅逐。又在賈璉跟前說他怎樣不好，賈璉此時也不敢自作威福，只得由他。忽一日，包勇過，吃了幾杯酒，在榮府街上閑逛，見有兩個人說話。那人說道："你瞧怎麼個大府，抄了家，不知如今怎麼樣了？"那人道："他家怎麼能敗！聽見說裏頭有位娘娘是他家娘，雖是死了，到底有根基的。況且我常見他們來往的都是王公侯伯，那裏沒有照應是現在的府尹，前任的兵部，是他們的一家。難道有這些人還護庇不來麼？"那人道白住在這裏！別人猶可，獨是那個賈大人更了不得！我常見他在兩府來往，前兒御史了，主子還叫府尹查明實跡再辦。你道他怎麼樣？他本沾過兩府的好處，怕人說他回家，他便狠狠的踢了一腳，所以兩府裏才到底抄了。你道如今的世情還了得嗎！"

兩人無心說閑話，豈知旁邊有人跟着，聽的明白。包勇心下暗想："天下有這恩的人！但不知是我老爺的什麼人？我若見了他，便打他一個死，鬧出事來，我承當那包勇正在酒後胡思亂想，忽聽那邊喝道而來。包勇遠遠站着，只見那兩人輕道："這來的就是那個賈大人了。"包勇聽了，心裏懷恨，趁了酒興便大聲的道："沒的男女，怎麼忘了我們賈家的恩了！"雨村在轎內聽得一個"賈"字，便留神觀看，一個醉漢，便不理會，過去了。那包勇醉着，不知好歹，便得意洋洋回到府中，問起同知是方才見的那位大人是這府裏提拔起來的。"他不念舊恩，反來踢弄咱們家裏，他罵他幾句，他竟不敢答言。"那榮府的人本嫌包勇，只是主人不計較他，如今他外闖禍，不得不回，趁賈政無事，便將包勇喝酒鬧事的話回了。賈政此時正怕風沈得家人回稟，便一時生氣，叫進包勇，罵了幾句，便派去看園，不許他在外行走。那本是直爽的脾氣，投了主子，他便赤心護主，豈知賈政反倒責罵他。他也不敢再得收拾行李，往園中看守澆灌去了。未知後事如何，下回分解。

〈第壹佰零捌回〉

強歡笑蘅蕪慶生辰　死纏綿瀟湘聞鬼哭

却説賈政先前曾將房産並大觀園奏請入官，内廷不收，又無人居住，只好封鎖。因園子接連尤氏、惜春住宅，太覺曠闊無人，遂將包勇罰看荒園。此時賈政理家，又奉了賈母之命，將人口漸次減少，諸凡省儉，尚且不能支持。幸喜鳳姐爲賈母疼惜，王夫人等雖則不大喜歡，若説治家辦事，尚能出力，所以將内事仍交鳳姐辦理。但近來因被抄以後，諸事運用不來，也是每形拮据。那些房頭上下人等，原是寬裕慣的，如今較之往日，十去其七，怎麼周到？不免怨言不絶。鳳姐也不敢推辭，扶病承歡賈母。過了些時，賈赦、賈珍各到當差地方，恃有用度，暫且自安，寫書回家，都言安逸，家中不必挂念。于是賈母放心，邢夫人、尤氏也略略寬懷。

一日，史湘雲出嫁回門，來賈母這邊請安。賈母提起他女婿甚好，史湘雲也將那裏過日平安的話説了，請老太太放心。又提起黛玉去世，不免大家淚落。賈母又想起迎春苦楚，越覺悲傷起來。史湘雲勸解一回，又到各家請安問好畢，仍到賈母房中安歇。言及："薛家這樣人家，被薛大哥鬧的家破人亡。今年雖是緩決人犯，明年不知可能減等？"賈母道："你還不知道呢，昨兒蟠兒媳婦死的不明白，幾乎又鬧出一場大事來。道幸虧老佛爺有眼，叫他帶來的丫頭自己供出來了，那夏奶奶才没的鬧了，自家攔住相驗，你姨媽這裏才將皮裹肉的打發出去了。你説説，真真是六親同運！薛家是這樣了，姨太太守着薛蝌過日。爲這孩

子有良心，他説哥哥在監裏尚未結局，不肯娶親。你邢妹妹在大太太那邊，也就狠苦
姑娘爲他公公死了尚未滿服，梅家尚未娶去。二太太的娘家舅太爺一死，鳳丫頭的
也不成人，那二舅太爺也是個小氣的，又是官項不清，也是打饑荒。甄家自從抄家已
別無信息。"湘雲道："三姐姐去了，曾有書字回來麼？"賈母道："自從嫁了去，二老
來説，你三姐姐在海疆甚好，只是没有書信，我也日夜惦記。爲着我們家連連的出
好事，所以我也顧不來。如今四丫頭也没有給他提親。環兒呢，誰有功夫提起他來？
我們家的日子，比你從前在這裏的時候更苦些。只可憐你寶姐姐，自過了門，没過
安逸日子。你二哥哥還是這樣瘋瘋顛顛，這怎麼處呢？"湘雲道："我從小兒在這裏
的，這裏那些人的脾氣，我都知道的，這一回來了，竟都改了樣子。我打諒我隔了
時没來，他們生疏我；我細想起來，竟不是的。就是見了我，瞧他們的意思，原要像
一樣的熱鬧，不知道怎麼，説説就傷心起來了。我所以坐坐就到老太太這裏來了。

　　賈母道："如今這樣日子，在我也罷了，你們年輕輕兒的人，還了得！我正要
法兒叫他們還熱鬧一天才好，只是打不起這個精神來。"湘雲道："我想起來了，
姐不是後兒的生日嗎？我多住一天，給他拜過壽，大家熱鬧一天。不知老太太
樣？"賈母道："我真正氣糊塗了。你不題，我竟忘了。後日可不是他的生日！我明
出錢來，給他辦個生日。他没有定親的時候，倒做過好幾次，如今他過了門，倒
做。寶玉這孩子，頭裏狠伶俐，狠淘氣，如今爲着家裏的事，好不把這孩子越發弄
都没有了。倒是珠兒媳婦還好，他有的時候是這麼着，没的時候他也是這麼着，
蘭兒静静的兒過日子，倒難爲他。"湘雲道："别人還不離，獨有璉二嫂子，連模樣
改了，説話也不伶俐了。明日等我來引道他們，看他們怎麼樣。但是他們嘴裏不説
裏要抱怨我，説我有了……"湘雲説到那裏，却把臉飛紅了。賈母會意道："這怕什
原來姊妹們都是在一處樂慣了的。説説笑笑，再别要留這些心。大凡一個人，有也
没也罷，總要受得富貴、耐得貧賤才好。你寶姐姐生來是個大方的人，頭裏他家
好，他也一點兒不驕傲；後來他家壞了事，他也是舒舒坦坦的。如今在我家裏，寶
他好，他也是那樣安頓；一時待他不好，不見他有什麼煩惱。我看這孩子倒是個
氣的。你林姐姐那是個最小性兒，又多心的，所以到底不長命。鳳丫頭也見過些
不該略見些風波就改了樣子，他若這樣没見識，也就是小器了。後兒寶丫頭的生
我替另拿出銀子來，熱熱鬧鬧給他做個生日，也叫他喜歡這一天。"湘雲答應道
太太説得狠是，索性把那些姐妹們都請了來，大家叙一叙。"賈母道："自然要請
一時高興道："叫鴛鴦拿出一百銀子來交給外頭，叫他明日起預備兩天的酒飯，"
領命，叫婆子交了出去。一宿無話。

　　次日傳話出去，打發人去接迎春。又請了薛姨媽、寶琴，叫帶了香菱來。又請李
不多半日，李紋、李綺都來了。寶釵本没有知道，聽見老太太的丫頭來請，説："薛
來了，請二奶奶過去呢。"寶釵心裏喜歡，便是隨身衣服過去，要見他母親。只見他

並香菱都在這裏，又見李嬸娘等人也都來了，心想：「那些人必是知道我們家的事
了，所以來問候的。」便去問了李嬸娘好，見了賈母，然後與他母親說了幾句話，便
家姐妹們問好。湘雲在旁説道：「太太們請都坐下，讓我們姐妹們給姐姐拜壽。」寶
了，倒呆了一呆，回來一想：「可不是明日是我的生日嗎？」便説：「妹妹們過來瞧老
是該的，若説爲我的生日，是斷斷不敢的。」正推讓着，寶玉也來請薛姨媽、李嬸娘
，聽見寶釵自己推讓，他心裏本早打算過寶釵生日，因家中鬧得七顛八倒，也不敢
母處提起。今見湘雲等衆人要拜壽，便喜歡道：「明日才是生日，我正要告訴老太太
湘雲笑道：「扯臊！老太太還等你告訴？你打諒這些人爲什麼來？是老太太請的。」寶
了，心下未信。只聽賈母合他母親道：「可憐寶丫頭做了一年新媳婦，家裏接二連三
事，總沒有給他做過生日。今日我給他做個生日，請姨太太、太太們來，大家説説話
」薛姨媽道：「老太太這些時心裏才安，他小人兒家
有孝敬老太太，倒要老太太操心。」湘雲道：「老
最疼的孫子是二哥哥，難道二嫂子就不疼了
兒且寶姐姐也配老太太給他做生日。」

低頭不語。寶玉心裏想道：「我只説
妹出了閣，是換了一個人了，我所
敢親近他，他也不來理我。如今聽
話，原是和先前一樣的，爲什麼我
個，過了門更覺得腼腆了，話都
出來了呢？」正想着，小丫頭進來
「二姑奶奶回來了。」隨後李紈、
都進來，大家厮見一番。

迎春提起他父親出門，説：「本
來見見，只是他攔着不許來，
咱們家正是悔氣時候，不要沾
身上。我扭不過没有來，直哭
三天。」鳳姐道：「今兒爲什麼
你回來？」迎春道：「他又説咱
二老爺又襲了職，還可以走
不妨事的，所以才放我來。」説
又哭起來。賈母道：「我原爲氣得
今日接你們來給孫子媳婦過
，説説笑笑，解個悶兒。你們
起這些煩事來，又招起我的

死纏綿瀟湘聞鬼哭

煩惱來了。"迎春等都不敢作聲了。鳳姐雖勉強說了幾句有興的話，終不似先前爽利
人發笑。賈母心裏要寶釵喜歡，故意的慪鳳姐兒說話，鳳姐也知賈母之意，便竭力[強]
說道："今兒老太太喜歡些了。你看這些人，好幾時沒有聚在一處，今兒齊全。"說着[，]
過頭去，看見婆婆、尤氏不在這裏，又縮住了口。賈母爲着"齊全"兩字，也想邢夫人[，]
叫人請去。邢夫人、尤氏、惜春等聽見老太太叫，不敢不來，心內也十分不願意，想[着]
"家業敗壞，偏又高興給寶釵做生日，到底老太太偏心。"便來了，也是無精打彩的。[賈母]
問起岫煙來，邢夫人假說病着不來。賈母會意，知薛姨媽在這裏，有些不便，也不提[了。]

　　一時擺下果酒。賈母說："也不送到外頭，今日只許咱們娘兒們樂一樂。"寶玉[是]
婆過親的人，因賈母疼愛，仍在裏頭打混，但不與湘雲、寶琴等同席，便在賈母身[邊]
着一個坐兒，他代寶釵輪流敬酒。賈母道："如今且坐下，大家喝酒。到挨晚兒再到[那裏]
行禮去。若如今行起來了，大家又鬧規矩，把我的興頭打回去，就沒趣了。"寶釵便[依]
坐下。賈母又叫人來道："咱們今兒索性酒脫些，各留一兩個人伺候。我叫鴛鴦帶[着湘]
雲、鴛兒、襲人、平兒等在後間去，也喝一鍾酒。"鴛鴦等說："我們還沒有給二奶奶磕[頭，]
怎麼就好喝酒了呢？"賈母道："我說了，你們只管去。用的着你們再來。"鴛鴦等去[了。]
這裏賈母才嚷薛姨媽等喝酒，見他們都不是往常的樣子，賈母着急道："你們到底[怎]
麼着？大家高興些才好。"湘雲道："我們又吃又喝，還要怎樣？"鳳姐道："他們小的[怎麼]
兒都高興，如今都礙着臉不敢混說，所以老太太瞧着冷淨了。"寶玉輕輕的告訴賈母[道：]
"話是沒有什麼說的；再說，就說到不好的上頭來了。不如老太太出個主意，叫他[們行]
個令兒罷。"賈母側着耳朵聽了，笑道："若是行令，又得叫鴛鴦去。"寶玉聽了，不[言語，]
說，就出席到後間去找鴛鴦，說："老太太要行令，叫姐姐去呢。"鴛鴦道："小爺，讓[我們]
舒舒服服的喝一杯罷，何苦來又來攬什麼。"寶玉道："當真老太太說得叫你去呢，[關你]
什麼相干。"鴛鴦沒法，說道："你們只管喝，我去了就來。"便到賈母那邊。老太太道[："你]
來了，不是要行令嗎？"鴛鴦道："聽見寶二爺說老太太叫我，敢不來嗎？不知老太[太要]
行什麼令兒？"賈母道："那文的怪悶的慌，武的又不好，你倒是想個新鮮頑意兒才[好。"]
鴛鴦想了想道："如今姨太太有了年紀，不肯費心，倒不如拿出令盆骰子來，大家[按着]
曲牌名兒賭輸贏酒罷。"賈母道："這也使得。"便命人取骰盆放在桌上。

　　鴛鴦說："如今用四個骰子擲去，擲不出名兒來的，罰一杯；擲出名兒來，每人[按名]
的杯數兒，擲出來再定。"眾人聽了道："這是容易的，我們都隨着。"鴛鴦便打點兒[，先]
叫鴛鴦喝了一杯，就在他身上數起，恰是薛姨媽先擲。薛姨媽便擲了一下，卻是[一個]
"么"。鴛鴦道："這是有名的，叫做'商山四皓'，有年紀的喝一杯。"于是賈母、李嬸[、]
邢、王兩夫人都該喝。賈母舉酒要喝，鴛鴦道："這是姨太太擲的，還該姨太太說個[名]

湘雲道："老太太最疼的孫子是二哥哥，難道二嫂子就不疼了麼？況且寶姐姐也配老太[太給]
他做生日。"寶釵低頭不語。

戴敦[邦]

1009

名兒，下家兒接一句《千家詩》。說不出的罰一杯。”薛姨媽道：“你又來算計我了，我說得上來？”賈母道：“不說到底寂寞，還是說一句的好。下家兒就是我了，若說不出我陪姨太太喝一鍾就是了。”薛姨媽便道：“我說個‘臨老入花叢’。”賈母點點頭兒，“‘將謂偷閑學少年’。”說完，骰盆過到李紋，便擲了兩個“四”，兩個“二”。鴛鴦說：“名了，這叫作‘劉阮入天台’。”李紋便接着說了個“二士入桃源”。下手兒便是李紈道：“‘尋得桃花好避秦’。”大家又喝了一口。骰盆又過到賈母跟前，便擲了兩個“二個“三”。賈母道：“這要喝酒了。”鴛鴦道：“有名兒的，這是‘江燕引雛’，衆人都該杯。”鳳姐道：“雛是雛，倒飛了好些了。”衆人瞅了他一眼，鳳姐便不言語。賈母道：“什麼呢?‘公令孫’罷。”下手是李綺，便說道：“‘閑看兒童捉柳花’。”衆人都說好。

寶玉巴不得要說，只是令盆輪不到。正想着，恰好到了跟前，便擲了一個“二個“三”，一個“幺”，便說道：“這是什麼?”鴛鴦笑道：“這是個‘臭’，先喝一杯再擲寶玉只得喝了又擲。這一擲擲了兩個“三”，兩個“四”。鴛鴦道：“有了，這叫做‘張眉’。”寶玉明白打趣他，寶釵的臉也飛紅了。鳳姐不大懂得，還說：“二兄弟快說了找下家兒是誰。”寶玉明知難說，自認：“罰了罷，我也沒下家。”過了令盆輪到李紈，了一下兒。鴛鴦道：“大奶奶得是‘十二金釵’。”寶玉聽了，趕到李紈身旁看時，只綠對開，便說：“這一個好看得狠。”忽然想起“十二釵”的夢來，便呆呆的退到自己座心裏想：“這‘十二釵’說是金陵的，怎麼家裏這些人，如今七大八小的就剩了這幾復又看看湘雲、寶釵，雖說都在，只是不見了黛玉，一時按捺不住，眼淚便要下來，看見，便說身上躁的狠，脫脫衣服去，挂了籌出席去了。

這史湘雲看見寶玉這般光景，打諒寶玉擲不出好的，被別人擲了去，心裏不喜便去了。又嫌那個令兒沒趣，便有些煩。只見李紈道：“我不說了。席間的人也不齊，罰我一杯。”賈母道：“這個令兒也不熱鬧，不如捐了罷。讓鴛鴦擲一下，看擲出個來。”小丫頭便把令盆放在鴛鴦跟前。鴛鴦依命，便擲了兩個“二”，一個“五”，那一子在盆中只管轉。鴛鴦叫道：“不要‘五’!”那骰子單單轉出一個“五”來。鴛鴦道：“得，我輸了。”賈母道：“這是不算什麼的嗎?”鴛鴦道：“名兒倒有，只是我說不上曲來。”賈母道：“你說名兒，我給你謅。”鴛鴦道：“這是‘浪掃浮萍’。”賈母道：“這也不我替你說個‘秋魚入菱窠’。”鴛鴦下手的就是湘雲，便道：“‘白萍吟盡楚江秋’。”衆道：“這句狠確。”賈母道：“這令完了，咱們喝兩杯吃飯罷。”回頭一看，見寶玉還沒進便問道：“寶玉那裏去了，還不來?”鴛鴦道：“換衣服去了。”賈母道：“誰跟了去的?”兒便上來回道：“我看見二爺出去，我叫襲人姐姐跟了去了。”賈母、王夫人才放心

等了一回，王夫人叫人去找來。小丫頭子到了新房，只見五兒在那裏插蠟。小

不料寶玉的心，惟在瀟湘館內。襲人見他往前急走，只得趕上，見寶玉站着，似有所
如有所聞。

唐本

問:"寶二爺那裏去了?"五兒道:"在老太太那邊喝酒呢。"小丫頭道:"我在老太太那□太太叫我來找的,豈有在那裏倒叫我來找的理?"五兒道:"這就不知道了,你到別處□罷。"小丫頭沒法,只得回來,遇見秋紋便道:"你見二爺那裏去了?"秋紋道:"我也□,太太們等他吃飯。這會子那裏去了呢?你快去回老太太去,不必説不在家,只説喝□不大受用,不吃飯了,略躺一躺再來。請老太太們吃飯罷。"小丫頭依言回去告訴珍□珍珠依言回了賈母。賈母道:"他本來吃不多,不吃也罷了,叫他歇歇罷。告訴他今兒□過來,有他媳婦在這裏。"珍珠便向小丫頭道:"你聽見了?"小丫頭答應着,不便説□只得在別處轉了一轉,説告訴了。衆人也不理會,便吃畢飯,大家散坐説話,不題。

且説寶玉一時傷心,走了出來,正無主意,只見襲人趕來,問是怎麼了。寶玉道:"不□,只是心裏煩得慌。何不趁他們喝酒,咱們兩個到珍大奶奶那裏逛逛去。"襲人道:□大奶奶在這裏,去找誰?"寶玉道:"不找誰,瞧瞧他既在這裏,住的房屋怎麼樣。"襲□得跟着,一面走,一面説。走到尤氏那邊,又一個小門兒半開半掩,寶玉也不進去。

□看園門的兩個婆子坐□檻上説話兒,寶玉問□"這小門開着麼?"婆子□"天天是不開的,今兒□□出來,説今日預備老□要用園裏的果子,故□門等着。"寶玉便慢慢□到那邊,果見腰門半□寶玉便走了進去。襲人□住道:"不用去,園裏□净,常没有人去,不要□見什麼。"寶玉仗着酒□:"我不怕那些。"襲人□的拉住,不容他去。婆□上來説道:"如今這園□静的了。自從那日道□了妖去,我們摘花兒□子,一個人常走的。二□去,咱們都跟着,有這

些人，怕什麼！"寶玉喜歡，襲人也不便相強，只得跟着。寶玉進得園來，只見滿目淒[涼]，那些花木枯萎，更有幾處亭館，彩色久經剝落。遠遠望見一叢修竹，倒還茂盛。寶[玉]想，説："我自病時出園，住在後邊，一連幾個月不准我到這裏，瞬息荒涼。你看獨有那[幾]杆翠竹菁葱，這不是瀟湘館麼？"襲人道："你幾個月沒來，連方向都忘了。咱們只[顧]話，不覺將怡紅院走過了。"回過頭來，用手指着道："這才是瀟湘館呢。"寶玉順着[她]的手一瞧，道："可不是過了嗎？咱們回去瞧瞧。"襲人道："天晚了，老太太必是等[着吃]飯，該回去了。"寶玉不言，找着舊路，竟往前走。

你道寶玉雖離了大觀園將及一載，豈遂忘了路徑？只因襲人恐他見了瀟湘館想[着黛]玉，又要傷心，所以用言混過。豈知寶玉只望裏走，天又晚，恐招了邪氣，故寶玉問他，[只]説已走過了，欲寶玉不去。不料寶玉的心，惟在瀟湘館內。襲人見他往前急走，只得趕[上]，見寶玉站着，似有所見，如有所聞，便道："你聽什麼？"寶玉道："瀟湘館倒有人住着[呢]，"襲人道："大約沒有人罷。"寶玉道："我明明聽見有人在內啼哭，怎麼沒人？"襲人[道]："是你疑心。素常你到這裏傷心，常聽見林姑娘，所以如今還是那樣。"寶玉不信，還[要]去。婆子們趕上説道："二爺快回去罷，天已晚了。別處我們還敢走走，只是這裏路[又]僻，又聽得人説這裏林姑娘死後，常聽見有哭聲，所以人都不敢走的。"寶玉、襲人聽[了]，都吃了一驚。寶玉道："可不是！"説着，便滴下淚來，説："林妹妹，林妹妹！好好兒的，[是我]害了你了！你別怨我，只是父母作主，並不是我負心。"愈説愈痛，便大哭起來。襲人[也]沒法，只見秋紋帶着些人趕來，對襲人道："你好大膽，怎麼領了二爺到這裏來？老[太]太他們打發人各處都找到了，剛才腰門上有人説是你同二爺到這裏來了，唬得老[太]太、太太們了不得，罵着我叫我帶人趕來。還不快回去麼！"寶玉猶自痛哭。襲人也不[好]哭，兩個人拉着就走，一面替他拭眼淚，告訴他老太太着急。寶玉沒法，只得回來。

襲人知老太太不放心，將寶玉仍送到賈母那邊，衆人都等着未散。賈母便説："[襲]人，我素常知你明白，才把寶玉交給你，怎麼今兒帶他園裏去？他的病才好，倘或撞着什[麼]，又鬧起來，這便怎麼處？"襲人也不敢分辯，只得低頭不語。寶釵看寶玉顏色不好，心[裏]裏着實的吃驚。倒還是寶玉恐襲人受委屈，説道："青天白日，怕什麼？我因爲好些[日子沒]到園裏逛逛，今兒趁着酒興走走，那裏就撞着什麼了呢？"鳳姐在園裏也過大虛的，[心]那裏，寒毛倒豎，説："寶兄弟膽子忒大了。"湘雲道："不是膽大，倒是心實。不知[是去瞧]蓉神去了，還是尋什麼仙去了。"寶玉聽着，也不答言。獨有王夫人急的一言不發。[賈母]問道："你到園裏可曾唬着麼？這回不用説了，已後要逛，到底多帶幾個人才好。不然[大]家早散了。回去好好的睡一夜，明日一早過來，我還要找補，叫你們再樂一天呢。不[要管]他，又鬧出什麼原故來。"衆人聽説，辭了賈母出來，薛姨媽便到王夫人那裏住下，[湘]雲仍在賈母房中，迎春便往惜春那裏去了，餘者各自回去不題。獨有寶玉回到房中[連]聲嘆氣。寶釵明知其故，也不理他，只是怕他憂悶，勾出舊病來，便進裏間叫襲人，[細]問他寶玉到園怎麼樣的光景。未知襲人怎生回説，下回分解。

第壹佰零玖回

候芳魂五兒承錯愛　還孽債迎女返真元

　　話説寶釵叫襲人問出原故，恐寶玉悲傷成疾，便將黛玉臨死的話，與襲人假作閑談，説是："人生在世，有意有情，到了死後，各自幹各自的去了，並不是生前那樣個人，死後還是這樣。活人雖有痴心，死的竟不知道。況且林姑娘既説仙去，他看凡人是個不堪的濁物，那裏還肯混在世上？只是人自己疑心，所以招些邪魔外祟來纏擾了。"寶釵雖是與襲人説話，原説給寶玉聽的。襲人會意，也説是："没有的事，若説林姑娘的魂靈兒還在園裏，我們也算好的，怎麼不曾夢見了一次？"寶玉在外間聽得，細細的想道："果然也奇。我知道林妹妹死了，那一日不想幾遍，怎麼從没夢過？想是他到天上去了，瞧我這凡夫俗子，不能交通神明，所以夢都没有一個兒。我就在外間睡着，或者我從園裏回來，他知道我的實心，肯與我夢裏一見，我必要問他實在那裏去了，我也時常祭奠；若是果然不理我這濁物，竟無一夢，我便不想他了。"主意已定，便説："我今夜就在外間睡了，你們也不用管我。"寶釵也不强他，只説："你不要胡思亂想。你不瞧瞧，太太因你園裏去了，急得話都説不出來？若是知道還不保養身子，倘或老太太知道了，又説我們不用心。"寶玉道："白這麼説罷咧，我坐一會子就進來。你也乏了，先睡罷。"寶釵知他必進來的，假意説道："我睡了，叫襲姑娘伺候你罷。"寶玉聽了，正合機宜。候寶釵睡了，他便叫襲人、麝月另鋪設下一副被褥，常叫人進來瞧二奶奶睡着了没有。寶釵故意裝睡，也是一夜不寧。那寶玉知是寶釵睡着，便與襲人道："你們各自睡罷，我又不傷感。你若不信，你就伏侍我睡了再進去，只要不驚動我就是了。"襲人果然伏侍他睡下，便預

備下了茶水，關好了門進裏間去照應一回，各自假寐。寶玉若有動靜，再爲出來。□
見襲人等進來，便將坐更的兩個婆子支到外頭。他輕輕的坐起來，暗暗的祝了幾□
睡下了，欲與神交。起初再睡不着，已後把心一靜，便睡去了。

　　豈知一夜安眠，直到天亮。寶玉醒來，拭眼坐起來，想了一回，並無有夢，便嘆□
道："正是'悠悠生死別經年，魂魄不曾來入夢'。"寶釵卻一夜反沒有睡着，聽寶□
外邊念這兩句，便接口道："這句又說莽撞了，如若林妹妹在時，又該生氣了。"寶□
了，反不好意思，只得起來搭訕着往裏間走來，說："我原要進來的，不覺得□
盹兒就打着了。"寶釵道："你進來不進來，與我什麼相干？"襲人等本沒有睡，眼見□
兩個說話，即忙倒上茶來。已見老太太那邊打發小丫頭來問："寶二爺昨睡得安頓□
若安頓時，早早的同二奶奶梳洗了就過去。"襲人便說："你去回老太太，說寶玉□
狠安頓，回來就過來。"小丫頭去了。

　　寶釵起來梳洗了，鶯兒、襲人等跟着，先到賈母那裏行了禮，便到王夫人那裏□
至鳳姐都讓過了，仍到賈母處，見他母親也過來了。大家問起："寶玉晚上好麼？"□
便說："回去就睡了，沒有什麼。"眾人放心，又說些閑話。只見小丫頭進來說："二□
奶要回去了。聽見說孫姑爺那邊來人，到大太太那裏說了些話，大太太叫人到四□
那邊，說不必留了，讓他去罷。如今二姑奶奶在大太太那邊哭呢，大約就過來辭□
太。"賈母眾人聽了，心中好不自在，都說："二姑娘這樣一個人，爲什麼命裏遭着□
的人！一輩子不能出頭，這便怎麼好？"說着，迎春進來，淚痕滿面。因爲是寶釵的□
子，只得含着淚，辭了眾人要回去。賈母知道他的苦處，也不便強留，只說道："你□
也罷了，但是不要悲傷。碰了這樣人，也是沒法兒的。過幾天我再打發人接□
迎春道："老太太始終疼我，如今也疼不來了。可憐我只是沒有再來的時候了。"說□
眼淚直流。眾人都勸道："這有什麼不能回來的？比不得你三妹妹隔得遠，要見面□
了。"賈母等想起探春，不覺也大家落淚。只爲是寶釵的生日，即轉悲爲喜說□
也不難，只要海疆平靜，那邊親家調進京來就見的着了。"大家說："可不是這□
呢。"說着，迎春只得含悲而別，眾人送了出來，仍回賈母那裏。從早至暮，又鬧□
天，眾人見賈母勞乏，各自散了。

　　獨有薛姨媽辭了賈母，到寶釵那裏說道："你哥哥是今年過了，直要等到皇恩□
的時候，減了等，才好贖罪。這幾年，叫我孤苦伶仃怎麼處。我想要與你二哥哥完婚□
想想好不好？"寶釵道："媽媽是爲着大哥哥娶了親，唬怕的了，所以把二哥哥的事□
起來。據我說，狠該就辦。邢姑娘是媽媽知道的，如今在這裏也狠苦。娶了去雖□
窮，究竟比他傍人門戶好多着呢。"薛姨媽道："你得便的時候就去告訴老太太，□
家沒人，就要揀日子了。"寶釵道："媽媽只管同二哥哥商量，挑個好日子過來和□

豈知一夜安眠，直到天亮。寶玉醒來，拭眼坐起來，想了一回，並無有夢，便嘆口氣說
是'悠悠生死別經年，魂魄不曾來入夢'。
唐本

大太太説了，娶過去就完了一宗事。這裏大太太也巴不得娶了去才好。"薛姨媽道：
⋯日聽見史姑娘也就回去了，老太太心裏要留你妹妹在這裏住幾天，所以他住下了。
⋯他也是不定多早晚就走的人了，你們姊妹們也多叙幾天話兒。"寶釵道："正是呢。"
薛姨媽又坐了一坐，出來辭了衆人，回去了。

　　却説寶玉晚間歸房，因想："昨夜黛玉竟不入夢，或者他已經成仙，所以不肯來見
⋯種濁人，也是有的；不然，就是我的性兒太急了，也未可知。"便想了個主意，向寶
⋯道："我昨夜偶然在外間睡着，似乎比在屋裏睡的安穩些，今日起來，心裏也覺清
⋯。我的意思還要在外間睡兩夜，只怕你們又來攔我。"寶釵聽了，明知早晨他嘴裏
⋯是爲着黛玉的事了，想來他那個呆性是不能勸的，倒好叫他睡兩夜，索性自己死
⋯也罷了，況兼昨夜聽他睡的倒也安静。便道："好没來由。你只管睡去，我們攔你作
⋯？但只不要胡思亂
⋯出些邪魔外祟來。"

⋯笑道："誰想什麼？"
⋯道："依我勸，二爺竟
⋯屋裏睡罷。外邊一時
⋯不到，着了風倒不
⋯寶玉未及答言，寶釵
⋯襲人使了個眼色，襲
⋯意，便道："也罷，叫
⋯跟着你罷，夜裏好倒
⋯水的。"寶玉便笑道：
⋯麼説，你就跟了我
⋯襲人聽了，倒没意思
⋯，登時飛紅了臉，一
⋯不言語。寶釵素知襲
⋯重，便説道："他是跟
⋯我的，還叫他跟着我
⋯叫麝月、五兒照料着
⋯了。況且今日他跟着
⋯了一天，也乏了，該
⋯歇歇了。"寶玉只得
⋯出來。寶釵因命麝

月、五兒給寶玉仍在外間鋪設了，又囑咐兩個人醒睡些，要茶要水都留點神兒。兩個

應着出來，看見寶玉端然坐在床上，閉目合掌，居然像個和尚一般，兩個也不敢言

只管瞅着他笑。寶釵又命襲人出來照應，襲人看見這般，卻也好笑，便輕輕的叫道：

睡了，怎麼又打起坐來了？"寶玉睜開眼看見襲人，便道："你們只管睡罷，我坐一會

睡。"襲人道："因爲你昨日那個光景，鬧的二奶奶一夜沒睡。你再這麼着，成何事

寶玉料着自己不睡，都不肯睡，便收拾睡下。襲人又囑咐了麝月等幾句，才退去關

了。這裏麝月、五兒兩個人也收拾了被褥，伺候寶玉睡着，各自歇下。

　　那知寶玉要睡，越睡不着。見他兩個人在那裏打鋪，忽然想起那年襲人不在家

晴雯、麝月兩個人服事，夜間麝月出去，晴雯要唬他，因爲沒穿衣服，着了凉；後來

從這個病上死的。想到這裏，一心移在晴雯身上了。忽又想起鳳姐說五兒給晴雯

個影兒，因又將想晴雯的心腸，移在五兒身上。自己假妝睡着，偷偷的看那五兒，

越像晴雯，不覺呆性復發。聽了聽裏間已無聲息，知是睡了，卻見麝月也睡着了，

意叫了麝月兩聲，卻不答應。五兒聽見寶玉喚人，便問道："二爺要什麼？"寶玉道

要漱漱口。"五兒見麝月已睡，只得起來重新剪了蠟花，倒了一鍾茶來，一手托着漱

卻因趕忙起來的，身上只穿着一件桃紅綾子小襖兒，鬆鬆的挽着一個䯲兒，寶玉看

居然晴雯復生；忽又想起晴雯說的"早知擔個虛名，也就打個正經主意了"，不覺

的呆看，也不接茶。那五兒自從芳官去後，也無心進來了。後來聽得鳳姐叫他進

侍寶玉，竟比寶玉盼他進來的心還急；不想進來以後，見寶釵、襲人一般尊貴穩重

着心裏實在敬慕；又見寶玉瘋瘋傻傻，不是先前風致；又聽見王夫人爲女孩子們和

頑笑都撅了，所以把這件事擱在心上，倒無一毫的兒女私情了。怎奈這位呆爺今晚

當作晴雯，只管愛惜起來，那五兒早已羞得兩頰紅潮，又不敢大聲說話，只得輕輕

道："二爺，漱口啊。"寶玉笑着接了茶在手中，也不知道漱了沒有，便笑嘻嘻的問道

和晴雯姐姐好，　不是啊？"五兒聽了，摸不着頭腦，便道："都是姐妹，也沒有什麼

的。"寶玉又悄悄的問道："晴雯病重了，我看他去，不是你也去了麼？"五兒微微笑

頭兒。寶玉道："你聽見他說什麼了沒有？"五兒搖着頭兒道："沒有。"寶玉已經忘

把五兒的手一拉。五兒急得紅了臉，心裏亂跳，便悄悄說道："二爺有什麼話只管

拉拉扯扯的。"寶玉才放了手，說道："他和我說來着：'早知擔個虛名，也就打個正

意了。'你怎麼沒聽見麼？"五兒聽了這話，明明是輕薄自己的意思，又不敢怎麼樣

說道："那是他自己沒臉，這也是我們女孩兒家說得的嗎？"寶玉着急："你怎麼

這個道學先生？我看你長的和他一模一樣，我才肯和你說這個話，你怎麼倒拿這些

遭塌他？"此時五兒心中也不知寶玉是怎麼個意思，便說道："夜深了，二爺也睡

一時，寶玉請了安，賈母便喜歡道："你過來，我給你一件東西瞧瞧。"寶玉走到床

母便把那塊漢玉遞給寶玉。寶玉接來一瞧，那玉有三寸方圓，形似甜瓜，色有紅

是精緻。

彭玉

坐着，看凉着。剛才奶奶和襲人姐姐怎麼囑咐了？"寶玉道："我不凉。"

說到這裏，忽然想起五兒沒穿着大衣服，就怕他也像晴雯着了凉，便説道："你爲
不穿上衣服就過來？"五兒道："爺叫的緊，那裏有儘着穿衣裳的空兒？要知道説這
話兒時，我也穿上了。"寶玉聽了，連忙把自己蓋的一件月白綾子綿襖兒揭起來遞
兒，叫他披上。五兒只不肯接，説："二爺蓋着罷，我不凉。我凉，我有我的衣裳。"
，回到自己鋪邊拉了一件長襖披上。又聽了聽，麝月睡的正濃，才慢慢過來，説："二
晚不是要養神呢嗎？"寶玉笑道："實告訴你罷，什麼是養神！我倒是要遇仙的意
五兒聽了，越發動了疑心，便問道："遇什麼仙？"寶玉道："你要知道，這話長着呢。
着我來坐下，我告訴你。"五兒紅了臉，笑道："你在那裏躺着，我怎麼坐呢？"寶玉
這個何妨？那一年冷天，也是你麝月姐姐和你晴雯姐姐頑，我怕凍着他，還把他攬
裏握着呢。這有什麼的？大凡一個人，總不要酸文假醋才好。"五兒聽了，句句都是

寶玉調戲之意；那知這位呆爺，卻是實心實意的話兒。五兒此時走開不好，站着不坐下不好，倒沒了主意了。因微微的笑着道："你別混説了，看人家聽見，這是什麼意思？怨不得人家説你專在女孩兒身上用工夫。你自己放着二奶奶和襲人姐姐都人兒是的，只愛和別人胡纏。明兒再説這些話，我回了二奶奶，看你什麼臉兒。

　　正説着，只聽外面"咕咚"一聲，把兩個人嚇了一跳。裏間寶釵咳嗽了一聲，寶見連忙努嘴兒，五兒也就忙忙的息了燈，悄悄的躺下了。原來寶釵、襲人因昨夜不曾又兼日間勞乏了一天，所以睡去，都不曾聽見他們説話。此時院中一響，早已驚醒了聽，也無動靜。寶玉此時躺在床上，心裏疑惑："莫非林妹妹來了，聽見我和五兒説故意嚇我們的？"翻來覆去，胡思亂想，五更以後，才朦朧睡去。

　　卻説五兒被寶玉鬼混了半夜，又兼寶釵咳嗽，自己懷着鬼胎，生怕寶釵聽見也是思前想後，一夜無眠。次日一早起來，見寶玉尚自昏昏睡着，便輕輕兒的收屋子。那時麝月已醒，便道："你怎麼這麼早起來了？你難道一夜沒睡嗎？"五兒話，又似麝月知道了的光景，便只是訕笑，也不答言。不一時，寶釵、襲人也都起了門，見寶玉尚睡，卻也納悶："怎麼外邊兩夜睡得倒這般安穩？"及寶玉醒來，都起來了，自己連忙爬起，揉着眼睛細想："昨夜又不曾夢見，可是仙凡路隔了。"的下了床。又想昨夜五兒説的寶釵、襲人都是天仙一般，這話卻也不錯，便怔怔的寶釵。寶釵見他發怔，雖知他爲

之事，卻也定不得夢不夢，

的自己倒不好意思，便道

爺昨夜，可真遇見仙了

寶玉聽了，只道昨晚的

釵聽見了，笑着勉強説

"這是那裏的話？"那

聽了這一句，越發

起來，又不好説的

得且看寶釵的光景

見寶釵又笑着問

道："你聽見二爺

中和人説話來着

寶玉聽了，自己

住，搭訕着走開

五兒把臉飛紅

含糊道："前半夜倒

幾句，我也沒聽

麼'擔了虛名'，又

打正經主意’，我也不懂，勸着二爺睡了。後來我也睡了，不知二爺還説來着没有。”

低頭一想：“這話明是爲黛玉了。但儘着叫他在外頭，恐怕心邪了，招出些花妖月姊兒兼他的舊病，原在姊妹上情重，只好設法將他的心意挪移過來，然後能免無事。”

這裏，不免面紅耳熱起來，也就訕訕的進房梳洗去了。

且説賈母兩日高興，略吃多了些，這晚有些不受用，第二天便覺着胸口飽悶。鴛鴦回賈政，賈母不叫言語，説：“我這兩日嘴饞些，吃多了點子，我餓一頓就好了，你别吵嚷。”于是鴛鴦等並没有告訴人。這日晚間，寶玉回到自己屋裏，見寶釵自賈母人處才請了晚安回來，寶玉想着早起之事，未免赧顔抱慚。寶釵看他這樣，也曉得没意思的光景，因想着他是個痴情人，要治他的這病，少不得仍以痴情治之。想了，便問寶玉道：“你今夜還在外間睡去罷咧？”寶玉自覺没趣，便道：“裏間外間都是的。”寶釵意欲再説，反覺不好意思。襲人道：“罷呀，這倒是什麼道理呢？我不信睡麼安穩。”五兒聽見這話，連忙接口道：“二爺在外間睡，别的倒没什麼，只是愛説，叫人摸不着頭腦兒，又不敢駁他的回。”襲人便道：“我今日挪到床上睡睡，看説不説。你們只管把二爺的鋪蓋鋪在裏間就完了。”寶釵聽了，也不作聲。寶玉自己不來，那裏還有强嘴的分兒？便依着搬進裏間來。一則寶玉負愧，欲安慰寶釵之心，寶釵恐寶玉思鬱成疾，不如假以詞色，使得稍覺親近，以爲移花接木之計。于是當人果然挪出去。寶玉因心中愧悔，寶釵欲攏絡寶玉之心，自過門至今日，方才如魚，恩愛纏綿。所謂“二五之精，妙合而凝”的了。此是後話。

且説次日寶玉、寶釵同起，寶玉梳洗了，先過賈母這邊來。這裏賈母因疼寶玉，又釵孝順，忽然想起一件東西，便叫鴛鴦開了箱子，取出祖上所遺一個漢玉玦，雖不玉他那塊玉石，挂在身上却也希罕。鴛鴦找出來遞與賈母，便説道：“這件東西，我從没見的。老太太這些年，還記得這樣清楚，説是那一箱什麼匣子裏裝着，我按着太的話，一拿就拿出來了。老太太怎麼想着，拿出來做什麼？”賈母道：“你那裏知這塊玉還是祖爺爺給我們老太爺，老太爺疼我，臨出嫁的時候叫了我去，親手遞給。還説：‘這玉是漢時所佩的東西，狠貴重，你拿着就像見了我的一樣。’我那時還拿了來也不當什麼，便撂在箱子裏。到了這裏，我見咱們家的東西也多，這算得什從没帶過，一撂便撂了六十多年。今兒見寶玉這樣孝順，他又丢了一塊玉，故此想出來給他，也像是祖上給我的意思。”一時，寶玉請了安，賈母便喜歡道：“你過來，你一件東西瞧瞧。”寶玉走到床前，賈母便把那塊漢玉遞給寶玉。寶玉接來一瞧，有三寸方圓，形似甜瓜，色有紅暈，甚是精緻。寶玉口口稱贊，賈母道：“你愛麼？這祖爺爺給我的，我傳了你罷。”寶玉笑着請個安謝了，又拿了要送給他母親瞧。道：“你太太瞧了告訴你老子，又説疼兒子不如疼孫子了。他們從没見過。”寶玉笑了。寶釵等又説了幾句話，也辭了出來。

自此賈母兩日不進飲食，胸口仍是結悶，覺得頭暈目眩，咳嗽。邢、王二夫人、鳳姐安，見賈母精神尚好，不過叫人告訴賈政，立刻來請了安。賈政出來，即請大夫看

脉。不多一時，大夫來診了脉，說是有年紀的人，停了些飲食，感冒些風寒，略消導
些就好了。開了方子，賈政看了，知是尋常藥品，命人煎好進服。已後賈政早晚進
安，一連三日，不見稍減。賈政又命賈璉：“打聽好大夫，快去請來瞧老太太的病。
家常請的幾個大夫，我瞧着不怎麽好，所以叫他去。”賈璉想了一想，說道：“記得
寶兄弟病的時候，倒是請了一個不行醫的來瞧好了的，如今不如找他。”賈政道：
却是極難的，愈是不興時的大夫，倒有本領。你就打發人去找來罷。”賈璉即忙答
了，回來說道：“這劉大夫新近出城教書去了，過十來天進城一次。這時等不得，又
一位，也就來了。”賈政聽了，只得等着，不題。

　　且說賈母病時，合宅女眷無日不來請安。一日，衆人都在那裏，只見看園内腰
老婆子進來回說：“園裏的櫳翠庵的妙師父知道老太太病了，特來請安。”衆人道：
不常過來，今兒特地來，你們快請去來。”鳳姐走到床前回賈母。岫烟是妙玉的舊相
先走出去接他。只見妙玉頭帶妙常髻，身上穿一件月白素綢襖兒，外罩一件水田青
邊長背心，拴着秋香色的絲縧，腰下繫一條淡墨畫的白綾裙，手執塵尾念珠，跟着
侍兒，飄飄拽拽的走來。岫烟見了問好，說是：“在園内住的日子，可以常常來瞧瞧
近來因爲園内人少，一個人輕易難出來，況且咱們這裏的腰門常關着，所以這些日
得見你，今兒幸會。”妙玉道：“頭裏你們是熱鬧場中，你們雖在外圍裏住，我也不
來親近；如今知道這裏的事情也不大好，又聽說是老太太病着，又惦記你，並要瞧
姑娘，我那管你們的關不關？我要來，就來；我不來，你們要我來，也不能啊。”岫烟
“你還是那種脾氣。”一面說着，已到賈母房中。衆人見了，都問了好。妙玉走到賈
前問候，說了幾句套話。賈母便道：“你是個女菩薩，你瞧瞧我的病可好得了好
妙玉道：“老太太這樣慈善的人，壽數正有呢。一時感冒，吃幾帖藥，想來也就好了
年紀人，只要寬心些。”賈母道：“我倒不爲這些。我是極愛尋快樂的，如今這病也
怎樣，只是胸隔悶飽。剛才大夫說是氣惱所致，你是知道的，誰敢給我氣受？這
大夫脉理平常麽！我和璉兒說了，還是頭一個大夫說感冒傷食的是，明兒仍請他
說着叫鴛鴦吩咐厨房裏辦一桌净素菜來，請他在這裏便飯。妙玉道：“我已吃過午飯
我是不吃東西的。”王夫人道：“不吃也罷，咱們多坐一會，說些閑話兒罷。”妙玉道：
久已不見你們，今兒來瞧瞧。”又說了一回話，便要走，回頭見惜春站着，便問道：
娘爲什麽這樣瘦？不要只管愛畫，勞了心。”惜春道：“我久不畫了。如今住的房屋
園裏的顯亮，所以沒興畫。”妙玉道：“你如今住在那一所了？”惜春道：“就是你才
的那個門東邊的屋子，你要來，狠近。”妙玉道：“我高興的時候來瞧你。”惜春等説
送了出去。回身過來，聽見丫頭們回說大夫在賈母那邊呢。衆人暫且散去。

那知賈母這病日重一日，延醫調治不效，已後又添腹瀉。賈政着急，知病難醫，即
到衙門告假，日夜同王夫人親視湯藥。一日，見賈母略進些飲食，心裏稍寬。只見
子在門外探頭，王夫人叫彩雲看去，問問是誰。彩雲看了，是陪迎春到孫家去的人，
：「你來做什麼？」婆子道：「我來了半日，這裏找不着一個姐姐們，我又不敢冒撞，
裏又急。」彩雲道：「你急什麼？又是姑爺作踐姑娘不成麼？」婆子道：「姑娘不好了。
鬧了一場，姑娘哭了一夜，昨日痰堵住了。他們又不請大夫，今日更利害了。」彩雲
「老太太病着呢，別大驚小怪的。」王夫人在內已聽見了，恐老太太聽見不受用，忙
雲帶他外頭說去。豈知賈母病中心靜，偏偏聽見，便道：「迎丫頭要死了麼？」王夫
道：「沒有。婆子們不知輕重，說是這兩日有些病，恐不能就好，到這裏問大夫。」賈
：「瞧我的大夫就好，快請了去。」王夫人便叫彩雲叫這婆子去回大太太去，那婆子
。這裏賈母便悲傷起來，說是：「我三個孫女兒，一個享盡了福，死了；三丫頭遠嫁，
見面；迎丫頭雖苦，或者熬出來，不打諒他年輕輕兒的就要死了，留着我這麼大年

紀的人活着做什麼?"王夫人、鴛鴦等解勸了好半天。那時,寶釵、李氏等不在房中
姐近來有病,王夫人恐賈生悲添病,便叫人叫了他們來陪着,自己回到房中,叫
來埋怨:"這婆子不懂事!已後我在老太太那裏,你們有事不用來回。"丫頭們依命不
豈知那婆子剛到邢夫人那裏,外頭的人已傳進來說:"二姑奶奶死了。"邢夫人聽了
便哭了一場。現今他父親不在家中,只得叫賈璉快去瞧看。知賈母病重,眾人都不
可憐一位如花似月之女,結縭年餘,不料被孫家揉搓,以致身亡,又值賈母病篤,眾
便離開,竟容孫家草草完結。

　　賈母病勢日增,只想這些好女兒。一時想起湘雲,便打發人去瞧他。回來的人
的找鴛鴦,因鴛鴦在老太太身旁,王夫人等都在那裏,不便上去。到了後頭,找了
告訴他道:"老太太想史姑娘,叫我們去打聽,那裏知道史姑娘哭得了不得,說是
得了暴病,大夫都瞧了,說這病只怕不能好;若變了個癆病,還可捱過四五年。所
姑娘心裏着急,又知道老太太病,只是不能過來請安,還叫我不要在老太太面前提
倘或老太太問起來,務必託你們變個法兒回老太太才好。"琥珀聽了,咳了一聲,就
言語了,半日說道:"你去罷。"琥珀也不便回,心裏打算告訴鴛鴦,叫他撒謊去,所
到賈母床前。只見賈母神色大變,地下站着一屋子的人,嘁嘁的說:"瞧着是不好
也不敢言語了。這裏賈政悄悄的叫賈璉到身旁,向耳邊說了幾句話,賈璉輕輕的
去了,便傳齊了現在家的一干家人,說:"老太太的事待好出來了,你們快快分頭
辦去。頭一件,先請出板來瞧瞧,好掛裏子。快到各處將各人的衣服量了尺寸,都
了,便叫裁縫去做孝衣。那棚杠執事都去講定,廚房裏還該多派幾個人。賴大等回
"二爺,這些事不用爺費心,我們早打算好了。只是這項銀子,在那裏打算?"賈璉道
種銀子不用算了,老太太自己早留下了。剛才老爺的主意,只要辦的好,我想外
要好看。"賴大等答應,派人分頭辦去。

　　賈璉復回到自己房中,便問平兒:"你奶奶今兒怎麼樣?"平兒把嘴往裏一努
"你瞧去。"賈璉進內,見鳳姐正要穿衣,一時動不得,暫且靠在炕桌兒上。賈璉道:"
怕養不住了,老太太的事,今兒明兒就要出來了,你還脫得過麼?快叫人將屋裏收
拾,就該扎挣上去了。若有了事,你我還能回來麼?"鳳姐道:"咱們這裏還有什麼
的?不過就是這點子東西,還怕什麼?你先去罷,看老爺叫你。我換件衣裳就來。"賈
回到賈母房裏,向賈政悄悄的回道:"諸事已交派明白了。"賈政點頭。外面又報:"
進來了。"賈璉接入,又診了一回,出來悄悄的告訴賈璉:"老太太的脉氣不好,防着
賈璉會意,與王夫人等說知。王夫人即忙使眼色叫鴛鴦過來,叫他把老太太的裝裹
預備出來,鴛鴦自去料理。賈母睜眼要茶喝,邢夫人便進了一杯參湯,賈母剛用嘴
喝,便道:"不要那個,倒一鍾茶來我喝。"眾人不敢違拗,即忙送上來。一口喝了,遂
又喝一口,便說:"我要坐起來。"賈政等道:"老太太要什麼只管說,可以不必坐起
好。"賈母道:"我喝了口水,心裏好些,略靠着和你們說說話。"珍珠等用手輕輕的
看見賈母這回精神好些。未知生死,下回分解。

〈第壹佰拾回〉

史太君壽終歸地府　王鳳姐力詘失人心

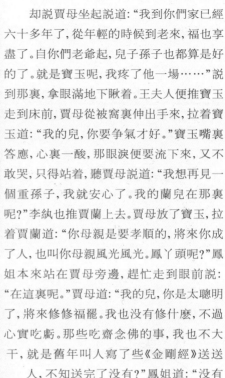

　　却説賈母坐起説道：「我到你們家已經六十多年了，從年輕的時候到老來，福也享盡了。自你們老爺起，兒子孫子也都算是好的了。就是寶玉呢，我疼了他一場……」説到那裏，拿眼滿地下瞅着。王夫人便推寶玉走到床前，賈母從被窩裏伸出手來，拉着寶玉道：「我的兒，你要爭氣才好。」寶玉嘴裏答應，心裏一酸，那眼淚便要流下來，又不敢哭，只得站着，聽賈母説道：「我想再見一個重孫子，我就安心了。我的蘭兒在那裏呢？」李紈也推賈蘭上去。賈母放了寶玉，拉着賈蘭道：「你母親是要孝順的，將來你成了人，也叫你母親風光風光。鳳丫頭呢？」鳳姐本來站在賈母旁邊，趕忙走到眼前説：「在這裏呢。」賈母道：「我的兒，你是太聰明了，將來修修福罷。我也沒有修什麼，不過心實吃虧。那些吃齋念佛的事，我也不大干，就是舊年叫人寫了些《金剛經》送送人，不知送完了沒有？」鳳姐道：「沒有呢。」賈母道：「早該施捨完了才好。我們大老爺和珍兒是在外頭樂了。最可惡的是史丫頭沒良心，怎麼總不來瞧我！」鴛鴦等明知其故，都不言語。賈母又瞧了一瞧寶釵，嘆了口氣，只見臉上發紅。賈政知是回光返照，即忙進上參湯，賈母的牙關已經緊了，合了一回眼，又睜着滿屋裏瞧了一瞧。王夫人、寶釵上去輕輕扶着，邢夫人、鳳姐等便忙穿衣，地下婆子們已將床安設停當，鋪了被褥。聽見賈母喉間略一響動，臉變笑容，竟是去了，享

年八十三歲。衆婆子疾忙停床。

于是賈政等在外一邊跪着，邢夫人等在内一邊跪齊，一齊舉起哀來。外面家人￼預備齊全，只聽裏頭信兒一傳出來，從榮府大門起至内宅門，扇扇大開，一色净白￼了，孝棚高起，大門前的牌樓立時竪起，上下人等登時成服。賈政報了丁憂，禮部奏￼主上深仁厚澤，念及世代功勛，又係元妃祖母，賞銀一千兩，諭禮部主祭。家人們各￼喪，衆親友雖知賈家勢敗，今見聖恩隆重，都來探喪。擇了吉時成殮，停靈正寢。賈￼在家，賈政爲長；寶玉、賈環、賈蘭是親孫，年紀又小，都應守靈。賈璉雖也是親孫￼賈蓉，尚可分派家人辦事。雖請了些男女外親來照應，内裏邢、王二夫人、李紈、鳳￼寶釵等是應靈旁哭泣的；尤氏雖可照應，他賈珍外出，依住榮府，一向總不上前，￼榮府的事不甚諳練；賈蓉的媳婦更不必説了；惜春年小，雖在這裏長的，他于家事￼知道，所以内裏竟無一人支持。只有鳳姐可以照管裏頭的事，況又賈璉在外作主，￼他二人，倒也相宜。

鳳姐先前仗着自己的才幹，原打諒老太太死了，他大有一番作用。邢、王二夫￼本知他曾辦過秦氏的事，必是妥當，于是仍叫鳳姐總理裏頭的事。鳳姐本不應辭，￼應了，心想：“這裏的事本是我管的，那些家人更是我手下的人。太太和珍大嫂子￼本來難使喚些。如今他們都去了。銀項雖没有了對牌，這種銀子是現成的，外頭￼是他辦着，雖説我現今身子不好，想來也不致落褒貶，必是比寧府裏還得辦些。”￼已定，且待明日接了三，後日一早便叫周瑞家的傳出話去，將花名册取上來，鳳姐￼的瞧了，統共只有男僕二十一人，女僕只有十九人，餘者俱是些丫頭，連各房算上￼過三十多人，難以點派差使。心裏想道：“這回老太太的事，倒没有東府裏的人多￼將莊上的弄出幾個，也不敷差遣。正在思算，只見一個小丫頭過來説：“鴛鴦姐姐￼奶。”鳳姐只得過去，只見鴛鴦哭得淚人一般，一把拉着鳳姐兒説道：“二奶奶請坐，￼二奶奶磕個頭。雖説服中不行禮，這個頭是要磕的。”鴛鴦説着跪下，慌的鳳姐趕￼住，説道：“這是什麽禮？有話好好的説。”鴛鴦跪着，鳳姐便拉起來。鴛鴦説道：“老￼的事，一應内外都是二爺和二奶奶辦。這種銀子是老太太留下的。老太太這一輩￼有遭塌過什麽銀錢，如今臨了這件大事，必得求二奶奶體體面面的辦一辦才好。我￼聽見老爺説什麽‘詩云’、‘子曰’，我不懂；又説什麽‘喪與其易，寧戚’，我聽了不明￼我問寶二奶奶，説是老爺的意思，老太太的喪事只要悲切才是真孝，不必糜費，圖￼的念頭。我想老太太這樣一個人，怎麽不該體面些？我雖是奴才丫頭，敢説什麽？

太太疼二奶奶和我這一場，臨死了還不叫他風光風光？我想二奶奶是能辦大事的，□□我請二奶奶來求作個主。我生是跟老太太的人，老太太死了，我也是跟老太太的。□□是瞧不見老太太的事怎麼辦，將來怎麼見老太太呢？”

鳳姐聽了這話來的古怪，便說：“你放心，要體面是不難的。況且老爺雖說要省，那□□也錯不得。便拿這項銀子都花在老太太身上，也是該當的。”鴛鴦道：“老太太的遺□，所有剩下的東西是給我們的，二奶奶倘或用着不够，只管拿這個去折變補上。就□老爺說什麼，我也不好違老太太的遺言。那日老太太分派的時候，不是老爺在這裏□□的麼？”鳳姐道：“你素來最明白的，怎麼這會子那樣的着急起來了？”鴛鴦道：“不□我着急，爲的是大太太是不管事的，老爺是怕招搖的，若是二奶奶心裏也是老爺的□□，說抄過家的人家，喪事還是這麼好。將來又要抄起來，也就不顧起老太太來，怎

麼處?在我呢,是個丫頭,好歹礙不着,到底是這裏的聲名。"鳳姐道:"我知道了,你
管放心,有我呢。"鴛鴦千恩萬謝的託了鳳姐。

　　那鳳姐出來,想道:"鴛鴦這東西好古怪,不知打了什麼主意?論理,老太太身□
該體面些。噯,不要管他,且按着咱們家先前的樣子辦去。"于是叫了旺兒家的來,許
出去,請二爺進來。不多時,賈璉進來,說道:"怎麼找我?你在裏頭照應着些就是了
竪作主是咱們二老爺,他說怎麼着,咱們就怎麼着。"鳳姐道:"你也說起這個話來了
可不是鴛鴦說的話應驗了麼!"賈璉道:"什麼鴛鴦的話?"鳳姐便將鴛鴦請進去的話□
了一遍。賈璉道:"他們的話算什麼?才剛二老爺叫我去,說:'老太太的事固要認□
理,但是知道的呢,說是老太太自己結果自己;不知道的,只說咱們都隱匿起來了□
今狠寬裕。老太太的這種銀子用不了,誰還要麼?仍舊該用在老太太身上。老太太是
南邊的,墳地雖有,陰宅却沒有;老太太的柩是要歸到南邊去,留這銀子在祖墳□
起些房屋來,再餘下的置賣幾頃祭田。咱們回去也好,就是不回去,也叫這些貧窮□
住着,也好按時按節,早晚上香,時常祭掃祭掃。'你想這些話可不是正經主意。據□
個話,難道都花了罷?"鳳姐道:"銀子發出來了沒有?"賈璉道:"誰見過銀子!我聽見
們太太聽見了二老爺的話,極力的攛掇二太太和二老爺,說這是好主意,叫我怎麼□
現在外頭棚扛上要支幾百銀子,這會子還沒有發出來。我要去,他們都說有,先叫□
辦了,回來再算。你想這些奴才們,有錢的早溜了;按着冊子叫去,有的說告病,有□
下莊子去了,走不動的有幾個。只有賺錢的能耐,還有賠錢的本事麼?"鳳姐聽了,呆
半天,說道:"這還辦什麼!"正說着,見來了一個丫頭,說:"大太太的話,問二奶奶□
第三天了,裏頭還很亂,供了飯,還叫親戚們等着嗎?叫了半天,來了菜,短了飯,這□
麼辦事的道理?"鳳姐急忙進去,吆喝人來伺候,胡弄着將早飯打發了。偏偏那日人□
多,裏頭的人都死眉瞪眼的,鳳姐只得在那裏照料了一會子。又惦記着派人,趕着□
叫了旺兒家的,傳齊了家人女人們,一一分派了。衆人都答應着不動,鳳姐道:"什麼□
候,還不供飯?"衆人道:"傳飯是容易的,只要將裏頭的東西發出來,我們才好照管□
鳳姐道:"糊塗東西!派定了你們,少不得有的。"衆人只得勉强應着。鳳姐即往上房□
應用之物,要去請示邢、王二夫人,見人多難說,看那時候已經日漸平西了,只得□
鴛鴦,說要老太太存的這一分家伙。鴛鴦道:"你還問我呢,那一年二爺當了,贖了□
麼?"鳳姐道:"不用銀的金的,只要這一分平常使的。"鴛鴦道:"大太太、珍大奶奶□
使的是那裏來的?"鳳姐一想不差,轉身就走,只得到王夫人那邊找了玉釧、彩雲,□

鴛鴦說着跪下,慌的鳳姐趕忙拉住。鴛鴦說道:"老太太這一輩子也沒有遭塌過什麼錢
如今臨了這件大事,必得求二奶奶體體面面的辦一辦才好。"

一分出來，急忙叫彩明登賬，發與眾人收管。

鴛鴦見鳳姐這樣慌張，又不好叫他回來，心想：「他頭裏作事何等爽利周到，如今怎□肘的這個樣兒？我看這兩三天連一點頭腦都沒有，不是老太太白疼了他了嗎！」那□邢夫人一聽賈政的話，正合着將來家計艱難的心，巴不得留一點子作個收局。況且□太太的事原是長房作主，賈赦雖不在家，賈政又是拘泥的人，有件事便說請大奶奶的□。邢夫人素知鳳姐手腳大，賈璉的鬧鬼，所以死拿住不放鬆。鴛鴦只道已將這項銀□了出去了，故見鳳姐掣肘如此，便疑爲不肯用心，便在賈母靈前嘮嘮叨叨，哭個不□邢夫人等聽了話中有話，不想到自己不令鳳姐便宜行事，反說：「鳳丫頭果然有些不□。」王夫人到了晚上，叫了鳳姐過來，說：「咱們家雖說不濟，外頭的體面是要的。這□日人來人往，我瞧着那些人都照應不到，想是你沒有吩咐，還得你替我們操點心兒□子。」鳳姐聽了，呆了一會，要將銀兩不湊手的話說出，但是銀錢是外頭管的，王夫人□是「照應不到」，鳳姐也不敢辨，只好不言語。邢夫人在旁說道：「論理，該是我們做□的操心，本不是孫子媳婦的事，但是我們動不得身，所以託你的，你是打不得撒手□」鳳姐紫漲了臉，正要□兒，只聽外頭鼓樂一奏，□燒黃昏紙的時候了，大□起哀來，又不得說。鳳□頭想回來再說，王夫人□出去料理，說道：「這□我們的，你快快兒的□料理明兒的事罷。」

鳳姐不敢再言，只得□忍泣的出來，又叫人□了眾人，又吩咐了一□說：「大娘嬸子們，可憐□！我上頭挨了好些說，□是你們不齊截，叫人□。明兒你們豁出些辛□罷。」那些人回道：「奶

奶辦事，不是今兒個一遭兒了，我們敢違拗嗎？只是這回的事，上頭過于累贅。只請
發這頓飯罷，有的在這裏吃，有的要在家裏吃。請了那位太太，又是那位奶奶不來
如此類，那得齊全？還求奶奶勸勸那些姑娘們不要挑飭就好了。"鳳姐道："頭一層
老太太的丫頭們是難纏的，太太們的也難説話，叫我説誰去呢？"衆人道："從前奶奶
東府裏，還是署事，要打要罵，怎麼這樣鋒利，誰敢不依？如今這些姑娘們都壓不住
鳳姐嘆道："東府裏的事，雖説託辦的，太太雖在那裏，不好意思説什麼；如今是自己
事情，又是公中的，人人説得話。再者，外頭的銀錢也叫不靈，即如棚裏要一件東西
了出來，總不見拿進來，這叫我什麼法兒呢？"衆人道："二爺在外頭，倒怕不應付
鳳姐道："還提那個！他也是那裏爲難。第一件，銀錢不在他手裏，要一件得回一件
裏湊手？"衆人道："老太太這項銀子，不在二爺手裏嗎？"鳳姐道："你們回來問管事
便知道了。"衆人道："怨不得我們聽見外頭男人抱怨，説這麼件大事，咱們一點摸不
净當苦差，叫人怎麼能耐心呢？"鳳姐道："如今不用説了。眼面前的事，大家留些神
倘或鬧的上頭有了什麼説的，我和你們不依的。"衆人道："奶奶要怎麼樣，他們敢
嗎？只是上頭一人一個主意，我們實在難周到的。"鳳姐聽了没法，只得央及道："姑
娘們，明兒且幫我一天，等我把姑娘們鬧明白了再説罷咧。"衆人聽命而去。

　　鳳姐一肚子的委屈，愈想愈氣，直到天亮，又得上去。要把各處的人整理整理
恐邢夫人生氣；要和王夫人説，怎奈邢夫人挑唆。這些丫頭們見邢夫人等不助着鳳姐
威風，更加作踐起他來。幸得平兒替鳳姐排解，説是："二奶奶巴不得要好，只是老爺
太們吩咐了外頭，不許糜費，所以我們二奶奶不能應付到了。"説過幾次，才得安靜
雖説僧經道懺，上祭掛帳，絡繹不絶，終是銀錢吝嗇，誰肯踴躍，不過草草了事。連
妃誥命也來得不少，鳳姐也不能上去照應，只好在底下張羅，叫了那個，走了這個
一回急，央及一會；胡弄過了一起，又打發一起。別説鴛鴦等看去不像樣，連鳳姐
心裏也過不去了。邢夫人雖説是冡婦，仗着"悲戚爲孝"四個字，倒都不理會。王
落得跟了邢夫人行事，餘者更不必説了。獨有李紈瞧出鳳姐的苦處，也不敢替他説
只自嘆道："俗語説的：'牡丹雖好，全仗綠葉扶持。'太太們不虧了鳳丫頭，那些人
着嗎？若是三姑娘在家還好，如今只有他幾個自己的人瞎張羅，面前背後的也抱怨
是一個錢摸不着，臉面也不能剩一點兒。老爺是一味的盡孝，庶務上頭不大明白
的一件大事，不撒散幾個錢就辦的開了嗎？可憐鳳丫頭鬧了幾年，不想在老太太
上，只怕保不住臉了。"于是抽空兒叫了他的人來，吩咐道："你們別看着人家的樣

鳳姐聽了這話，一口氣撞上來，往下一咽，眼淚直流，只覺得眼前一黑，嗓子裏一甜
噴出鮮紅的血來。
　　　　　　　　　　　　　　　　　　　　　　　　　　　陳安

塌起璉二奶奶來。別打諒什麼穿孝守靈就算了大事了。不過混過幾天就是了。看〔那〕些人張羅不開，便插個手兒，也未爲不可。這也是公事，大家都該出力的。"那些素〔不〕納的人，都答應着説："大奶奶説得狠是，我們也不敢那麼着。只聽見鴛鴦姐姐們〔説〕話兒，好像怪璉二奶奶的是的。"李紈道："就是鴛鴦，我也告訴過他，我説璉二奶〔奶〕不是在老太太的事上不用心，只是銀子錢都不在他手裏，叫他巧媳婦還作的上沒〔有〕粥來嗎？如今鴛鴦也知道了，所以他不怪他了。只是鴛鴦的樣子竟是不像從前了，〔我〕奇怪。那時候有老太太疼他，倒沒有作過什麼威福；如今老太太死了，沒有了仗腰〔的〕了，我看他倒有些氣質不大好了。我先前替他愁，這會子幸喜大老爺不在家，才躲〔過〕了；不然，他有什麼法兒？"

　　〔正〕説着，只見賈蘭走來説："媽媽睡罷。一天到晚人來客去的也乏了，歇歇罷。我這幾〔天〕沒有摸摸書本兒。今兒爺爺叫我家裏睡，我喜歡的狠，要理個一兩本書才好，別等〔着〕孝，再都忘了。"李紈道："好孩子，看書呢自然是好的。今兒且歇歇罷，等老太太送〔了殯〕再看書。"賈蘭道："媽媽要睡，我也就睡在被窩裏頭想想也罷了。"衆人聽了，都夸

〔道〕"好哥兒，怎麼這點年〔紀就曉〕得了空兒就想到書上！〔那〕寶二爺，娶了親的人，〔還是〕那麼孩子氣。這幾日〔跟着〕老爺跪着，瞧他狠不〔耐煩〕，巴不得老爺一動身，〔就〕過來找二奶奶，不知〔嘁嘁〕咕咕的説些什麼，其〔實忙〕的二奶奶都不理他，〔他又去找琴姑娘，琴姑〔娘遠〕遠避他，邢姑娘也不〔同〕他説話。倒是咱們本〔家有〕什麼喜姑娘咧、四姑〔娘咧，'哥哥'長，'哥哥'〔短〕，和他親密。我們看那〔寶二〕爺，除了和奶奶姑娘

們混混，只怕他心裏也沒有別的事，白過費了老太太的心，疼了他這麼大，那裏及囗兒一零兒呢?大奶奶，你將來是不愁的了。"李紈道:"就好，也還小;只怕到他大了，囗家還不知怎麼樣了呢?環哥兒你們瞧着怎麼樣?"衆人道:"這一個更不像樣兒了!兩囗睛倒像個活猴兒是的，東溜溜西看看，雖在那裏嚎喪，見了奶奶姑娘們來了，他在囗子裏頭淨偷着眼兒瞧人呢。"李紈道:"他的年紀其實也不小了。前日聽見說還要給囗親呢，如今又得等着。嗳，還有一件事:咱們家這些人，我看來也是説不清。且囗説閑話，後日送殯，各房的車輛是怎麼樣了?"衆人道:"璉二奶奶這幾天鬧的像失囗魄的樣兒了，也沒見傳出來。昨兒聽見我的男人説，璉二爺派了薔二爺料理，説是囗家的車也不夠，趕車的也少，要到親戚家去借去呢。"李紈笑道:"車也都是借得的囗衆人道:"奶奶説笑話兒了，車怎麼借不得?只是那一日所有的親戚都用車，只怕難囗想起還得雇呢。"李紈道:"底下人的只得雇，上頭白車也有雇的麼?"衆人道:"現在囗太、東府裏的大奶奶、小蓉奶奶都沒有車了，不雇那裏來的呢?"李紈聽了，嘆息道:囗前見有咱們家兒的太太奶奶們坐了雇的車來，咱們都笑話，如今輪到自己頭上了。囗兒去告訴你的男人，我們的車馬早早兒的預備好了，省得擠。"衆人答應了出去，不囗

　　且説史湘雲因他女婿病着，賈母死後只來的一次，屈指算是後日送殯，不能囗又見他女婿的病已成癆症，暫且不妨，只得坐夜前一日過來。想起賈母素日疼他，囗到自己命苦，剛配了一個才貌雙全的男人，性情又好，偏偏的得了冤孽症候，不過囗子罷了，于是更加悲痛，直哭了半夜。鴛鴦等再三勸慰不止。寶玉瞅着也不勝悲傷囗不好上前去勸，見他淡妝素服，不敷脂粉，更比未出嫁的時候猶勝幾分。轉念又看囗等，淡素裝飾，自有一種天生豐韻。獨有寶釵渾身孝服，那知道比尋常穿顏色時，囗一番雅致。心裏想道:"所以千紅萬紫，終讓梅花爲魁，殊不知並非是梅花開的早，囗'潔白清香'四字是不可及的了。但只這時候，若有林妹妹也是這樣打扮，又不知囗的豐韵了。"想到這裏，不覺的心酸起來，那淚珠便直滾滾的下來了，趁着賈母的事囗妨放聲大哭。衆人正勸湘雲不止，外間又添出一個哭的來了。大家只道是想着賈囗他的好處所以傷悲，豈知他們兩個人各自有各自的心事。這場大哭，不禁滿屋的囗不下淚。還是薛姨媽、李嬸娘等勸住。

　　明日是坐夜之期，更加熱鬧。鳳姐這日竟支撐不住，也無方法，只得用盡心力囗至咽喉嚷破。敷衍過了半日，到了下半天，人客更多了，事情也更繁了，瞻前不能囗正在着急，只見一個小丫頭跑來説:"二奶奶在這裏呢!怪不得大太太説:'裏頭人囗照應不過來，二奶奶是躲着受用去了。'"鳳姐聽了這話，一口氣撞上來，往下一囗淚直流，只覺得眼前一黑，嗓子裏一甜，便噴出鮮紅的血來，身子站不住，就蹲倒在囗幸虧平兒急忙過來扶住，只見鳳姐的血吐個不住。未知性命如何，下回分解。

第壹佰拾壹回

鴛鴦女殉主登太虛

狗彘奴欺天招夥盜

　　話説鳳姐聽了小丫頭的話，又氣又急又傷心，不覺吐了一口血，便昏暈過去，坐在地下。平兒急來靠着，忙叫了人來攙扶着，慢慢的送到自己房中，將鳳姐輕輕的安放在炕上，立刻叫小紅斟上一杯開水，送到鳳姐唇邊。鳳姐呷了一口，昏迷仍睡。秋桐過來略瞧了一瞧，卻便走開，平兒也不叫他。只見豐兒在旁站着，平兒叫他快快的去回明白了的，“二奶奶吐血發暈，不能照應”的話，告訴了邢、王二夫人。邢夫人打諒鳳姐推病藏躲，因這時女親在內不少，也不好説別的，心裏卻不全信，只説：“叫他歇着去罷。”衆人也並無言語。只説這晚人客來往不絶，幸得幾個內親照應。家下人等見鳳姐不在，也有偷閑歇力的，亂亂吵吵，已鬧的七顛八倒，不成事體了。到二更多天，遠客去後，便預備辭靈。孝幕內的女眷，大家都哭了一陣。只見鴛鴦已哭的昏暈過去了，大家扶住，捶鬧了一陣，才醒過來，便説“老太太疼我一場，我跟了去”的話。衆人都打諒人到悲哭，俱有這些言語，也不理會。到了辭靈之時，上上下下也有百十衆餘人，只鴛鴦不在，衆人忙亂之時，誰去撿點？到了琥珀等一干的人哭奠之時，卻不見鴛鴦，想來是他哭乏了，暫在別處歇着，也不言語。辭靈已後，外頭賈政叫了賈璉問明送殯的事，便商量着派人看家。賈璉回説：“上人裏頭，派了芸兒在家照應，不必送殯；下人裏頭，派了林

之孝的一家子照應拆棚等事。但不知裏頭派誰看家。"賈政道:"聽見你母親説是(你)
婦病了,不能去,就叫他在家的;你珍大嫂子又説你媳婦病得利害,還叫四丫頭陪(着)
帶領了幾個丫頭婆子照看上屋裏才好。"賈璉聽見了,心想:"珍大嫂子與四丫頭(素)
不合,所以攛掇着不叫他去。若是上頭就是他照應,也是不中用的。我們那一個又病(着),
也難照應。"想了一回,回賈政道:"老爺且歇歇兒,等進去商量定了再回。"賈政點(點)
頭,賈璉便進去了。

誰知此時鴛鴦哭了一場,想到:"自己跟着老太太一輩子,身子也沒有着落。(大)
大老爺雖不在家,大太太的這樣行爲,我也瞧不上。老爺是不管事的人,已後便(要)
爲王起來了,我們這些人不是要叫他們撥弄了麼?誰收在屋子裏,誰配小子,我(是)
不得這樣折磨的,倒不如死了乾净。但是一時怎麼樣的個死法呢?"一面想,一面(走到)
老太太的套間屋内。剛跨進門,只見燈光慘淡,隱隱有個女人拿着汗巾子,好似(要上)
吊的樣子。鴛鴦也不驚怕,心裏想道:"這一個是誰?和我的心事一樣,倒比我走(在頭)
裏了。"便問道:"你是誰?咱們兩個人是一樣的心,要死一塊兒死。"那個人也不答(應。)
鴛鴦走到跟前一看,並不是這屋子的丫頭;再仔細一看,覺得冷氣侵人,一時就(嚇住)
了。鴛鴦呆了一呆,退出在炕沿上坐下,細細一想道:"哦!是了。這是東府裏的小(蓉大)
奶奶啊!他早死了的了,怎麼到這裏來?必是來叫我了。他怎麼又上吊呢?"想了(一回)
道:"是了,必是教給我死的法兒。"鴛鴦這麼一想,邪侵入骨,便站起來,一面哭,(一面)
開了妝匣,取出那年鉸的一絡頭髮,揣在懷裏,就在身上解下一條汗巾,按着秦(氏方)
才比的地方拴上。自己又哭了一回,聽見外頭人客散去,恐有人進來,急忙關上屋(門,)
然後端了一個脚凳,自己站上,把汗巾拴上扣兒,套在咽喉,便把脚凳蹬開。可憐(咽喉)
氣絶,香魂出竅。正無投奔,只見秦氏隱隱在前,鴛鴦的魂魄疾忙趕上,説道:"蓉(大奶)
奶,你等等我。"那個人道:"我並不是什麼蓉大奶奶,乃警幻之妹可卿是也。"鴛鴦(道:)
"你明明是蓉大奶奶,怎麼説不是呢?"那人道:"這也有個緣故,待我告訴你,你(就)
明白了。我在警幻宫中,原是個鍾情的首坐,管的是風情月債,降臨塵世,自當爲(情而)
情人,引這些痴情怨女,早早歸入情司,所以該當懸梁自盡的。因我看破凡情,超(出苦)
海,歸入情天,所以太虛幻境痴情一司,竟自無人掌管。今警幻仙子已經將你補入,(叫)
我掌管此司,所以命我來引你前去的。"鴛鴦的魂道:"我是個最無情的,怎麼算(得)

賈政因鴛鴦爲賈母而死,要了香來,上了三炷,作了一個揖,説:"他是殉葬的人,
可作丫頭論,你們小一輩都該行個禮。"寶玉聽了,喜不自勝,走上來恭恭敬敬磕(了)
個頭。

鴛鴦女殉主登太虛

1033

狗彘奴欺天招夥盜

個有情的人呢?"那人道:"你還不知道呢,世人都把那淫欲之事當作'情'字,所以出傷風敗化的事來,還自謂風月多情,無關緊要。不知'情'之一字,喜怒哀樂未時,便是個性;喜怒哀樂已發,便是情了。至于你我這個情,正是未發之情,就如的含苞一樣。欲待發泄出來,這情就不爲真情了。"鴛鴦的魂聽了,點頭會意,便秦氏可卿而去。

　　這裏琥珀辭了靈,聽邢、王二夫人分派看家的人,想着去問鴛鴦明日怎樣坐車在賈母的外間屋裏找了一遍不見,便找到套間裏頭。剛到門口,見門兒掩着,從門望裏看時,只見燈光半明不滅的,影影綽綽。心裏害怕,又不聽見屋裏有什麼動静,回來説道:"這蹄子跑到那裏去了?"劈頭見了珍珠,説:"你見鴛鴦姐姐來着没有?"道:"我也找他,太太們等他説話呢。必在套間裏睡罷。"琥珀道:"我瞧了屋裏没有,那燈也没人夾兒,漆黑怪怕的,我没進去。如今咱們一塊兒進去看有没有。"琥珀等進去,正夾蠟花,珍珠説:"誰發撂在這裏,幾乎絆我一跤。"説着往上一瞧的"噯哟"一聲,身子往後一仰,"咕咚"的栽珀身上。琥珀也看見了,便大嚷起來,只是脚挪不動。外頭的人也都聽見了,跑進瞧,大家嚷着報與邢、王二夫人知道。人、寶釵等聽了,都哭着去瞧。邢夫人"我不料鴛鴦倒有這樣志氣,快叫人訴老爺。"只有寶玉聽見此信,便唬的直竪。襲人等慌忙扶着説道:"你要哭,別憋着氣。"寶玉死命的才哭了,心想:"鴛鴦這樣一個人,偏又死法!"又想:"實在天地間的靈氣,獨這些女子身上了。他算得了死所。我們究一件濁物,還是老太太的兒孫,誰能趕他?"復又喜歡起來。那時寶釵聽見寶玉也出來了,及到跟前,見他又笑。襲人等"不好了,又要瘋了!"寶釵道:"不妨事,他

紅樓夢

1034

第壹佰拾壹回

思。”寶玉聽了，更喜歡寶釵的話：“倒是他還知道我的心，別人那裏知道。”正在胡
思，賈政等進來，着實的嗟嘆着説道：“好孩子，不枉老太太疼他一場。”即命賈璉：
去吩咐人連夜買棺盛殮，明日便跟着老太太的殯送出，也停在老太太棺後，全了他
志。”賈璉答應出去。這裏命人將鴛鴦放下，停放裏間屋内。平兒也知道了，過來同
，鴛兒等一干人都哭的哀哀欲絕。内中紫鵑也想起自己終身，一無着落，恨不跟了
娘去，又全了主僕的恩義，又得了死所。如今空懸在寶玉屋内，雖説寶玉仍是柔情
，究竟算不得什麽，于是更哭得哀切。

王夫人即傳了鴛鴦的嫂子進來，叫他看着入殮，遂與邢夫人商量了，在老太太項内
他嫂子一百兩銀子，還説等閑了將鴛鴦所有的東西俱賞他們。他嫂子磕了頭出去，
歡説：“真真的我們姑娘是個有志氣的，有造化的，又得了好名聲，又得了好發送。”
一個婆子説道：“罷呀，嫂子，這會子你把一個活姑娘賣了一百銀，便這麽喜歡了；
候兒給了大老爺，你還不知得多少銀錢呢，你該更得意了。”一句話戳了他嫂子的
更紅了臉走開了。剛走到二門上，見林之孝帶了人抬進棺材來了，他只得也跟進去
盛殮，假意哭嚎了幾聲。賈政因他爲賈母而死，要了香來，上了三炷，作了一個揖，
他是殉葬的人，不可作丫頭論，你們小一輩都該行個禮。”寶玉聽了，喜不自勝，走
恭恭敬敬磕了幾個頭。賈璉想他素日的好處，也要上來行禮，被邢夫人説道：“有
個爺們便罷了，不要折受他不得超生。”賈璉就不便過來了。寶釵聽了，心中好不
，便説道：“我原不該給他行禮，但只老太太去世，咱們都有未了之事，不敢胡爲。
替咱們盡孝，咱們也該託託他，好好的替咱們伏侍老太太西去，也少盡一點心
説着，扶了鴛兒走到靈前，一面奠酒，那眼淚早撲簌簌流下來了。奠畢拜了幾拜，狠
哭了他一場。衆人也有説寶玉的兩口子都是傻子，也有説他兩個心腸兒好的，也
他知禮的，賈政反倒合了意。

一面商量定了看家的，仍是鳳姐、惜春，餘者都遣去伴靈。一夜誰敢安眠？一到五
覷見外面齊人。到了辰初發引，賈政居長，衰麻哭泣，極盡孝子之禮。靈柩出了門，
各家的路祭，一路上的風光，不必細述。走了半日，來至鐵檻寺安靈，所有孝男等
在廟伴宿，不題。且説家中林之孝帶領拆了棚，將門窗上好，打掃净了院子，派了
的人，到晚打更上夜。只是榮府規例：一時二更，三門掩上，男人便進不去了，裏頭
女人們查夜。鳳姐雖隔了一夜，漸漸的神氣清爽了些，只是那裏動得？只有平兒同
春各處走了一走，吩咐了上夜的人，也便各自歸房。

却説周瑞的乾兒子何三，去年賈珍管事之時，因他和鮑二打架，被賈珍打了一頓，

撑在外頭，終日在賭場過日。近知賈母死了，必有些事情領辦，豈知探了幾天的信□些也沒有想頭，便嚘聲嘆氣的回到賭場中，悶悶的坐下。那些人便說道：「老三，你□樣，不下來撈本了麼？」何三道：「倒想要撈一撈呢，就只沒有錢麼。」那些人道：「你□們周大太爺那裏去了幾日，府裏的錢你也不知弄了多少來，又來和我們裝窮兒了□三道：「你們還說呢！他們的金銀不知有幾百萬，只藏着不用。明兒留着不是火燒了□是賊偷了，他們才死心呢。」那些人道：「你又撒謊！他家抄了家，還有多少金銀？」□道：「你們還不知道呢，抄去的是撈不的。如今老太太死，還留了好些金銀，他們□也不使，都在老太太屋裏擱着，等送了殯回來才分呢。」

　　內中有一個人聽在心裏，擲了幾骰，便說：「我輸了幾個錢，也不翻本兒了，□了。」說着，便走出來拉了何三道：「老三，我和你說句話。」何三跟他出來。那人道□這樣一個伶俐人，這樣窮，爲你不服這口氣。」何三道：「我命裏窮。可有什麼法兒□那人道：「你才說榮府的銀子這麼多，爲什麼不去拿他使喚使喚？」何三道：「我的哥他家的金銀雖多，你我去白要一二錢，他們給咱們嗎？」那人笑道：「他不給咱們，□就不會拿嗎？」何三聽了這話裏有話，問道：「依你說，怎麼樣拿呢？」那人道：「我□沒有本事，若是我，早拿了來了。」何三道：「你有什麼本事？」那人便輕輕的說道：□發財，你就引個頭兒。我有好些朋友，都是通天的本事，不要說他們送殯去了，家□下幾個女人，就讓有多少男人也不怕。只怕你没這麼大膽子罷咧。」何三道：「什麼□敢？你打諒我怕那個乾老子麼？我是瞧着乾媽的情兒上頭，才認他做乾老子罷咧，□算了人了？你剛才的話，就只怕弄不來，倒招了饑荒。他們那個衙門不熟？別說拿□倘或拿了來，也要鬧出來的。」那人道：「這麼說，你的運氣來了！我的朋友，還有海□的呢，現今都在這裏看個風頭，等個門路。若到了手，你我在這裏也無益，不如大□海去受用，不好麼？你若撇不下你乾媽，咱們索性把你乾媽也帶了去，大家夥兒樂□好不好？」何三道：「老大，你別是醉了罷？這些話混說的什麼！」說着，拉了那人走□個僻靜地方，兩個人商量了一回，各人分頭而去，暫且不題。

　　且說包勇自被賈政吃喝，派去看園，賈母的事出來，也忙了，不曾派他差使。□不理會，總是自做自吃，悶來睡一覺，醒時便在園裏耍刀弄棍，倒也無拘無束。那□母一早出殯，他雖知道，因沒有派他差事，他任意閑游。只見一個女尼帶了一個□

來到園內腰門那裏扣門，包勇走來說道：“女師父，那裏去？”道婆道：“今日聽得太的事完了，不見四姑娘送殯，想必是在家看家。想他寂寞，我們師父來瞧他一日包勇道：“主子都不在，家園門是我看的，請你們回去罷。要來呢，等主子們回來下來。”婆子道：“你是那裏來的個黑炭頭？也要管起我們的走動來了。”包勇道：“你們這些人。我不叫你們來，你們有什麼法兒？”婆子生了氣，嚷道：“這都是反的事！連老太太在日還不能攔我們的來往走動呢，你是那裏的這麼個橫強盜，沒法沒天的？我偏要打這裏走！”說着，便把手在門環上狠狠的打了幾下。妙玉的不言語，正要回身便走，不料裏頭看二門的婆子聽見有人伴嘴的，開門一看是妙玉已經回身走去，明知必是包勇得罪了走了。近日婆子們都知道上頭太太姑娘都親近得狠，恐他日後說出門上不放他進來，那時如何耽得住？趕忙走“不知師父來，我們開門遲了。我們四姑娘在家裏，還正想師父呢，快請回來。看小子是個新來的，他不知咱們的事，回來回了太太打他一頓，攆出去就完了。”雖是聽見，總不理他。那經得看腰門的婆子趕上，再四央求，後來才說出怕自己是，幾乎急的跪下。妙玉無奈，只得隨了那婆子過來。包勇見這般光景，自然他，氣得瞪眼嘆氣而回。

　　這裏妙玉帶了道婆走到惜春那裏，道了惱，叙了些閑話，說起：“在家看家，熬個幾夜。但是二奶奶病着，一個人又悶又是害怕，能有一個人在這裏，我就放如今裏頭一個男人也沒有，今兒你既光降，肯伴我一宵，咱們下棋說話兒，可麼？”妙玉本自不肯，見惜春可憐，又提起下棋，一時高興應了。打發道婆回去取的茶具衣褥，命侍兒送了過來，大家坐談一夜。惜春欣幸異常，便命彩屏去開上的雨水，預備好茶，那妙玉自有茶具。那道婆去了不多一時，又來了個侍者，帶玉日用之物，惜春親自烹茶。兩人言語投機，說了半天。那時已是初更時候，彩下棋枰，兩人對弈。惜春連輸兩盤，妙玉又讓了四個子兒，惜春方贏了半子。這到四更，天空地闊，萬籟無聲。妙玉道：“我到五更須得打坐一回，我自有人伏侍自去歇息。”惜春猶是不捨，見妙玉要自己養神，不便謬他。正要歇去，猛聽得東屋內上夜的人一片聲喊起，惜春那裏的老婆子們也接着聲嚷道：“了不得了，有了！”唬得惜春、彩屏等心膽俱裂。聽見外頭上夜的男人便聲喊起來，妙玉道：“了！必是這裏有了賊了。”正說着，這裏不敢開門，便掩了燈光，在窗戶眼內往外只是幾個男人站在院內，唬得不敢作聲，回身擺着手，輕輕的爬下來說：“了不得頭有幾個大漢站着。”說猶未了，又聽得房上響聲不絕，便有外頭上夜的人進來

。一個人說道："上屋裏的東西都丟了，並不見人，東邊有人去了，咱們到西邊

"惜春的老婆子聽見有自己的人，便在外間屋裏說道："這裏有好些人上了房

"上夜的都道："你瞧，這可不是嗎！"大家一齊嚷起來。只聽房上飛下好些瓦來，

都不敢上前。

正在沒法，只聽園門腰門一聲大響，打進門來，見一個稍長大漢，手執木棍，眾人

藏躲不及。聽得那人喊說道："不要跑了他們一個！你們都跟我來。"這些家人聽

話，越發唬得骨軟筋酥，連跑也跑不動了。只見這人站在當地，只管亂喊。家人

一個眼尖的看出來了。——你道是誰？正是甄家薦來的包勇。這些家人不覺

起來，便顫巍巍的說道："有一個走了，有的在房上呢。"包勇便向地下一撲，聳

房，追趕那賊。這些賊人明知賈家無人，先在院內偷看惜春房內，見有個絕色女

更頓起淫心。又欺上屋俱是女人，且又畏懼，正要

門去，因聽外面有人進來追趕，所以賊眾上房。

不多，還想抵擋。猛見一人上房趕來，那些賊見

人，越發不理論了，便用短兵抵住。那經得包

力一棍打去，將賊打下房來，那些賊飛奔而

從園牆過去，包勇也在房上追捕。豈知園

藏下了幾個在那裏接贓，已經接過好

見賊夥跑回，大家舉械保護。見追的只

人，明欺寡不敵眾，反倒迎上來。包勇

生氣道："這些毛賊，敢來和我鬥

那夥賊便說："我們有一個夥計被

打倒了，不知死活，咱們索性搶

出來。"這裏包勇聞聲即打，那夥

輪起器械，四五個人圍住包勇亂

來。外頭上夜的人，也都仗着膽

只顧趕了來。眾賊見鬥他不過，只

了。包勇還要趕時，被一個箱子

立定看時，心想東西未丟，眾賊

也不追趕，便叫眾人將燈照

下只有幾個空箱，叫人收拾，

他便欲跑回上房。因路徑不熟，走到鳳姐那邊，見裏面燈燭輝煌，便問：「這裏有別
有？」裏頭的平兒戰兢兢的說道：「這裏也沒開門，只聽上屋叫喊說有賊呢，你到別
去罷。」包勇正摸不着路頭，遙見上夜的人過來，才跟着一齊尋到上屋。見是門閂
啓，那些上夜的在那裏啼哭。

　　一時賈芸、林之孝都進來了，見是失盜，大家着急。進內查點，老太太的房門大
將燈一照，鎖頭擰拆；進內一瞧，箱櫃已開。便罵那些上夜女人道：「你們都是死人麼
人進來，你們不知道的麼？」那些上夜的人啼哭着說道：「我們幾個人輪更上夜，是
三更的，我們都沒有住腳前後走的。他們是四更五更，我們的下班兒，只聽見他們□
來，並不見一個人。趕着照看，不知什麼時候把東西早已丟了。求爺們問管四五更□
林之孝的道：「你們個個要死，回來再說。咱們先到各處看去。」上夜的男人領着走□
氏那邊，門兒關緊。有幾個接音說：「唬死我們了。」林之孝的問道：「這裏沒有丟東□
裏頭的人方開了門，道：「這裏沒丟東西。」林之孝帶着人走到惜春院內，只得裏面說
「了不得了，唬死了姑娘了。醒醒兒罷！」林之孝便叫人開門，問是怎樣了，裏頭婆□
門，說：「賊在這裏打仗，把姑娘都唬壞了。虧得妙師父和彩屏，才將姑娘救醒。東□
沒失。」林之孝道：「賊人怎麼打仗？」上夜的男人說：「幸虧包大爺上了房，把賊□
去了，還聽見打倒一個人呢。」包勇道：「在園門那裏呢。」

　　賈芸等走到那邊，果見一人躺在地下死了。細細一瞧，好像周瑞的乾兒子□
見了咤異，派一個人看守着，又派兩個人照看前後門，俱仍舊關鎖着。林之孝便□
開了門，報了營官，立刻到來查勘踏察賊迹，是從後夾道上屋的，到了西院房上，
瓦破碎不堪，一直過了後園去了。衆上夜的齊聲說道：「這不是賊，是強盜。」營官
道：「並非明火執杖，怎算是盜！」上夜的道：「我們趕賊，他在房上擲瓦，我們不□
前，幸虧我們家的姓包的上房打退，趕到園裏。還有好幾個賊，竟與姓包的打仗，□
過姓包的，才都跑了。」營官道：「可又來！若是強盜，倒打不過你們的人麼？不用說
你們快查清了東西，遞了失單，我們報就是了。」賈芸等又到上屋，已見鳳姐扶□
來，惜春也來。賈芸請了鳳姐的安，問了惜春的好。大家查看失物，因鴛鴦已死，
等又送靈去了，那些東西都是老太太的，並沒見數，只用封鎖，如今打從那裏查去□
人都說：「箱櫃東西不少，如今一空。偷的時候不小，那些上夜的人管什麼的？況
死的賊是周瑞的乾兒子，必是他們通同一氣的。」鳳姐聽了，氣的眼睛直瞪瞪的
說：「把那些上夜的女人都拴起來，交給營裏審問。」衆人叫苦連天，跪地哀求。□
生發放，並失去的物有無着落，下回分解。

第壹佰拾貳回

活冤孽妙尼遭大劫　死讎仇趙妾赴冥曹

說話鳳姐命捆起上夜衆女人，送營審問，女人跪地哀求。林之孝同賈芸道：「你們求也無益。老爺派我們看家，沒有事是造化；如今有了事，上下都耽不是，誰救得你？若說是周瑞的乾兒子，連太太起，裏裏外外的都不乾凈。」鳳姐喘吁吁的說道：「這都是命裏所招，和他們說什麼？帶了他們去就是了。那丟的東西，你告訴營裏去，說實在是老太太的東西，問老爺們才知道。等我們報了去，請了老爺們回來，自然開了失單送來。文官衙門裏，我們也是這樣報。」賈芸、林之孝答應出去。惜春一句話也沒有，只是哭道：「這些事我從來沒有聽見過，爲什麼偏偏碰在咱們兩個人身上？明兒老爺太太叫回來，我怎麼見人？說把家裏交給咱們，如今鬧到這個分兒，還想活着麼！」鳳姐道：「咱們願意嗎！現在有上夜的人在那裏。」惜春道：「你還能說，況且你又病着；我是沒有說的。——這都是我大嫂子害了我的，他攛掇着太太派我看家的。如今我的臉擱在那裏呢？」說着，又痛哭起來。鳳姐道：「姑娘，你快別這麼想。若說沒臉，大家一樣的，你若這麼糊塗想頭，我更擱不住了。」二人正說着，只聽見外頭院子裏有人大嚷的說道：「我說那三姑六婆是再要不得的！我們甄府裏從來是一概不許上門的，不想這府裏倒不講究這個呢。昨兒老太太的殯才出去，那個什麼庵裏的尼姑死要到咱們這裏來。我吆喝着不准他們進來，腰門上的老婆子倒罵我，死央及叫放那姑子進去。那腰門子一會兒開着，一會兒關着，不知做什麼。我不放心，沒敢睡，聽到四更，這裏就嚷起來，我來叫門倒

1041

不開了。我聽見聲兒緊了，打開了門，見西邊院子裏有人站着，我便趕走打死了。我才知道，這是四姑奶奶的屋子，那個姑子就在裏頭，今兒天沒亮溜出去了。可不是那姑子引進來的賊麼？”

平兒等聽着都說：“這是誰這麼没規矩？姑娘奶奶都在這裏，敢在外頭混嚷嗎。”鳳姐道：“你聽見說他甄府裏，別就是甄家薦來的那個厭物罷。”惜春聽得明白，更加心裏過不的。鳳姐接着問惜春道：“那個人混説什麼姑子，你們那裏弄了個姑子住下了？”惜春便將妙玉來瞧他，留着下棋守夜的話説了。鳳姐道：“是他麼？他怎麼肯這樣？——再没有的話。但是叫這討人嫌的東西嚷出來，老爺知道了也不好。”惜春愈想愈怕，顛顛倒倒來要走。鳳姐雖説坐不住，又怕惜春害怕，弄出事來，只得叫他先別走，“且看着人把剩下的東西收起來，再派了人看着才好走呢。”平兒道：“咱們不敢收，等衙門裏來了看了，才好收呢。咱們只好看着。但只不知老爺那裏有人去了没有？”鳳姐道：“你叫人問去。”一回進來説：“林之孝是走不開，家下人要伺候查驗的。再有的是説不清楚，已經芸二爺去了。”鳳姐點頭，同惜春坐着發愁。

且説那夥賊原是何三等邀的，偷搶了好些金銀財寶接運出去，見人追趕，知道着那些不中用的人，要往西邊屋内偷去。在窗外看見裏面燈光底下兩個美人：一個姑子，一個姑子。那些賊那顧性命，頓起不良，就要蹦進來。因見包勇來趕，才獲贜而逃，遇見了何三。大家且躱入窩家，到第二天打聽動靜，知是何三被他們打死，已經報了文武衙門，這裏是躱不住的，便商量趁早歸入海洋大盜一處去；若遲了，通緝文書一行，關上就過不去了。内中一個人膽子極大，便説：“咱們走是走，我就只捨不得那個姑子的實在好看，不知是那個庵裏的雛兒呢？”一個人道：“啊呀，我想起來了，必就是賈府裏的什麼櫳翠庵裏的姑子，不是前年外頭説他和他們家什麼寶二爺有原故，後來怎麼又害起相思病來了，請大夫吃藥的就是他。”那一個人聽了，説：“咱們今日躱一躱，叫咱們大哥借錢置辦些買賣行頭，明兒亮鐘時候陸續出關。咱們在關外二十里地等我。”衆賊議定，分贜俵散。不題。

且説賈政等送殯，到了寺内安厝畢，親友散去。賈政在外厢房伴靈，邢、王二夫人在内，一宿無非哭泣。到了第二日，重新上祭，正擺飯時，只見賈芸進來，在老太太靈前磕了個頭，忙忙的跑到賈政跟前，跪下請了安，喘吁吁的將昨夜被盜，將老太太上房東西都偷去，包勇趕賊打死了一個，已經呈報文武衙門的話説了一遍。賈政聽了發怔，邢、王二夫人等在裏頭也聽見了，都唬得魂不附體，並無一言，只有啼哭。賈政過了一會子，問：“失單怎樣開的？”賈芸回道：“家裏的人都不知道，還没有開單。”賈政道：“還虧咱們動過家的，若開出好的來，反耽罪名。快叫璉兒！”賈璉領了寶玉等去別處上祭

妙玉因素常一個打坐的，今日又不肯叫人相伴，豈知到了五更，寒顫起來。正要叫人，聽見窗外一響，想起昨晚的事，更加害怕。

陳安

賈政叫人趕了回來。賈璉聽了，急得直跳，一見芸兒，也不顧賈政在那裏，便把賈芸
　的罵了一頓，說：「不配抬舉的東西！我將這樣重任託你，押着人上夜巡更，你是死
　麼？虧你還有臉來告訴！」說着，往賈芸臉上唾了幾口。賈芸垂手站着，不敢回一言。賈
　道：「你罵他也無益了。」賈璉然後跪下，說：「這便怎麼樣？」賈政道：「也没法兒，只有
　富緝賊。但只是一件：老太太遺下的東西，咱們都没動。你說要銀子，我想老太太死得
　夭，誰忍得動他那一項銀子。原打諒完了事，算了賬還人家。再有的，在這裏和南邊置

墳產的。再有東西，也沒見數兒。如今說文武衙門要失單，若將幾件好的東西開上，玿
礙；若說金銀若干，衣飾若干，又沒有實在數目，謊開使不得。倒可笑你如今竟換了
人了，爲什麼這樣了理不開？你跪在這裏是怎麼樣呢！"賈璉也不敢答言，只得站起來
走。賈政又叫道："你那裏去？"賈璉又跪下道："趕回去料理清楚，再來回。"賈政哼的
聲，賈璉把頭低下。賈政道："你進去回了你母親，叫了老太太的一兩個丫頭去，叫他
細細的想了開單子。"賈璉心裏明知老太太的東西都是鴛鴦經管，他死了問誰？就問珍
珠，他們那裏記得清楚？只不敢駁回，連連的答應。起來走到裏頭，邢、王夫人又叫
了一頓，叫賈璉："快回去問他們這些看家的，說明兒怎麼見我們？"賈璉也只得答應
出來，一面命人套車，預備琥珀等進城，自己騎上騾子，跟了幾個小廝，如飛的回去。
芸也不敢再回賈政，斜簽着身子慢慢的溜出來，騎上了馬，來趕賈璉。一路無話。

　　到了回家中，林之孝請了安，一直跟了進來。賈璉到了老太太上屋，見了鳳姐、惜
在那裏，心裏又恨，又說不出來，便問林之孝道："衙門裏瞧了沒有？"林之孝自知有
便跪下回道："文武衙門都瞧了，來踪去迹也看了，尸也驗了。"賈璉吃驚道："又驗什
尸？"林之孝又將包勇打死的夥賊似周瑞的乾兒子的話回了賈璉。賈璉道："叫芸兒。
芸進來，也跪着聽話。賈璉道："你見老爺時，怎麼沒有回周瑞的乾兒子做了賊，被人
打死的話？"賈芸說道："上夜的人說像他的，恐怕不真，所以沒有回。"賈璉道："好糊
東西！你若告訴了，我就帶了周瑞來一認，可不就知道了？"林之孝回道："如今衙門
尸首放在市口兒招認去了。"賈璉道："這又是個糊塗東西！誰家的人做了賊，被人打
要償命麼！"林之孝回道："這不用人家認，奴才就認得是他。"賈璉聽了想道："是啊
記得珍大爺那一年要打的，可不是周瑞家的麼！"林之孝回說："他和鮑二爺打架來
還見過的呢。"賈璉聽了更生氣，便要打上夜的人。林之孝哀告道："請二爺息怒。那上
夜的人，派了他們，還敢偷懶？只是爺府上的規矩：三門裏一個男人不敢進去的，就奴
才們，裏頭不叫也不敢進去。奴才在外同芸哥兒刻刻查點，見三門關的嚴嚴的，外頭
門一重沒有開，那賊是從後夾道子來的。"賈璉道："裏頭上夜的女人呢？"林之孝說："都
上夜，奉奶奶的命捆着，等爺審問的話回了。"賈璉又問："包勇呢？"林之孝說："又往園
去了。"賈璉便說："去叫來。"小廝們便將包勇帶來，說："還虧你在這裏，若沒有你，
所有房屋裏的東西都搶了去了呢。"包勇也不言語。惜春恐他說出那話，心下着急，
也不敢言語。只見外頭說："琥珀姐姐等回來了。"大家見了，不免又哭一場。賈璉叫
點偷剩下的東西，只有些衣服、尺頭、錢箱未動，餘者都沒有了。賈璉心裏更加着
着外頭的棚杠銀、厨房的錢都沒有付給，明兒拿什麼還呢？便呆想了一會。只見琥

那知那個人把刀插在背後，騰出手來，將妙玉輕輕的抱起，輕薄了一會子，便拖起身
上。此時妙玉心中只是如醉如痴。可憐一個極潔極净的女兒，被這强盜的悶香薰住，任
他撥弄了去了。

陳安白

哭了一會，見箱櫃開着，所有的東西怎能記憶？便胡亂想猜，虛擬了一張失單，命
□送到文武衙門。賈璉復又派人上夜。鳳姐、惜春各自回房。賈璉不敢在家安歇，也
□埋怨鳳姐，竟自騎馬趕出城外。這裏鳳姐又恐惜春短見，又打發了豐兒過去安慰。
　天已二更，不言這裏賊去關門，衆人更加小心，誰敢睡覺？且說夥賊一心想着妙玉，
□孤庵女衆，不難欺負。到了三更靜，便拿了短兵器，帶了些悶香，跳上高牆。遠遠瞧
□翠庵內燈光猶亮，便潛身溜下，藏在房頭僻處。等到四更，見裏頭只有一盞海燈，
□一人在蒲團上打坐。歇了一會，便噯聲嘆氣的說道："我自玄墓到京，原想傳個名
□爲這裏請來，不能又栖他處。昨兒好心去瞧四姑娘，反受了這蠢人的氣！"夜裏又
□大驚，今日回來，那蒲團再坐不穩，只覺肉跳心驚。因素常一個打坐的，今日又不
□人相伴，豈知到了五更，寒顫起來。正要叫人，只聽見窗外一響，想起昨晚的事，更
□怕，不免叫人。豈知那些婆子都不答應，自己坐着，覺得一股香氣透入囟門，便手
□木，不能動彈，口裏
□不出話來，心中更自
□。只見一個人拿着明
□的刀進來，此時妙
□中卻是明白，只不能
□想是要殺自己，索性
□心，倒不怕他。那知
□人把刀插在背後，騰
□來，將妙玉輕輕的抱
□輕薄了一會子，便拖
□在身上。此時妙玉心
□是如醉如痴。可憐一
□潔極淨的女兒，被這
□的悶香薰住，由着他
□了去了。卻說這賊背
□玉，來到園後牆邊，
□軟梯爬上牆，跳出去
□外邊早有夥計弄了車
□園外等着，那人將妙

玉放倒在車上，反打起官銜燈籠，叫開柵欄，急急行到城門，正是開門之時。門官只
是有公幹出城的，也不及查詰。趕出城去，那夥賊加鞭趕到二十里坡，和衆强徒打了
面，各自分頭奔南海而去。

　　不知妙玉被劫，或是甘受污辱，還是不屈而死，不知下落，也難妄擬。只言櫳翠
一個跟妙玉的女尼，他本住在靜室後面，睡到五更，聽見前面有人聲響，只道妙玉打
不安。後來聽見有男人脚步，門窗響動，欲要起來瞧看，只是身子發軟，懶怠開口，又
聽見妙玉言語，只睜着兩眼聽着。到了天亮，終覺得心裏清楚，披衣起來，叫了道婆
備妙玉茶水，他便往前面來看妙玉，豈知妙玉的踪跡全無。門窗大開，心裏咤異昨晚
動，甚是疑心，說：“這樣早，他到那裏去了？”走出院門一看，有一個軟梯靠牆立着，
下還有一把刀鞘，一條搭膊，便道：“不好了！昨晚是賊燒了悶香了！”急叫人起來查
庵門仍是緊閉。那些婆子女侍們都說：“昨夜煤氣熏着了，今早都起不來。這麼早
我們做什麼？”那女尼道：“師父不知那裏去了。”衆人道：“在觀音堂打坐呢。”女尼道：
“你們還做夢呢！你來瞧瞧。”衆人不知，也都着忙，開了庵門，滿園裏都找到了，想必
是到四姑娘那裏去了。衆人來叩腰門，又被包勇罵了一頓。衆人說道：“我們妙師父昨
晚不知去向，所以來找。求你老人家叫開腰門，問一問來了沒來就是了。”包勇道：“你
們師父引了賊來偷我們，已經偷到手了，他跟了賊去受用去了。”衆人道：“阿彌陀佛！
說這些話的，防着下割舌地獄。”包勇生氣道：“胡說！你們再鬧，我就要打了！”衆人陪
笑央告道：“求爺叫開門，我們瞧瞧。若沒有，再不敢驚動你太爺了。”包勇道：“你們跟
你去找。若沒有，回來問你們。”包勇說着，叫開腰門，衆人且找到惜春那裏。

　　惜春正是愁悶，恬着：“妙玉清早去後，不知聽見我們姓包的話了沒有？只怕怪
了他，以後總不肯來，我的知己是沒有了。況我現在實難見人。父母早死，嫂子嫌我，
裏有老太太，到底還疼我些；如今也死了，留下我孤苦伶仃，如何了局？”想到：“迎
姐磨折死了，史姐姐守着病人，三姐姐遠去。這都是命裏所招，不能自由；獨有妙玉
閒雲野鶴，無拘無束，我能學他，就造化不小了。但我是世家之女，怎能遂意？這回看
已大耽不是，還有何顏在這裏？又恐太太們不知我的心事。將來的後事如何呢？”想到
間，便要把自己的青絲鉸去，要想出家。彩屏等聽見，急忙來勸，豈知已將一半頭髮鉸
去。彩屏愈加着忙，說道：“一事不了，又出一事，這可怎麼好呢？”正在吵鬧，只見妙玉
道婆來找妙玉，彩屏問起來由，先唬了一跳，說是：“昨日一早去了沒來。”裏面惜春聽
見，急忙問道：“那裏去了？”道婆們將昨夜聽見的響動，被煤氣薰着，今早不見有妙玉
庵內梯刀鞘的話說了一遍。惜春驚疑不定，想起昨日包勇的話來，必是那些强盜看上
他，昨晚搶去了，也未可知。但是他素來孤潔的狠，豈肯惜命？“怎麼你們都沒聽見

惜春想到其間，便要把自己的青絲鉸去，要想出家。彩屏等聽見，急忙來勸，豈知已
半頭髮鉸去。

　　　　　　　　　　　　　　　　　　　　　　　　　　　　　　　　　　楊德衡

人道："怎麼不聽見?只是我們這些人都是睜着眼，連一句話也説不出，必是那賊子燒〔〕香。妙姑一人想也被賊悶住，不能言語。況且賊人必多，拿刀弄杖威逼着，他還敢聲〔〕?"正説着，包勇又在腰門那裏嚷説："裏頭快把這些混賬的婆子趕了出來罷! 快關〔門〕!"彩屏聽見，恐耽不是，只得叫婆子出去，叫人關了腰門。惜春於是更加苦楚，無奈〔〕等再三以禮相勸，仍舊將一半青絲籠起。大家商議不必聲張，就是妙玉被搶，也當〔不〕知，且等老爺太太回來再説。惜春心裏的死定下一個出家的念頭，暫且不提。

　　且説賈璉回到鐵檻寺，將到家中查點了上夜的人，開了失單報去的話回了。賈政道：〔怎〕樣開的?"賈璉便將琥珀所記得的數目單子呈出，並説："這上頭元妃賜的東西，已經〔開〕；還有那人家不大有的東西，不便開上。等侄兒脱了孝，出去託人細細的緝訪，少不〔得查〕出來的。"賈政聽了合意，就點頭不言。賈璉進內見了邢、王二夫人，商量着："勸老〔太太〕些回家才好呢，不然都是亂麻似的。"邢夫人道："可不是?我們在這裏也是驚心吊〔膽。〕"賈璉道："這是我們不敢説的，還是太太的主意，二老爺是依的。"邢夫人便與王夫〔人商〕議妥了。過了一夜，賈政也不放心，打發寶玉進來説："請太太們今日回家，過兩三〔天再〕來。家人們已經派定了，裏頭請太太們派人罷。"邢夫人派了鸚哥等一干人伴靈，將〔〕

　　〔靈〕家的等人派了總　　〔〕其餘上下人等都回　　〔〕一時忙亂套車備馬。　　〔鴛鴦〕等在賈母靈前辭　　〔〕衆人又哭了一場。

　　〔〕都起來正要走時，　　〔那〕趙姨娘還爬在地下　　〔〕。周姨娘打諒他還　　〔〕更去拉他。豈知趙姨〔娘〕嘴白沫，眼睛直豎　　〔舌〕頭吐出，反把家人〔嚇了〕一大跳。賈環過來　　〔〕。趙姨娘醒來，説　　〔：〕我是不回去的，跟〔着老〕太太回南去!"衆人〔道：〕老太太那用你來?"〔趙姨〕娘道："我跟了一輩

子老太太，大老爺還不依，弄神弄鬼的來算計我。我想仗着馬道婆要出出我的氣，銀白花了好些，也沒有弄死了一個。如今我回去了，又不知誰來算計我。"衆人聽見，□是鴛鴦附在他身上，邢、王二夫人都不言語瞅着，只有彩雲等代他央告道："鴛鴦姐□你死是自己願意的，與趙姨娘什麼相干?放了他罷。"見邢夫人在這裏，也不敢説別□趙姨娘道："我不是鴛鴦，他早到仙界去了。我是閻王差人拿我去的，要問我爲什麼□馬婆子用魘魔法的案件。"説着，便叫："好姪二奶奶，你在這裏老爺面前少頂一句兒□我有一千日的不好，還有一天的好呢。好二奶奶，親二奶奶，並不是我要害你，我一□塗，聽了那個老娼婦的話……"正鬧着，賈政打發人進來叫環兒，婆子們去回説："趙□娘中了邪了，三爺看着呢。"賈政道："沒有的事。我們先走了。"于是爺們等先回，□趙姨娘還是混説，一時救不過來。邢夫人恐他又説出什麼來，便説："多派幾個人□裏瞧着他，咱們先走。到了城裏，打發大夫出來瞧罷。"王夫人本嫌他，也打撒手兒□釵本是仁厚的人，雖想着他害寶玉的事，心裏究竟過不去，背地裏託了周姨娘在這□應。周姨娘也是個好人，便應承了。李紈説道："我也在這裏罷。"王夫人道："可以不□于是大家都要起身。賈環兒忙道："我也在這裏嗎?"王夫人啐道："糊塗東西! 你姨□死活都不知，你還要走嗎?"賈環就不敢言語了。寶玉道："好兄弟，你是走不得的。□了城，打發人來瞧你。"説畢，都上車回家。寺裏只有趙姨娘、賈環、鸚鵡等人。

賈政、邢夫人等先後到家，到了上房，哭了一場。林之孝帶了家下衆人請了安□着。賈政喝道："去罷! 明日問你。"鳳姐那日發暈了幾次，竟不能出接。只有惜春見□覺得滿面羞慚。邢夫人也不理他，王夫人仍是照常，李紈、寶釵拉着手説了幾句話□有尤氏説道："姑娘，你操心了，倒照應了好幾天。"惜春一言不答，只紫漲了臉。寶□尤氏一拉，使了個眼色，尤氏等各自歸房去了。賈政略略的看了一看，嘆了口氣，並□語。到書房席地坐下，叫了賈璉、賈蓉、賈芸吩咐了幾句話。寶玉要在書房來陪賈政□政道："不必。"蘭兒仍跟他母親。一宿無話。次日，林之孝一早進書房跪着，賈政將□被盜的事問了一遍，並將周瑞供了出來，又説："衙門拿住了鮑二，身邊搜出了失單□東西，現在夾訊，要在他身上要這一夥賊呢。"賈政聽了大怒道："家奴負恩，引賊□家主，真是反了! "立刻叫人到城外將周瑞捆了，送到衙門審問。林之孝只管跪着，□起來。賈政道："你還跪着做什麼?"林之孝道："奴才該死，求老爺開恩。"正説着，□等一干辦事家人上來請了安，呈上喪事賬簿。賈政道："交給璉二爺算明了來回。"□着林之孝起來出去了。賈璉一腿跪着，在賈政身邊説了一句話，賈政把眼一瞪，道：□説! 老太太的事，銀兩被賊偷去，就該罰奴才拿出來麼?"賈璉紅了臉，不敢言語，□來也不敢動。賈政道："你媳婦怎麼樣?"賈璉又跪下説："看來是不中用了。"賈政□氣道："我不料家運衰敗，一至如此! 況且環哥兒他媽，尚在廟中病着，也不知是什□候。你們知道不知道?"賈璉也不敢言語。賈政道："傳出話去，叫人帶了大夫瞧去□璉即忙答應着出來，叫人帶了大夫，到鐵檻寺去瞧趙姨娘。未知死活，下回分解。

話説趙姨娘在寺内得了暴病，見人少了，更加混説起來，唬的衆人都恨。就有兩個女人攙着趙姨娘，雙膝跪在地下，説一回，哭一回。有時爬在地下叫饒，説：「打殺我了！紅鬍子的老爺，我再不敢了！」有一時雙手合着，也是叫疼，眼睛突出，嘴裏鮮血直流，頭髮披散。人人害怕，不敢近前。那時又將天晚，趙姨娘的聲音只管陰啞起來了，居然鬼嚎一般，無人敢在他跟前，只得叫了幾個有膽量的男人進來坐着。趙姨娘一時死去，隔了些時，又回過來，整整的鬧了一夜。到了第二天，也不言語，只裝鬼臉，自己拿手撕開衣服，露出胸膛，好像有人剝他的樣子。可憐趙姨娘雖説不出來，其痛苦之狀，實在難堪。正在危急，大夫來了，也不敢診脉，只囑咐：「辦後事罷。」説了，起身就走。那送大夫的家人再三央告，説：「請老爺看看脉，小的好回稟家主。」那大夫用手一摸，已無脉息。賈環聽了，然後大哭起來。衆人只顧賈環，誰料趙姨娘。只有周姨娘心裏苦楚，想到：「做偏房側室的下場頭，不過如此！況他還有兒子的，我將來死起來，還不知怎樣呢！」于是反哭的悲切。

且説那人趲回家去，回稟了賈政，即派家人去照例料理，陪着環兒住了三天，一同回來。那人去了，這裏一人傳十，十人傳百，都知道趙姨娘

使了毒心害人，被陰司裏拷打死了。又說是：“璉二奶奶只怕也好不了，怎麼說璉
奶告的呢？”這些話傳到平兒耳內，甚是着急。看着鳳姐的樣子，實在是不能好的。
看着賈璉近日，並不似先前的恩愛，本來事也多，竟像不與他相干的。平兒在鳳
前只管勸慰。又想着邢、王二夫人回家幾日，只打發人來問問，並不親身來看，鳳
裏更加悲苦。賈璉回來，也沒有一句貼心的話。鳳姐此時，只求速死，心裏一想，
悉至。只見尤二姐從房後走來，漸近床前，說：“姐姐，許久的不見了。做妹妹的想
狠，要見不能，如今好容易進來見見姐姐。姐姐的心機也用盡了。咱們的二爺糊塗
不領姐姐的情。反倒怨姐姐作事過於苛刻，把他的前程去了，叫他如今見不得人
替姐姐氣不平。”鳳姐恍惚說道：“我如今也後悔我的心忒窄了。妹妹不念舊惡，
瞧我。”平兒在旁聽見，說道：“奶奶說什麼？”鳳姐一時蘇醒，想起尤二姐已死，必
來索命，被平兒叫醒，心裏害怕，又不肯說出，只得勉強說道：“我神魂不定，想是
話。給我捶捶。”

　　平兒上去捶着，見個小丫頭子進來，說是：“劉老老來了，婆子們帶着來請奶
安。”平兒急忙下來，說：“在那裏呢？”小丫頭子說：“他不敢就進來，還聽奶奶
下。”平兒聽了點頭，想鳳姐病裏必是懶待見人，便說道：“奶奶現在養神呢，暫
他等着。你問他來有什麼事麼？”小丫頭子說道：“他們問過了，沒有事。說知道
太去世了，因沒有報，才來遲了。”小丫頭子說着，鳳姐聽見，便叫：“平兒你來。
好心來瞧，不要冷淡人家。你去請了劉老老進來，我和他說說話兒。”平兒只得
請劉老老這裏坐。鳳姐剛要合眼，又見一個男人一個女人走向炕前，就像要上
的。鳳姐着忙，便叫平兒說：“那裏來了一個男人，跑到這裏來了！”連叫兩聲，
兒、小紅趕來說：“奶奶要什麼？”鳳姐睜眼一瞧，不見有人，心裏明白，不肯說出
便問豐兒道：“平兒這東西那裏去了麼？”豐兒道：“不是奶奶叫去請劉老老去了麼
姐定了一會神，也不言語。只見平兒同劉老老帶了一個小女孩兒進來，說：“我
奶奶在那裏。”平兒引到炕邊，劉老老便說：“請姑奶奶安。”鳳姐睜眼一看，不覺
傷心，說：“老老，你好。怎麼這時候才來？你瞧你外孫女兒也長的這麼大了。”劉
看着鳳姐骨瘦如柴，神情恍惚，心裏也就悲慘起來，說：“我的奶奶！怎麼這幾個
見，就病到這個分兒？我糊塗的要死，怎麼不早來請姑奶奶的安！”便叫青兒給姑

鳳姐明知劉老老一片好心，不好勉強，只得留下金鐲子，說：“老老，我的命交給你了
的巧姐兒也是千災百病的，也交給你了。”劉老老順口答應。
陳安

懺宿冤鳳姐託村嫗
釋舊憾情婢感痴郎

請安，青兒只是笑。鳳姐看了，倒也十分喜
便叫小紅招呼着。劉老老道：「我們屯鄉
人，不會病的。若一病了，就要求神許願，
知道吃藥的。我想姑奶奶的病，不要撞着
了罷？」平兒聽着那話不在理，便在背地
他。劉老老會意，便不言語。

　　那裏知道這句話倒合了鳳姐的意，
着說：「老老，你是有年紀的人，説的不錯
見過的趙姨娘也死了，你知道麼？」劉老
異道：「阿彌陀佛！好端端一個人，怎麼
了？我記得他也有一個小哥兒，這便怎
呢？」平兒道：「這怕什麼？他還有老爺
呢。」劉老老道：「姑娘，你那裏知道，不好
是親生的，隔了肚皮子是不中用的。」這
又招起鳳姐的愁腸，嗚嗚咽咽的哭起來
人都來解勸。巧姐兒聽見他母親悲哭，便
炕前，用手拉着鳳姐的手，也哭起來。鳳
面哭着道：「你見過了老老了沒有？」巧
道：「沒有。」鳳姐道：「你的名字還是他
呢，就和乾娘一樣，你給他請個安。」巧姐
走到跟前，劉老老忙拉着道：「阿彌陀佛，
折殺我了！巧姑娘，我一年多不來，你還
我麼？」巧姐兒道：「怎麼不認得？那年在
見的時候，我還小。前年你來，我還合你
年的蟈蟈兒，你也沒有給我，必是忘了。」
老道：「好姑娘，我是老糊塗了。若説蟈蟈
我們屯裏多得狠。只是不到我們那裏去
了，要一車也容易。」鳳姐道：「不然，你帶
去罷。」劉老老笑道：「姑娘這樣千金貴體
羅裏大了的，吃的是好東西，到了我們那

什麼哄他頑，拿什麼給他吃呢?這倒不是坑殺我了麼。"説着，自己還笑，他説:
"⋯⋯麼着，我給姑娘做個媒罷。我們那裏雖説是屯鄉裏，也有大財主人家，幾千頃地幾
⋯⋯口，銀子錢亦不少，只是不像這裏有金的有玉的。姑奶奶是瞧不起這種人家。我
⋯⋯家人瞧着這樣大財主，也算是天上的人了。"鳳姐道:"你説去，我願意就給。"劉
⋯⋯道:"這是頑話兒罷咧。放着姑奶奶這樣，大官大府的人家，只怕還不肯給，那裏
⋯⋯莊家人?就是姑奶奶肯了，上頭太太們也不給。"巧姐因他這話不好聽，便走了去
⋯⋯兒説話。兩個女孩兒倒説得上，漸漸的就熟起來了。

這裏平兒恐劉老老話多，攬繁了鳳姐，便拉了劉老老説:"你提起太太來，你還没
⋯⋯去呢。我出去叫人帶了你去見見，也不枉來這一趟。"劉老老便要走，鳳姐道:"忙
⋯⋯?你坐下。我問你:近來的日子還過的麼?"劉老老千恩萬謝的説道:"我們若不仗
⋯⋯奶奶，"説着，指着青兒説，"他的老子娘都要餓死了。如今雖説是莊家人苦，家裏
⋯⋯了好幾畝地，又打了一眼井，種些菜蔬瓜果，一年賣的錢也不少，盡彀他們嚼吃
⋯⋯。這兩年姑奶奶還時常給些衣服布匹，在我們村裏，算過得的了。阿彌陀佛! 前日
⋯⋯子進城，聽見姑奶奶這裏動了家，我就幾乎唬殺了。虧得又有人説不是這裏，我
⋯⋯心。後來又聽見説這裏老爺升了，我又喜歡，就要來道喜，爲的是滿地的莊家，來
⋯⋯。昨日又聽見説老太太没有了，我在地裏打豆子，聽見了這話，唬得連豆子都拿
⋯⋯來了，就在地下狠狠的哭了一大場。我合女婿説: '我也顧不得你們了，不管真話
⋯⋯，我是要進城瞧瞧去的。'我女兒女婿也不是没良心的，聽見了也哭了一回子。今
⋯⋯没亮，就趕着我進城來了。我也不認得一個人，没有地方打聽，一徑來到後門，見
⋯⋯神都糊了，我這一唬又不小。進了門，我周嫂子再找不着，撞見一個小姑娘，説周
⋯⋯他得了不是了，撞了。我又等了好半天，遇見了熟人，才得進來。不打諒姑奶奶也
⋯⋯麼病。"説着，又掉下淚來。

平兒等着急，也不等他説完，拉着就走，説:"你老人家説了半天，口乾了，咱們喝
⋯⋯去罷。"拉着劉老老到下房坐着。青兒在巧姐兒那邊。劉老老道:"茶倒不要，好姑
⋯⋯叫人帶了我去請太太的安，哭哭老太太去罷。"平兒道:"你不用忙，今兒也趕不出
⋯⋯了。方才我是怕你説話不防頭，招的我們奶奶哭，所以催你出來的，别思量。"劉老
⋯⋯:"阿彌陀佛，姑娘是你多心，我知道。倒是奶奶的病怎麼好呢?"平兒道:"你瞧去
⋯⋯不妨礙?"劉老老道:"説是罪過，我瞧着不好。"正説着，又聽鳳姐叫呢。平兒及到
⋯⋯，鳳姐又不言語了。平兒正問豐兒，賈璉進來，向炕上一瞧，也不言語，走到裏間，
⋯⋯哼的坐下。只有秋桐跟了進去，倒了茶，殷勤一回，不知喊喊喳喳的説些什麼。回

來賈璉叫平兒來問道："奶奶不吃藥麼？"平兒道："不吃藥怎麼樣呢？"賈璉道：□道麼？你拿櫃子上的鑰匙來罷。"平兒見賈璉有氣，又不敢問，只得出來鳳姐耳邊□一聲。鳳姐不言語，平兒便將一個匣子擱在賈璉那裏就走。賈璉道："有鬼叫你嗎擱着，叫誰拿呢？"平兒忍氣打開，取了鑰匙，開了櫃子，便問道："拿什麼？"賈璉"咱們有什麼嗎？"平兒氣得哭道："有話明白説，人死了也願意！"賈璉道："這還□麼！頭裏的事是你們鬧得，如今老太太的還短了四五千銀子，老爺叫我拿公中的弄銀子，你説有麼？外頭拉的賬不開發，使得麼？誰叫我應這個名兒！只好把老太□我的東西折變去罷了，你不依麼？"平兒聽了，一句不言語，將櫃東西搬出。只□紅過來説："平姐姐快走，奶奶不好呢！"平兒也顧不得賈璉，急忙過來。見鳳姐用□抓，平兒用手攙着哭叫。賈璉也過來一瞧，把腳一跺道："若是這樣，是要我的命□説着，掉下淚來。豐兒進來説："外頭找二爺呢。"賈璉只得出去。

　　這裏鳳姐愈加不好，豐兒等不免哭起來。巧姐聽見趕來。劉老老也急忙走□前，嘴裏念佛，搗了些鬼，果然鳳姐好些。一時王夫人聽了丫頭的信，也過來了。□鳳姐安静些，心下略放心，見了劉老老，便説："劉老老你好，什麼時候來的？"劉□便説："請太太安。"不及細説，只言鳳姐的病。講究了半天，彩雲進來説："老爺請□呢。"王夫人叮嚀了平兒幾句話，便過去了。鳳姐鬧了一回，此時又覺清楚些。見□老在這裏，心裏信他求神禱告，便把豐兒等支開，叫劉老老坐在頭邊，告訴他心□寧，如見鬼怪的樣。劉老老便説我們屯裏什麼菩薩靈，什麼廟有感應。鳳姐道："□替我禱告，要用供獻的銀錢我有。"便在手腕上褪下一只金鐲子來交給他。劉老□"姑奶奶，不用那個。我們村莊人家許了願好了，花上幾百錢就是了，那用這些。我替姑奶奶求去，也是許願。等姑奶奶好了，要花什麼，自己去花罷。"鳳姐明知□老一片好心，不好勉強，只得留下，説："老老，我的命交給你了。我的巧姐兒也是□百病的，也交給你了。"劉老老順口答應，便説："這麼着，我看天氣尚早，還趕得□去，我就去了。明兒姑奶奶好了，再請還願去。"鳳姐因被衆冤魂纏繞害怕，巴不

寶玉悄悄的走到窗下，只見裏面尚有燈光，便用舌頭舐破窗紙往裏一瞧，見紫鵑獨自□又不是做什麼，呆呆的坐着。寶玉便輕輕的叫道："紫鵑姐姐，還沒有睡麼？"紫鵑□唬了一跳，怔怔的半日才説："是誰？"寶玉道："是我。"紫鵑聽着似乎是寶玉的聲□問："是寶二爺麼？"寶玉在外輕輕的答應了一聲。紫鵑問道："你來做什麼？"寶□"我有一句心裏的話，要和你説説。你開了門，我到你屋裏坐坐。"紫鵑停了一會兒，□"二爺有什麼話？天晚了，請回罷。明日再説罷。"寶玉聽了，寒了半截。　戴敦□

就去，便説："你若肯替我用心，我能安穩睡一覺，我就感激你了。你外孫女兒叫[　]這裏住下罷。"劉老老道："莊家孩子，没有見過世面，没的在這裏打嘴，我帶他[　]好。"鳳姐道："這就是多心了，既是咱們一家，這怕什麽？雖説我們窮了，這一個[　]飯，也不礙什麽。"

劉老老見鳳姐真情，落得叫青兒住幾天，又省了家裏的嚼吃。只怕青兒不肯[　]如叫他來問問，若是他肯，就留下。于是和青兒説了幾句，青兒因與巧姐兒頑得熟[　]巧姐又不願他去，青兒又願意在這裏，劉老老便吩咐了幾句，辭了平兒，忙忙的[趲]城去，不題。

且説櫳翠庵原是賈府的地址，因蓋省親園子，將那庵圈[　]頭，向來食用香火，並不動賈府的錢糧。今日妙玉被劫，[　]尼呈報到官，一則候官府緝盗的下落，二則是妙玉基業[　]便離散，依舊住下，不過回明了賈府。那時賈府的人雖[　]道，只爲賈政新喪，且又心事不寧，也不敢將這些没要[緊]事回稟。只有惜春知道此事，日夜不安。漸漸傳到寶[玉]邊，説妙玉被賊劫去，又有的説妙玉凡心動了，跟人[　]寶玉聽得十分納悶，想來必是被强徒搶去，這個人必[　]受，一定不屈而死。但是一無下落，心下甚不放心，每日[　]短嘆，還説："這樣一個人，自稱爲'檻外人'，怎麽遭[　]局！"又想到："當日園中，何等熱鬧。自從二姐姐出閣以[　]死的死，嫁的嫁。我想他一塵不染，是保得住的了；豈[　]波頓起，比林妹妹死的更奇。"由是一而二，二而三，追[　]來，想到《莊子》上的話，虛無縹緲，人生在世，難免風[　]散，不禁的大哭起來。襲人等又道是他的瘋病發作，[　]的温柔解勸。寶釵初時不知何故，也用話箴規，怎奈[　]抑鬱不解，又覺精神恍惚。寶釵想不出道理[　]三打聽，方知妙玉被劫，不知去向，也是[　]只爲寶玉愁煩，便用正言解釋，因提起："[　]自送殯回來，雖不上學，聞得日夜攻苦。[　]老太太的重孫，老太太素來望你成人，[　]爲你日夜焦心，你爲閑情痴意，遭塌自[　]

門守着你，如何是個結果？”説得寶玉無言可答。過了一回，才説道：“我那管人家的事？只可嘆咱們家的運氣衰頹。”寶釵道：“可又來！老爺太太原爲是要你成人，接續宗遺緒，你只是執迷不悟，如何是好？”寶玉聽來，話不投機，便靠在桌上睡去。寶釵不理他，叫麝月等伺候着，自己都去睡了。

寶玉見屋裏人少，想起：“紫鵑到了這裏，我從没合他説句知心的話兒，冷冷清清看他，我心裏甚不過意。他呢，又比不得麝月秋紋，我可以安放得的。想起從前我病時候，他在我這裏伴了好些時，如今他的那一面小鏡子還在我這裏，他的情義却也重了。如今不知爲什麼，見我就是冷冷的。若説爲我們這一個呢，他是合林妹妹最好，我看他待紫鵑也不錯，我也不在家的日子，紫鵑原與他有説有講的；到我來了，紫鵑更走開了。想來自然是爲林妹妹死了，我便成了家的原故。噯，紫鵑，紫鵑！你這樣一個聰明女孩兒，難道連我這點子苦處都看不出來麼？”因又一想：“今晚他們睡的睡，做活的做活，不如趁着這個空兒，我找他去，看他有什麼話？倘或我還有得罪之處，便陪個不是也使得。”想定主意，輕輕的走出了房門，來找紫鵑。那紫鵑的下房也就在西厢裏。寶玉悄悄的走到窗下，只見裏面尚有燈光，便用舌頭舐破窗紙往裏一瞧，見紫鵑獨對着燈，又不是做什麼，呆呆的坐着。寶玉便輕輕的叫道：“紫鵑姐姐，還没有睡麼？”紫鵑聽了，唬了一跳，怔怔的半日才説道：“是誰？”寶玉道：“是我。”紫鵑聽着似乎是寶玉的聲音，便問：“是寶二爺麼？”寶玉在外輕輕的答應了一聲。紫鵑問道：“你來做什麼？”寶玉道：“我有一句裏的話，要和你説説。你開了門，我到你屋裏坐坐。”紫鵑停了一會兒，説道：“二爺有什麼話？天晚了，請回罷。明日再説罷。”寶玉聽了，寒了半截。自己還要進去，恐紫鵑未必開門；欲要回去，這一肚子的隱情越發被紫鵑這句話勾起，無奈説道：“我也没有多餘的話，只問你一句。”紫鵑道：“既是一句，就請説。”寶玉半日反不言語。

紫鵑在屋裏不見寶玉言語，知他素有痴病，恐一時實在搶白了他，勾起他的舊病，倒也不好，因站起來細聽了一聽，又問道：“是走了，還是站着呢？有什麼又不説，盡着在這裏慪人。已經慪死了一個，難道還要慪死一個麼？這是何苦來呢！”説着，也從寶玉舐破之處往外一張，見寶玉在那裏呆聽。紫鵑不便再説，回身剪了剪燭花。忽聽寶玉嘆了一聲道："紫鵑姐姐，你從來不是這樣鐵心石腸，怎麼近來一句好好兒的話都不和我説了？我固然是個濁物，不配你們理我，但只我有什麼只望姐姐説明了，那怕姐姐一輩子不理我，我死了倒作個明白鬼呀。"紫鵑聽了，道："二爺就是這個話呀！還有什麼？若就是這個話呢，我們姑娘在時也跟着聽俗若是我們有什麼不好處呢，我是太太派來的，二爺倒是回太太去。左右我們丫頭們不得什麼了！"說到這裏，那聲兒便哽咽起來。說着，又擤鼻涕。寶玉在外聽他傷心哭便急的跺脚道："這是怎麼説？我的事情，你在這裏幾個月，還有什麼不知道的？就他人不肯替我告訴你，難道你還不叫我説，叫我憋死了不成？"説着，也嗚咽起來。

寶玉正在這裏傷心，忽聽背後一個人接言道："你叫誰替你説呢？誰是誰的什麼自己得罪了人，自己央及呀。人家賞臉不賞在人家，何苦來拿我們這些沒要緊的事兒呢！"這一句話把裏外兩個人都嚇了一跳。你道是誰？原來却是麝月。寶玉自覺沒趣。只見麝月又説道："到底是怎麼着？一個陪不是，一個人又不理。你倒是快央及呀。噯，我們紫鵑姐姐也就太狠心了！外頭這麼怪冷的，人家央及了這半天，給個活動氣兒也沒有。"又向寶玉道："剛才二奶奶説了，多早晚了，打諒你在那裏呢，却一個人站在這房檐底下做什麼？"紫鵑裏面接着説道："這可是什麼意思呢？早二爺進去，有話明日説罷。這是何苦來！"寶玉還要説話，因見麝月在那裏，不好別的，只得一面同麝月走回，一面説道："罷了，罷了！我今生今世也難剖白這個心惟有老天知道罷了！"説到這裏，那眼淚也不知從何處來的，滔滔不斷了。麝月道："爺，依我勸你死了心罷。白陪眼淚也可惜了兒的。"寶玉也不答言，遂進了屋子，寶釵睡了。寶玉也知寶釵妝睡，却是襲人説了一句道："有什麼話，明日説不得？兒的跑那裏去鬧，鬧出……"説到這裏，也就不肯説；遲了一遲，才接着道："身上怎麼樣？"寶玉也不言語，只搖搖頭兒，襲人一面才打發睡下。一夜無眠，自不必

這裏紫鵑被寶玉一招，越發心裏難受，直直的哭了一夜。思前想後："寶玉的事知他病中不能明白，所以衆人弄鬼弄神的辦成了。後來寶玉明白了，舊病復發，常想，並非忘情負義之徒。今日這種柔情，一發叫人難受。只可憐我們林姑娘，真真福消受他。如此看來，人生緣分，都有一定。在那未到頭時，大家都是痴心妄想；及可如何，那糊塗的也就不理會了，那情深義重的也不過臨風對月，洒淚悲啼。可憐的倒未必知道，這活的真真是苦惱傷心，無休無了。算來竟不如草木石頭，無知無倒也心中乾淨！"想到此處，倒把一片酸熱之心，一時冰冷了。才要收拾睡時，只聽裏吵嚷起來。未知何事，下回分解。

第壹佰拾肆回

王熙鳳歷劫返金陵　甄應嘉蒙恩還玉闕

却説寶玉、寶釵聽説鳳姐病的危急，趕忙起來，丫頭秉燭伺候。正要出院，只見王夫人那邊打發人來説：“璉二奶奶不好了，還没有咽氣，二爺二奶奶且慢些過去罷。璉二奶奶的病有些古怪：從三更天起，到四更時候，璉二奶奶没有住嘴，説些胡話，要船要轎的，説‘到金陵歸入册子去’，衆人不懂，他只是哭哭喊喊的。璉二爺没有法兒，只得去糊了船轎，還没拿來，璉二奶奶喘着氣等呢。叫我們過來説，等璉二奶奶去了，再過去罷。”寶玉道：“這也奇，他到金陵做什麽？”襲人輕輕的合寶玉説道：“你不是那年做夢，我還記得説有多少册子；不是璉二奶奶也到那裏去麽？”寶玉聽了，點頭道：“是呀，可惜我都不記得那上頭的話了。這麽説起來，人都有個定數的了。但不知林妹妹又到那裏去了？我如今被你一説，我有些懂得了。若再做這個夢時，我得細細的瞧一瞧，便有未卜先知的分兒了。”襲人道：“你這樣的人，可是不可合你説話的！偶然提了一句，你便認起真來了嗎？就算你能先知了，你有什麽法兒？”寶玉道：“只怕不能先知，若是能了，我也犯不着爲你們瞎操心了。”兩人正説着，寶釵走來問道：“你們説什麽？”寶玉恐他盤詰，只説：“我們談論鳳姐姐。”寶釵道：“人要死了，你們還只管議論人。舊年你還説我咒人，那個籤不是應了麽？”寶玉又想了一想，拍手道：“是的，是的。這麽説起來，你倒能先知了。我索性問問你：你知道我將來怎麽樣？”寶釵笑道：“這是又胡鬧起來了。我是就他求的籤上的話混解的，你就認了真了。你就和邢妹妹一樣的了：你失了玉，他去求妙玉扶乩，批出來的衆人不解，他還背地裏合我説妙玉怎麽前知,怎麼參禪悟道,如今他遭此大難,他如何自己都不知道?這可是算得前知嗎?[...]我偶然説着了二奶奶的事情,其實知道他是怎麼樣了?只怕我連我自己也不知道呢[...]樣下落,可不是虛誕的事,是信得的麼?"

寶玉道:"別提他了,你只説邢妹妹罷。自從我們這裏連連的有事,把他這件事[...]記了。你們家這麼一件大事,怎麼就草草的完了,也沒請親喚友的?"寶釵道:"你這[...]是迂了。我們家的親戚,只有咱們這裏和王家最近。王家沒了什麼正經人了,咱們家[...]老太太的大事,所以也沒請,就是璉二哥張羅了張羅。別的親戚雖也有一兩門子,你[...]去,如何知道?算起來,我們這二嫂子的命和我差不多,好好的許了我二哥哥,我媽[...]想要體體面面的給二哥哥娶這房親事的,一則爲我哥哥在監裏,二哥哥也不肯大辦[...]則爲咱們家的事;三則爲我二嫂子在大太太那邊忒苦,又加着抄了家,大太太是苛[...]點的,他也實在難受:所以我和媽媽説了,便將將就就的娶了過去。我看二嫂子如今[...]安心樂意的孝敬我媽媽,比親媳婦還强十倍呢。待二哥哥也是極盡婦道的,和香菱[...]好,二哥哥不在家,他兩個和和氣氣的過日子,雖説是窮些。我媽媽近來倒安逸好些[...]是想起我哥哥來,不免悲傷。況且常打發人家裏來要使用,多虧二哥哥在外頭賬頭[...]討來應付他的。我聽見説城裏有幾處房子已經典去,還剩了一所在那裏,打算着[...]住。"寶玉道:"爲什麼要搬?住在這裏,你來去也便宜些,若搬遠了,你去就要一天了[...]釵道:"雖説是親戚,到底各自的穩便些,那裏有個一輩子住在親戚家的呢。"

寶玉還要講出不搬去的理,王夫人打發人來説:"璉二奶奶咽了氣了,所有的[...]過去了,請二爺二奶奶就過去。"寶玉聽了,也掌不住跺脚要哭。寶釵雖也悲戚,恐[...]傷心,便説:"有在這裏哭的,不如到那邊哭去。"于是兩人一直到鳳姐那裏,只見[...]人圍着哭呢。寶釵走到跟前,見鳳姐已經停床,便大放悲聲。寶玉也拉着賈璉的手[...]起來,賈璉也重新哭泣。平兒等因見無人勸解,只得含悲上來勸止了,衆人都悲哀[...]賈璉此時手足無措,叫人傳了賴大來,叫他辦理喪事,自己回明了賈政去,然後[...]但是手頭不濟,諸事拮据,又想起鳳姐素日來的好處,更加悲哭不已。又見巧姐哭[...]去活來,越發傷心。哭到天明,即刻打發人去請他大舅子王仁過來。那王仁自從王[...]死後,王子勝又是無能的人,任他胡爲,已鬧的六親不和。今知妹妹死了,只得趕[...]來,哭了一場。見這裏諸事將就,心下便不舒服,説:"我妹妹在你家辛辛苦苦當了[...]年家,也沒有該錯處,你們家該認真的發送發送才是,怎麼這時候諸事還沒有齊[...]賈璉本與王仁不睦,見他説些混賬話,知他不懂的什麼,也不大理他。王仁便叫了[...]甥女兒巧姐過來,説:"你娘在時本來辦事不周到,只知道一味的奉承老太太,把[...]的人都不大看在眼裏。外甥女兒,你也大了,看見我曾經沾染過你們沒有?如今你[...]

只見王夫人那邊打發人來説:"璉二奶奶不好了,還沒有咽氣。璉二奶奶的病有些古[...]三更天起,到四更時候,璉二奶奶没有住嘴,説些胡話,要船要轎的,説'到金陵歸[...]子去',衆人不懂,他只是哭哭喊喊的。"
陳安[...]

諸事要聽着舅舅的話。你母親娘家的親戚，就是我和你二舅舅了。你父親的爲人，
我早知道的了，只有重別人。那年什麼尤姨娘死了，我雖不在京，聽見人說花了好些
了；如今你娘死了，你父親倒是這樣的將就辦去嗎?你也不快些勸勸你父親。”巧姐兒
道“我父親巴不得要好看，只是如今比不得從前了。現在手裏沒錢，所以諸事省些是
的。”王仁道:“你的東西還少麼!”巧姐兒道:“舊年抄去，何嘗還了呢。”王仁道:“你
這樣説! 我聽見老太太又給了好些東西，你該拿出來。”巧姐又不好説父親用去，只
不知道。王仁便道:“哦，我知道了，不過是你要留着做嫁妝罷咧。”巧姐聽了，不敢回
只氣得哽噎難鳴的哭起來了。平兒生氣説道:“舅老爺有話，等我們二爺進來再説。
這麼點年紀，他懂的什麼?”王仁道:“你們是巴不得二奶奶死了，你們就好爲王了。
要不要什麼，好看些也
們的臉面。”説着，賭
着。

巧姐滿懷的不舒服，
：“我父親並 不是没
我媽媽在時，舅舅不知
多少東西去，如今説
樣乾净!”于是便不大
起他舅舅了。豈知王
裏想來，他妹妹不知
了多少，雖説抄了家，
裏的銀子還怕少嗎?
是怕我來纏他們，所以
着這麼説，這小東西
是不中用的。”從此，
也嫌了巧姐兒了。

賈璉並不知道，只忙
銀錢使用。外頭的大
賴大辦了，裏頭也要
些錢，一時實在不能
。平兒知他着急，便
璉道:“二爺也別過

于傷了自己的身子。」賈璉道：「什麼身子！現在日用的錢都沒有，這件事怎麼辦？偏有糊塗行子又在這裏蠻纏，你想有什麼法兒！」平兒道：「二爺也不用着急。若說沒錢使，我還有些東西，舊年幸虧沒有抄去在裏頭，二爺要，就拿去當着使喚罷。」賈璉聽了，想難得這樣，便笑道：「這樣更好，省得我各處張羅。等我銀子弄到手了還你。」平兒「我的也是奶奶給的，什麼還不還？只要這件事辦的好看些就是了。」賈璉心裏倒着急激他，便將平兒的東西拿了去當錢使用，諸凡事情便與平兒商量。秋桐看着，心裏就些不甘，每每口角裏頭便說：「平兒沒有了奶奶，他要上去了。我是老爺的人，他怎麼越過我去了呢？」平兒也看出來了，只不理他。倒是賈璉一時明白，越發把秋桐嫌了時有些煩惱，便拿着秋桐出氣。邢夫人知道，反說賈璉不好。賈璉忍氣不題。

　　再說鳳姐停了十餘天，送了殯。賈政守着老太太的孝，總在外書房。那時清客相公漸的都辭去了，只有個程日興，還在那裏時常陪着說說話兒。提起「家運不好，一連人口了好些，大老爺合珍大爺又在外頭。家計一天難似一天，外頭東莊地畝，也不知道怎麼總不得了呀！」程日興道：「我在這裏好些年，也知道府上的人，那一個不是肥己的？一每年都往他家裏拿，那自然府上是一年不夠一年了。又添了大老爺、珍大爺那邊兩處的用，外頭又有些債務，前兒又破了好些財，要想衙門裏緝賊追贓是難事。老世翁若要家事，除非傳那些管事的來，派一個心腹的人各處去清查清查，該去的去，該留的留，虧空，着在經手的身上賠補，這就有了數兒了。那一座大的園子，人家是不敢買的，這的出息也不少，又不派人管了的。幾年老世翁不在家，這些人就弄神弄鬼兒的，鬧的人不敢到園裏，這都是家人的弊。此時把下人查一查，好的使着，不好的便攆了，這才理。」賈政點頭道：「先生你所不知，不必說下人，便是自己的侄兒也靠不住。若要來，那能一一親見親知？況我又在服中，不能照管這些了。我素來又兼不大理家，有的，我還摸不着呢。」程日興道：「老世翁最是仁德的人，若在別家的，這樣的家計就來，十年五載還不怕，便向這些管家的要也就夠了。我聽見世翁的家人，還有做知的呢。」賈政道：「一個人若要使起家人們的錢來，便了不得了，只好自己儉省些。但是冊的產業，若是實有還好，生怕有名無實了。」程日興道：「老世翁所見極是，晚生爲什麼查查呢？」賈政道：「先生必有所聞。」程日興道：「我雖知道些，那些管事的神通，晚生不敢言語的。」賈政聽了，便知話裏有因，便嘆道：「我自祖父已來，都是仁厚的，從沒有過下人。我看如今這些人，一日不似一日了。在我手裏行出主子樣兒來，又叫人笑話。」

　　兩人正說着，門上的進來回道：「江南甄老爺到來了。」賈政便問道：「甄老爺進什麼？」那人道：「奴才也打聽了，說是蒙聖恩起復了。」賈政道：「不用說了，快請罷

今知妹子死了，王仁只得趕着過來，哭了一場。見這裏諸事將就，心下便不舒服。賈璉本與不睦，見他說些混賬話，知他不懂的什麼，也不大理他。王仁便叫了他外甥女兒巧姐過來，「外甥女兒，你也大了，看見我曾經沾染過你們沒有？如今你娘死了，諸事要聽着舅舅的話今你娘死了，你父親倒是這樣的將就辦去嗎？你也不快些勸勸你父親。」

戴敦邦

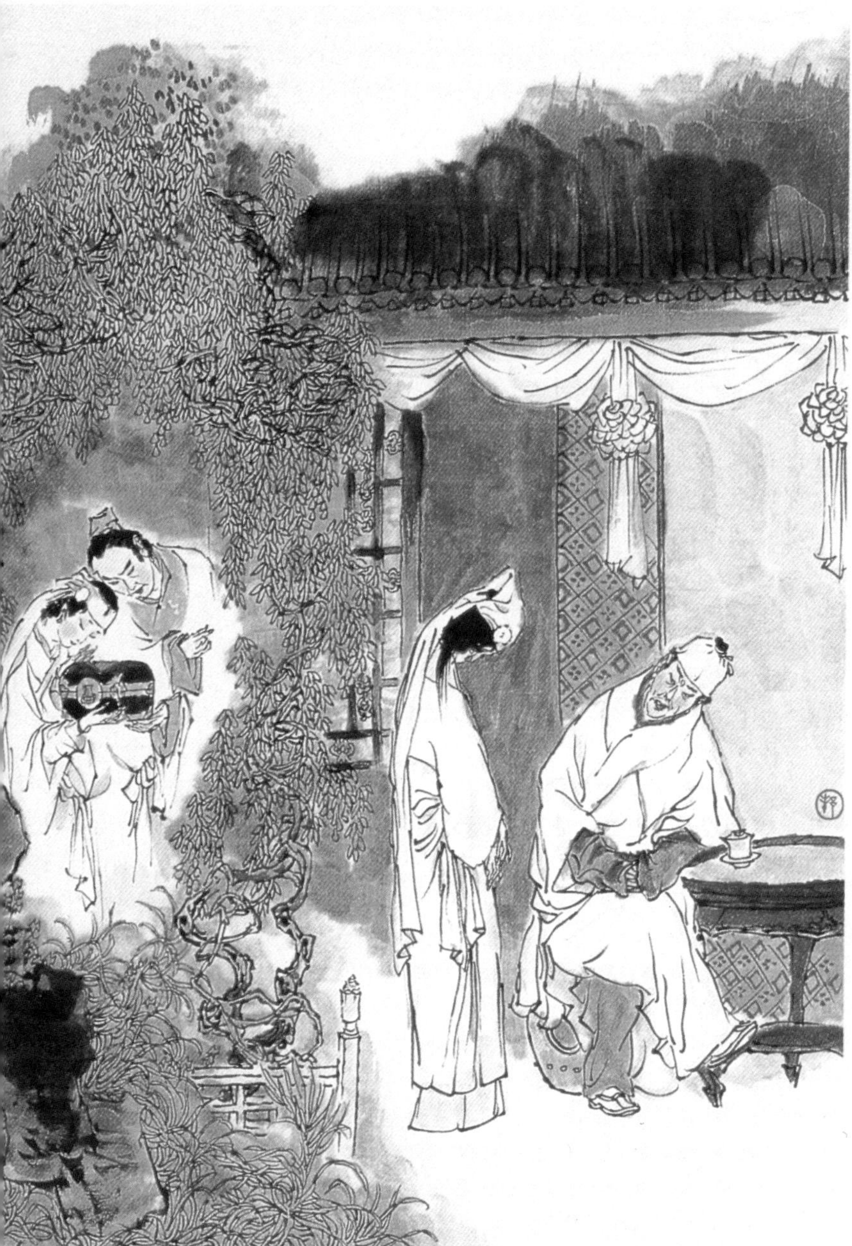

人出去，請了進來。那甄老爺即是甄寶玉之父，名叫甄應嘉，表字友忠，也是金陵人氏，勛之後。原與賈府有親，素來走動的。因前年罣誤革了職，動了家產。今遇主上眷念功，賜還世職，行取來京陛見。知道賈母新喪，特備祭禮，擇日到寄靈的地方拜奠，所以先拜望。賈政有服，不能遠接，在外書房門口等着。那位甄老爺一見，便悲喜交集，因在中，不便行禮，便拉着了手，敘了些闊別思念的話，然後分賓坐下，獻了茶，彼此又將別事情的話回了。賈政問道："老親翁幾時陛見的？"甄應嘉道："前日。"賈政道："主上隆必有温諭。"甄應嘉道："主上的恩典，真是比天還高，下了好些旨意。"賈政道："什麼旨意？"甄應嘉道："近來越寇猖獗，海疆一帶，小民不安，派了安國公征剿賊寇。主上因悉土疆，命我前往安撫，但是即日就要起身。昨日知老太太仙逝，謹備瓣香至靈前拜，稍盡微忱。"賈政即忙叩首拜謝，便説："老親翁即此一行，必是上慰聖心，下安黎庶，謀莫大之功，正在此行。但弟不克親睹奇才，只好遥聆捷報。現在鎮海統制是弟舍親，務望青照。"甄應嘉道："老親翁與統制是什麼親戚？"賈政道："弟那年在江西糧道任，將小女許配與統制少君，結褵已經三載。因海口案內未清，繼以海寇聚奸，所以音信不通。弟深念小女，俟老翁安撫事竣後，拜偏便中請為一視。弟即修數行，煩尊紀帶去，感激不盡。"甄應嘉道："兒女之情，人所不免。我正在有奉託老親翁的事：日蒙聖恩，來京，因小兒年幼，家下乏人，將賤眷全帶來京。我因欽限迅速，晝夜先行，賤眷在後行，到京尚需時日。弟奉旨出京，不敢久留，將來賤眷到京，少不得要到尊府，定叫小見。如可進教，遇有姻事可圖之處，望乞留意為感。"賈政一一答應。

那甄應嘉又説了幾句話，就要起身，説明日在城外再見。賈政見他事忙，諒難再，只得送出書房。賈璉、寶玉早已伺候在那裏代送，因賈政未叫，不敢擅入。甄應嘉出兩人上去請安。應嘉一見寶玉，呆了一呆，心想："這個怎麼甚像我家寶玉？只是渾素。"因問："至親久闊，爺們都不認得了。"賈政忙指賈璉道："這是家兄名赦之子侄兒。"又指着寶玉道："這是第二小犬，名叫寶玉。"應嘉拍手道："奇！我在家聽見親翁有個銜玉生的愛子，名叫寶玉，因與小兒同名，心中甚為罕異。後來想着這個常有的事，不在意了。豈知今日一見，不但面貌相同，且舉止一般，這更奇了！"問紀，比這裏的哥兒略小一歲。賈政便因提起承屬包勇問及"令郎哥與小兒同名"述了一遍。應嘉因屬意寶玉，也不暇問及那包勇的得妥，只連連的稱道："真真罕異！又拉了寶玉的手，極致殷勤。又恐安國公起身甚速，急須預備長行，勉强分手徐行璉、寶玉送出一路，又問了寶玉好些的話。及至登車去後，賈璉、寶玉回來見了賈政，將應嘉問的話回了一遍。賈政命他二人散去。賈璉又去張羅算明鳳姐喪事的賬目。回到自己房中，告訴了寶釵，説是："常提的甄寶玉，我想一見不能，今日倒先見了親了。我還聽得説寶玉也不日要到京了，要來拜望我老爺呢。又人人説和我一模的，我只不信。若是他後兒到了咱們這裏來，你們都去瞧去，看他果然和我像不像釵聽了道："噯！你説話怎麼越發不留神了？什麼男人同你一樣都説出來了，還叫瞧去嗎！"寶玉聽了，知是失言，臉上一紅，連忙的還要解説。不知何話，下回分解

〈第壹佰拾伍回〉

話說寶玉爲自己失言被寶釵問住，想要掩飾過去，只見秋紋進來說："外頭老爺叫二爺呢。"寶玉巴不得一聲，便走了去。到賈政那裏，賈政道："我叫你來，不爲別的。現在你穿着孝，不便到學裏去，你在家裏必要將你念過的文章溫習溫習。我這幾天倒也閑着，隔兩三日要做幾篇文章我瞧瞧，看你這些時進益了沒有。"寶玉只得答應着。賈政又道："你環兄弟、蘭侄兒，我也叫他們溫習去了。倘若你作的文章不好，反倒不及他們，那可就不成事了。"寶玉不敢言語，答應了個"是"，站着不動。賈政道："去罷。"寶玉退了出來，正撞見賴大諸人拿着些册子進來。寶玉一溜烟回到自己房中，寶釵問了，知道叫他作文章，倒也喜歡。惟有寶玉不願意，也不敢怠慢。正要坐下靜靜心，見有兩個姑子進來。寶玉看是地藏庵的來，和寶玉說："請二奶奶安。"寶釵待理不理的說："你們好。"因叫人來倒茶給師父們喝。寶玉原要和那姑子說話，見寶釵似乎厭惡這些，也不好兜搭。那姑子知道寶釵是個冷人，也不久坐，辭了要去。寶釵道："再坐坐去罷。"那姑子道："我們因在鐵檻寺做了功德，好些時沒來請太太奶奶們的安。今日來了，見過了奶奶太太們，還要看四姑娘呢。"寶釵點頭，由他去了。

那姑子便到惜春那裏，見了彩屏，說："姑娘在那裏呢？"彩屏道："不用提了。姑娘這幾天飯都沒吃，只是歪着。"那姑子

道："爲什麼?"彩屏道："説也話長。你見了姑娘，只怕他便和你説了。"惜春早已聽
急忙坐起，説："你們兩個人好啊! 見我們家事差了，便不來了。"那姑子道："阿
佛! 有也是施主，没也是施主。別説我們是本家庵裏的，受過老太太多少恩惠呢!
老太太的事，太太奶奶們都見了，只没有見姑娘，心裏惦記。今兒是特特的來瞧
來的。"惜春便問起水月庵的姑子來。那姑子道："他們庵裏鬧了些事，如今門上
肯常放進來了。"便問惜春道："前兒聽見説櫳翠庵的妙師父，怎麼跟了人去了?"
道："那裏的話! 説這個話的人，堤防着割舌頭。人家遭了强盗搶去，怎麼還説這
壞話?"那姑子道："妙師父的爲人怪僻，只怕是假惺惺罷?在姑娘面前，我們也不
的。那裏像我們這些粗夯人，只知道諷經念佛給人家懺悔，也爲着自己修個善果
春道："怎麼樣就是善果呢?"那姑子道："除了咱們家這樣善德人家兒不怕，若
家那些誥命夫人小姐，也保不住一輩子的榮華。到了苦難來了，可就救不得了。
個觀世音菩薩大慈大悲，遇見人家有苦難的，就慈心發動，設法兒救濟。爲什麼
都説'大慈大悲救苦救難的觀世音菩薩'呢?我們修了行的人，雖説比夫人小姐
多着呢，只是没有險難的了;雖不能成佛作祖，修修來世，或者轉個男身，自己也
了。不像如今脱生了個女人胎子，什麼委屈煩難都説不出來。姑娘你還不知道
是人家姑娘們出了門子，這一輩子跟着人，是更没法兒的。若説修行，也只要修得
那妙師父自爲才情比我們强，他就嫌我們這些人俗，豈知俗的才能得善緣呢，他
到底是遭了大劫了。"

　　惜春被那姑子一番話，説得合在機上，也顧不得丫頭們在這裏，便將尤氏待
樣，前兒看家的事説了一遍，並將頭髮指給他瞧，道："你打諒我是什麼没主意戀火
人麼?早有這樣的心，只是想不出道兒來。"那姑子聽了，假作驚慌道："姑娘再別
個話! 珍大奶奶聽見，還要罵殺我們，攆出庵去呢! 姑娘這樣人品，這樣人家，將來
好姑爺，享一輩子的榮華富貴……"惜春不等説完，便紅了臉説："珍大奶奶攆得
就攆不得麼?"那姑子知是真心，便索性激他一激，説道："姑娘別怪我們説錯了話
奶奶們那裏就依得姑娘的性子呢?那時鬧出没意思來，倒不好。我們倒是爲姑娘的

那姑子便到惜春那裏，見了彩屏，説："姑娘在那裏呢？"彩屏道："不用提了。姑
天飯都没吃，只是歪着。"那姑子道："爲什麼?"彩屏道："説也話長。你見了姑娘
他便和你説了。"惜春早已聽見，急忙坐起，説："你們兩個人好啊! 見我們家事差
不來了。"那姑子道："阿彌陀佛! 有也是施主，没也是施主。別説我們是本家庵裏的
太太多少恩惠呢! 如今老太太的事，太太奶奶們都見了，只没有見姑娘，心裏惦記。"戴敦

惜春道："這也瞧罷咧。"彩屏等聽這話頭不好，便使個眼色兒給姑子，叫他走。那姑意，本來心裏也害怕，不敢挑逗，便告辭出去。惜春也不留他，便冷笑道："打諒天是你們一個地藏庵麼？"那姑子也不敢答言，去了。彩屏見事不妥，恐耽不是，悄悄告訴了尤氏說："四姑娘鉸頭髮的心頭還沒有息呢。他這幾天不是病，竟是怨命。奶奶防些，別鬧出事來，那會子歸罪我們身上。"尤氏道："他那裏是爲要出家？他爲的爺不在家，安心和我過不去。也只好由他罷了。"彩屏等沒法，也只好常常勸解。豈春一天一天的不吃飯，只想鉸頭髮。彩屏等吃不住，只得到各處告訴。邢、王二夫人都勸了好幾次，怎奈惜春執迷不解。

　　邢、王二夫人正要告訴賈政，只聽外頭傳進來說："甄家的太太帶了他們家的來了。"衆人急忙接出，便在王夫人處坐下。衆人行禮，敘些寒溫，不必細述。只言人提起甄寶玉與自己的寶玉無二，要請甄寶玉進來一見。傳話出去，回來說道："爺在外書房同老爺說話，說的投了機了，打發人來請我們二爺三爺，還叫蘭哥兒在吃飯，吃了飯進來。"說畢，裏頭也便擺飯，不題。且說賈政見甄寶玉相貌果與寶玉一試探他的文才，竟應對如流，甚是心敬，故叫寶玉等三人出來，警勵他們；再者，到寶玉來比一比。寶玉聽命，穿了素服，帶了兄弟侄兒出來，見了甄寶玉，竟是舊相般。那甄寶玉也像地裏見過的，兩人行了禮，然後賈環、賈蘭相見。本來賈政席地要讓甄寶玉在椅子上坐，甄寶玉因是晚輩，不敢上坐，就在地下鋪了褥子坐下。如玉等出來，又不能同賈政一處坐着；爲甄寶玉又是晚一輩，又不好叫寶玉等站着。知是不便，站着又說了幾句話，叫人擺飯，說："我失陪，叫小兒輩陪着，大家說說好叫他們領領大教。"甄寶玉遜謝道："老伯大人請便，侄兒正欲領世兄們的教呢政回覆了幾句，便自往內書房去。那甄寶玉反要送出來，賈政攔住。寶玉等先搶出了書房門檻站立着，看賈政進來，然後進來讓甄寶玉坐下，彼此套叙了一回，諸慕渴想"的話，也不必細述。

　　且說賈寶玉見了甄寶玉，想到夢中之景，並且素知甄寶玉爲人，必是和他同爲得了知己。因初次見面，不便造次，且又賈環、賈蘭在坐，只有極力夸贊說："久名，無由親炙。今日見面，真是謫仙一流的人物。"那甄寶玉素來也知賈寶玉的今日一見，果然不差。"只是可與我共學，不可與你適道。他既和我同名同貌，生石上的舊精魂了。既我略知了些道理，怎麼不和他講講？但是初見，尚不知他與我同不同，只好緩緩的來。"便道："世兄的才名，弟所素知的。在世兄是數萬人頭選出來，最清最雅的；在弟是庸庸碌碌一等愚人，忝附同名，殊覺玷辱了這兩個

玉聽了，心想："這個人果然同我的心一樣的。但是你我都是男人，不比那女孩兒
潔，怎麼他拿我當作女孩兒看待起來？"便道："世兄謬贊，實不敢當。弟是至濁至
不過一塊頑石耳，何敢比世兄品望高清，實稱此兩字。"甄寶玉道："弟少時不知
自謂尚可琢磨。豈知家遭消索，數年來更比瓦礫猶賤。雖不敢說歷盡甘苦，然世
情，略略的領悟了好些。世兄是錦衣玉食，無不遂心的，必是文章經濟高出人上，
老伯鍾愛，將爲席上之珍，弟所以才說尊名方稱。"賈寶玉聽這話頭又近了祿蠹
套，想話回答。賈環見未與他說話，心中早不自在。倒是賈蘭聽了這話，甚覺合
更說道："世叔所言，固是太謙。若論到文章經濟，實在從歷練中出來的，方爲真才
在小侄年幼，雖不知文章爲何物，然將讀過的細味起來，那
文綉，比着令聞廣譽，真是不啻百倍的了。"甄寶玉未及
賈寶玉聽了蘭兒的話，心裏越發不合，想道："這孩子
時也學了這一派酸論？"便說道："弟聞得世兄也抵盡流
情中另有一番見解。今日弟幸會芝範，想欲領教一番超
聖的道理，從此可以净洗俗腸，重開眼界；不意視弟爲蠢物，
將世路的話來酬應。"

甄寶玉聽說，心裏曉得："他知我少年的性情，所以疑我爲
索性把話說明，或者與我作個知心朋友，也是好的。"便
："世兄高論，固是真切。但弟少時也曾深惡那些舊套陳
是一年長似一年，家君致仕在家，懶于酬應，委弟接待。
見過那些大人先生，盡都是顯親揚名的人。便是著書立說，
言忠言孝，自有一番立德立言的事業，方不枉生在聖明
也不致負了父親師長養育教誨之恩，所以把少時那
迂想痴情，漸漸的淘汰了些。如今尚欲訪師覓友，教
蒙，幸會世兄，定當有以教我。適才所言，並非虛
賈寶玉愈聽愈不耐煩，又不好冷淡，只得將言語
幸喜裏頭傳出話來，說："若是外頭爺們吃了
甄少爺裏頭去坐呢。"寶玉聽了，趁勢便邀甄寶
去。那甄寶玉依命前行，賈寶玉等陪着來見王夫
寶玉見甄太太上坐，便先請過了安。賈環、賈
見了。甄寶玉也請了王夫人的安。兩母兩子互相廝認。

雖是賈寶玉是娶過親的，那甄夫人年紀已老，又是老親，因見賈寶玉的相貌身材□兒子一般，不禁親熱起來。王夫人更不用說，拉着甄寶玉問長問短，覺得比自己家□玉老成些。回看賈蘭，也是清秀超羣的，雖不能像兩個寶玉的形像，也還隨得上；□賈環粗夯，未免有偏愛之色。

衆人一見兩個寶玉在這裏，都來瞧看，說道：“真真奇事！名字同了也罷，怎麼□身材都是一樣的？虧得是我們寶玉穿孝，若是一樣的衣服穿着，一時也認不出來□中紫鵑一時痴意發作，便想起黛玉來，心裏說道：“可惜林姑娘死了，若不死時，就□甄寶玉配了他，只怕也是願意的。”正想着，只聽得甄夫人道：“前日聽得我們老爺□說，我們寶玉年紀也大了，求這裏老爺留心一門親事。”王夫人正愛甄寶玉，順口□道：“我也想要與令郎作伐。我家有四個姑娘，那三個都不用說，死的死，嫁的嫁□有我們珍大姪兒的妹子，只是年紀過小幾歲，恐怕難配。倒是我們大媳婦的兩個□子，生得人才齊正。二姑娘呢，已經許了人家；三姑娘正好與令郎爲配。過一天，我□郎做媒。但是他家的家計如今差些。”甄夫人道：“太太這話又客套了。如今我們家□什麼？只怕人家嫌我們窮罷了。”王夫人道：“現今府上復又出了差，將來不但復□是比先前更要鼎盛起來。”甄夫人笑着道：“但願依着太太的話更好。這麼着就求□作個保山。”甄寶玉聽他們說起親事，便告辭出來。賈寶玉等只得陪他，來到書房□政已在那裏，復又立談幾句。聽見甄家的人來回甄寶玉道：“太太要走了，請爺回□于是甄寶玉告辭出來。賈政命寶玉、環、蘭相送，不題。

且說寶玉自那日見了甄寶玉之父，知道甄寶玉來京，朝夕盼望。今兒見面，原想□一知己，豈知談了半天，竟有些冰炭不投。悶悶的回到自己房中，也不言，也不笑，□發怔。寶釵便問：“那甄寶玉，果然像你麼？”寶玉道：“相貌倒還是一樣的，只是□看起來，並不知道什麼，不過也是個祿蠹。”寶釵道：“你又偏派人家了。怎麼就見得□個祿蠹呢？”寶玉道：“他說了半天，並沒個明心見性之談，不過說些什麼‘文章經□又說什麼‘爲忠爲孝’，這樣人可不是個祿蠹麼？只可惜他也生了這樣一個相貌。□來有了他，我竟要連我這個相貌都不要了！”寶釵見他又發呆話，便說道：“你真真□句話來叫人發笑，這相貌怎麼能不要呢？況且人家這話是正理，做了一個男人，原□

立身揚名的，誰像你一味的柔情私意?不説自己沒有剛烈，倒説人家是禄蠹。"寶[玉]聽了甄寶玉的話甚不耐煩，又被寶釵搶白了一場，心中更加不樂，悶悶昏昏，不覺[舊]病又勾起來了，並不言語，只是傻笑。寶釵不知，只道是"我的話錯了，他所以冷笑[著]不理他。豈知那日便有些發呆，襲人等慪他，也不言語。過了一夜，次日起來，只是發[呆]竟有前番病的樣子。

　　一日，王夫人因爲惜春定要鉸髮出家，尤氏不能攔阻，看着惜春的樣子，是[必]依他，必要自盡的，雖然晝夜着人看着，終非常事，便告訴了賈政。賈政嘆氣跺腳[，]説:"東府裏不知幹了什麼，鬧到如[今地]位!"叫了賈蓉來説了一頓，叫他去[對惜春的]母親説:"認真勸解勸解，若是必[要這]樣，就不是我們家的姑娘了。"豈知[惜春]不勸還好，一勸更要尋[死，便]説:"做了女孩兒，終[不是在]家一輩子的。若係二姐[姐的模]樣，老爺太太們倒要煩心[，況]且死了。如今譬如我死[了似]的，放我出了家，乾乾净[净]一輩子，就是疼我了。況[且我]又不出門，就是櫳翠庵[原是]咱們家的基址，我就在那裏[修，隨]我有什麼，你們也照應得着[。現]在妙玉的當家的在那裏。[]依我呢，我就算得了命[了;若]不依我呢，我也没法，只[有一死]就完了。我如若遂了自[己的]心願，那時哥哥回來，我和他説，並不是你們逼着我的;若説我死了，未免哥哥回[來]説你們不容我。"尤氏本與惜春不合，聽他的話也似乎有理，只得去回王夫人。

　　王夫人已到寶釵那裏，見寶玉神魂失所，心下着忙，便説襲人道:"你們忒不留[心，]二爺犯了病，也不來回我。"襲人道:"二爺的病原來是常有的，一時好，一時不好。[昨兒]到太太那裏仍舊請安去，原是好好兒的，今兒才發糊塗些。二奶奶正要來回太太，太說我們大驚小怪。"寶玉聽見王夫人說他們，心裏一時明白，恐他們受委屈，便說"太太放心，我沒什麼病，只是心裏覺着有些悶悶的。"王夫人道："你是有這病根早說了，好請大夫瞧瞧，吃兩劑藥好了不好？若再鬧到頭裏丟了玉的時候是的，就□事了。"寶玉道："太太不放心，便叫個人來瞧瞧，我就吃藥。"王夫人便叫丫頭傳話出□請大夫。這一個心思都在寶玉身上，便將惜春的事忘了。遲了一回，大夫看了服藥，□夫人回去。過了幾天，寶玉更糊塗了，甚至于飯食不進，大家着急起來。恰又忙着脫□家中無人，又叫了賈芸來照應大夫。賈璉家下無人，請了王仁來在外幫着料理。那□姐兒是日夜哭母，也是病了，所以榮府中又鬧得馬仰人翻。

一日，又當脫孝來家，王夫人親身又看寶玉。見寶玉人事不醒，急得衆人手足無□，一面哭着，一面告訴賈政說："大夫回了，不肯下藥，只好預備後事。"賈政嘆氣連□，只得親自看視。見其光景果然不好，□又叫賈璉辦去。賈璉不敢違拗，只得□人料理。手頭又短，正在爲難，只見□個人跑進來說："二爺，不好了！又有饑□了。"賈璉不知何事，這一嚇非同小□，瞪着眼說道："什麼事？"那小廝道：□上來了一個和尚，手裏拿着二爺的□丟的玉，說要一萬賞銀。"賈璉照臉□道："我打量什麼事，這樣慌張！前番□假的你不知道麼？就是真的，現在人□走了，要這玉做什麼！"小廝道："奴□也說了！那和尚說，給他銀子就好□。"又說着，外頭嚷進來說："這和尚□野，各自跑進來了，衆人攔他攔不□。"賈璉道："那裏有這樣怪事？你們還不□出去呢！"又鬧着，賈政聽見了，也沒□主意了。裏頭又哭出來說："寶二爺不好了。"□又益發着急。只見那和尚嚷道："要命拿□來！"賈政忽然想起："頭裏寶玉的病是□□治好的，這會子和尚來，或者有救星。但是這玉倘或

是真,他要起銀子來,怎麼樣呢?"想了一想:"好且不管他,果真人好了再說。"賈政
人去請,那和尚已進來了,也不施禮,也不答話,便往裏就跑。賈璉拉着道:"裏頭都
內眷,你這野東西混跑什麼?"那和尚道:"遲了就不能救了。"賈璉急得一面走,一面
嚷道:"裏頭的人不要哭了,和尚進來了!"

　　王夫人等只顧着哭,那裏理會?賈璉走近來又嚷。王夫人等回過頭來,見一個長
的和尚,唬了一跳,躲避不及。那和尚直走到寶玉炕前,寶釵避過一邊,襲人見王夫
站着,不敢走開。只見那和尚道:"施主們,我是送玉來的。"說着,把那塊玉擎着道:
把銀子拿出來,我好救他。"王夫人等驚惶無措,也不擇真假,便說道:"若是救活了
銀子是有的。"那和尚笑道:"拿來!"王夫人道:"你放心,橫豎折變的出來。"和尚呵
大笑,手拿着玉在寶玉耳邊叫道:"寶玉,寶玉,你的'寶玉'回來了!"說了這一句,王
人等見寶玉把眼一睜,襲人說道:"好了!"只見寶玉便問道:"在那裏呢?"那和尚接
遞給他手裏。寶玉先前緊緊的攥着,後來慢慢的得過手來,放在自己眼前細細的一
說:"噯呀,久違了!"裏外衆人都喜歡的念佛,連寶釵也顧不得有和尚了。賈璉也走
來一看,果見寶玉回過來了,心裏一喜,疾忙躲出去了。那和尚也不言語,起來拉着
璉就跑。賈璉只得跟着到了前頭,趕着告訴賈政。賈政聽了喜歡,即找和尚施禮,叫
和尚還了禮坐下。賈璉心下狐疑:"必是要了銀子才走。"賈政細看那和尚,又非前次
的,便問:"寶剎何方?法師大號?這玉是那裏得的?怎麼小兒一見便會活過來呢?"那
尚微微笑道:"我也不知道,只要拿一萬銀子來就完了。"賈政見這和尚粗魯,也不敢
罪,便說:"有。"和尚道:"有便快拿來罷,我要走了。"賈政道:"略請少坐,待我進內
瞧。"和尚道:"你去,快出來才好。"

　　賈政果然進去,也不及告訴,便走到寶玉炕前。寶玉見是父親來,欲要爬起,身
子虛弱起不來。王夫人按着說道:"不要動。"寶玉笑着拿這玉給賈政瞧,道:"寶玉回
了。"賈政略略一看,知道此事有些根源,也不細看,便和王夫人道:"寶玉好過來了,
賞銀怎麼樣?"王夫人道:"盡着我所有的折變了給他就是了。"寶玉道:"只怕這和尚不
是要銀子的罷?"賈政點頭道:"我也看來古怪,但是他口口聲聲的要銀子。"王夫人道:
"老爺出去,先款留着他再說。"賈政出來,寶玉便嚷餓了,喝了一碗粥,還說要飯。丫
們果然取了飯來,王夫人還不敢給他吃。寶玉說:"不妨的,我已經好了。"便爬着吃了
一碗,漸漸的神氣果然好過來了,便要坐起來。麝月上去輕輕的扶起,因心裏喜歡忘
情,說道:"真是寶貝!才看見了一會兒,就好了!虧的當初沒有砸破。"寶玉聽了這話
神色一變,把玉一撂,身子往後一仰。未知死活,下回分解。

第壹佰拾陸回

得通靈幻境悟仙緣　送慈柩故鄉全孝道

話説寶玉一聽麝月的話，身往後仰，復又死去，急得王夫人等哭叫不止。麝月自知失言致禍，此時王夫人等也不及説他。那麝月一面哭着，一面打聽主意，心想："若是寶玉一死，我便自盡跟了他去。"

不言麝月心裏的事。且言王夫人等見叫不回來，趕着叫人出來找和尚救治。豈知賈政進內出去時，那和尚已不見了。賈政正在咤異，聽見裏頭又鬧，急忙進來，見寶玉又是先前的樣子，口關緊閉，脉息全無，用手在心窩中一摸，尚是温熱。賈政只得急忙請醫灌藥救治。

那知那寶玉的魂魄早已出了竅了。你道死了不成？却原來恍恍惚惚趕到前廳，見那送玉的和尚坐着，便施了禮。那知和尚站起身來，拉着寶玉就走。寶玉跟了和尚，覺得身輕如葉，飄飄颻颻，也沒出大門，不知從那裏走了出來。行了一程，到了個荒野地方，遠遠的望見一座牌樓，好像曾到過的。正要問那和尚時，只見恍恍惚惚來了一個女人。寶玉心裏想道："這樣曠野地方，那得有如此的麗人？必是神仙下界了。"寶玉想着，走近前來細細一看，竟有些認得的，只是一時想不起來。見那女人合和尚打了一個照面，就不見了。寶玉一想，竟是尤三姐的樣子，越發納悶："怎麼他也在這裏？"又要問時，那和尚拉着寶玉過了那牌樓，只見牌上寫着："真如福地"四大字，兩邊一幅對聯，乃是：

假去真來真勝假，無原有是有非無。

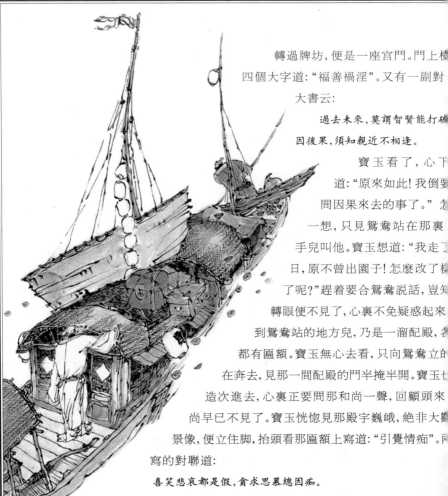

轉過牌坊，便是一座宮門。門上橫書四個大字道："福善禍淫"。又有一副對大書云：

　　過去未來，莫謂智賢能打破
　　因後果，須知親近不相逢。

寶玉看了，心下道："原來如此！我倒要問因果來去的事了。"忽一想，只見鴛鴦站在那裏招手兒叫他。寶玉想道："我走了這半日，原不曾出園子！怎麼改了樣了呢？"趕着要合鴛鴦說話，豈知轉眼便不見了，心裏不免疑惑起來。到鴛鴦站的地方兒，乃是一溜配殿，各處都有匾額。寶玉無心去看，只向鴛鴦立的所在奔去，見那一間配殿的門半掩半開。寶玉也不造次進去，心裏正要問那和尚一聲，回顧頭來，那和尚早已不見了。寶玉恍惚見那殿宇巍峨，絕非大觀園景像，便立住腳，抬頭看那匾額上寫道："引覺情痴"。兩邊寫的對聯道：

　　喜笑悲哀都是假，貪求思慕總因痴。

寶玉看了，便點頭嘆息，想要進去找鴛鴦，問他是什麼所在。細想來，甚是熟識，便仗着膽子推門進去。滿屋一瞧，並不見鴛鴦，裏頭是黑漆漆的，心下害怕。正要退出，見有十數個大櫥，櫥門半掩。寶玉忽然想起：少時做夢曾到過這樣個地方，如今能個親身到此，也是大幸。"恍惚間，把找鴛鴦的念頭忘了，便壯着膽把上首的大櫥開了櫥門一瞧，見有好幾本冊子，心裏更覺喜歡，道："大凡人做夢，說是假的；豈知有這夢，便有這事。我常說還要做這個夢再不能，不料今兒被我找着了。但不知那冊子是那個見過的不是？"伸手在上頭取了一本，上寫着："金陵十二釵正冊。"寶玉拿着一想道："我恍惚記得是那個，只恨記不清楚。"便打開頭一頁看去，見上頭有畫，但是畫迹模糊，再瞧不出來；後面有幾行字不清楚，尚可摹擬，便細細的看去，見有什麼玉帶，上頭有個好像"林"字，心裏想"不要是説林妹妹罷？"便認真看去，底下又有"金簪雪裏"四字，咤異道："怎麼又他的名字呢？"復將前後四句合起來一念道："也没有什麼道理，只是暗藏着他兩個字，並不爲奇，獨有那'憐'字、'嘆'字不好。這是怎麼解？"想到那裏，又自啐道："我偷着看，若只管呆想起來，倘有人來，又看不成了。"遂往後看去，也無暇細玩那畫，只從頭看去。看到尾兒有幾句詩詞，什麼"相逢大夢歸"一句，便恍然大悟道："是了！然機關不爽，這必是元春姐姐了。若都是這樣明白，我要抄了去細玩起來，那些姊們的壽夭窮通，没有不知的了。我回去自不肯泄漏，只做一個未卜先知的人，也省多少閑想。"又向各處一瞧，並没有筆硯，又恐人來，只得忙着看去。只見圖上影影一個放風箏的人兒，也無心去看。急急的將那十二首詩詞都看遍了，也有一看便知也有一想便得的，也有不大明白的，心下牢牢記着。一面嘆息，一面又取那"金陵冊册"一看，看到"堪羨優伶有福，誰知公子無緣"，先前不懂，見上面尚有花席的影便大驚痛哭起來。

待要往後再看，聽見有人説道："你又發呆了！林妹妹請你呢。"好似鴛鴦的聲氣，頭都不見人。心中正自驚疑，忽鴛在門外招手，寶玉一見，喜得趕出但見鴛鴦在前影影綽綽的走，只程不上。寶玉叫道："好姐姐，等等"那鴛鴦並不理，只顧前走。寶玉無奈，盡力趕去。忽則有一洞天，樓閣高聳，殿角玲瓏，且有好些宮女，其間。寶玉貪看景致，竟將鴛鴦忘

寶玉順步走入一座宮門，内育花異卉，都也認不明白，惟白石花闌圍着一顆青草，葉頭上紅色，但不知是何名草，這樣矜貴。見微風動處，那青草已搖擺不休。雖是一枝小草，又無花朵，其嫵媚之不禁心動神怡，魂消魄喪。寶只管呆呆的看着，只聽見旁育一人説着："你是那

道："我找鴛鴦姐姐，誤入仙境，恕我冒昧之罪！請問神仙姐姐：這裏是何地方？怎麽鴛鴦姐姐到此？還說是林妹妹叫我？望乞明示。"那人道："誰知你的姐姐妹妹？我是管仙草的，不許凡人在此逗留。"寶玉欲待要出來，又捨不得，只得央告道："神仙姐姐，既是那管理仙草的，必然是花神姐姐了。但不知這草有何好處？"那仙女道："你知道這草，說起來話長著呢。那草本在靈河岸上，名曰絳珠草。因那時萎敗，幸得一神瑛侍者，日以甘露灌溉，得以長生。後來降凡歷劫，還報了灌溉之恩，今返歸真境，所以警幻仙子命我看管，不令蜂纏蝶戀。"

寶玉聽了不解，一心疑定必是遇見了花神了，今日斷不可當面錯過，便問："管草的是神仙姐姐了。還有無數名花，必有專管的，我也不敢煩問，只有看管芙蓉花的是那位神仙？"那仙女道："我却不知，除是我主人方曉。"寶玉便問道："姐姐的主人是誰？"那仙女道："我主人是瀟湘妃子。"寶玉聽了："是了！你不知道，這位妃子就是我的表妹林黛玉。"那仙女道："胡說！此地乃上界神女之所，雖號為瀟湘妃子，並不是娥皇、女英之輩，何得與凡人有親？你少來混說，瞧著叫力士打你出去。"寶玉聽了發訕，只覺自形穢濁，正要退出，又聽見有人趕來說道："裏面叫請神瑛侍者。"那人道："奉命等了好些時，總不見有神瑛侍者過來，你叫我那裏請去？"那一個笑道："才過去的不是麽？"那侍女慌忙趕出來說："請神瑛侍者回來。"寶玉只道是問別人，又怕被人追趕，只得跟蹌而逃。正走時，只見一人手提寶劍迎面攔住說："那裏走！"唬得寶玉惶無措，仗著膽抬頭一看，却不是別人，就是尤三姐。寶玉見了，略定些神，央告道："姐姐，怎麽你也來逼起我來了？"那人道："你們弟兄沒有一個好人，敗人名節，破人婚姻，今兒你到這裏，是不饒你的了！"寶玉聽去，話頭不好，正自著急，只聽後面又叫道："姐姐快快攔住，不要放他走了！"尤三姐道："我奉妃子之命，等候已久，今兒你來了，必定要一劍斬斷你的塵緣。"寶玉聽了，益發著忙，又不懂這些話到底是什麽意思，只得回頭要跑。豈知身後說話的並非別人，却是晴雯。寶玉一見，悲喜交集，便說："我一個人走迷了道兒，遇見仇人，我要逃回，却不見你們一人跟著我。如今好了，晴雯姐姐快快的帶我回家去罷。"晴雯道："侍者不必多疑，我非晴雯。我是奉妃子之命，特來請你一會，並不難為你。"寶玉滿腹狐疑，只得問道："姐姐說是妃子叫我，那妃子究竟是何人？"晴雯道："此時不必問，到了那裏，自然知道。"寶玉沒法，只得跟著

寶玉跟了和尚，覺得身輕如葉，飄飄颻颻，也沒出大門，不知從那裏走了出來。行了，到了個荒野地方，遠遠的望見一座牌樓，好像曾到過的。

戴敦邦

得通靈幻境悟仙緣 1079 送慈柩故鄉全孝道

細看那人背後舉動，恰是晴雯：「那面目聲音是不錯的了，怎麼他說不是？我此時心
模糊，且別管他，到了那邊見了妃子，就有不是，那時再求。到底女人的心腸是慈悲
必是恕我冒失。」正想着，不多時到了一個所在，只見殿宇精緻，彩色輝煌，庭中一
竹，戶外數本蒼松。廊檐下立着幾個侍女，都是宮妝打扮，見了寶玉進來，便悄悄的
道：「這就是神瑛侍者麼？」引着寶玉的說道：「就是。你快進去通報罷。」有一侍女笑
招手，寶玉便跟着進去。過了幾層房舍，見一正房，珠簾高挂。那侍女說：「站着候
寶玉聽了，也不敢則聲，只得在外等着。

那侍女進去不多時，出來說：「請
參見。」又有一人卷起珠簾，只見一
頭戴花冠，身穿繡服，端坐在內。
略一抬頭，見是黛玉的形容，便不
說道：「妹妹在這裏，叫我好想！」
外的侍女悄吒道：「這侍者無禮，
出去！」說猶未了，又見一個侍兒將
放下。寶玉此時，欲待進去又不敢，要
不捨，待要問明，見那些侍女並不認得
被驅逐，無奈出來。心想要問晴雯，回
顧，並不見有晴雯，心下狐疑，只得快
來，又無人引着。正欲找原路而去，却
不出舊路了。正在爲難，見鳳姐站在
房檐下招手，寶玉看見，喜歡道：「可好
原來回到自己家裏了。我怎麼一時迷
此？」急奔前來說：「姐姐在這裏麼，
這些人捉弄到這個分兒，林妹妹又
見我，不知是何原故？」說着，走到
站的地方。細看起來並不是鳳姐，
却是賈蓉的前妻秦氏。寶玉只得
脚，要問鳳姐姐在那裏，那秦氏也
言，竟自往屋裏去了。寶玉恍恍惚惚的
敢跟進去，只得呆呆的站着，嘆道：「我今兒

不是?衆人都不理我。"便痛哭起來。見有幾個黃巾力士執鞭趕來,説:"是何處男女,敢闖入我們這天仙福地來?快走出去。"寶玉聽得,不敢言語,正要尋路出來,遠遠一羣女子,説笑前來。寶玉看時,又像有迎春等一干人走來,心裏喜歡,叫道:"我在這裏,你們快來救我!"

正嚷着,後面力士趕來。寶玉急得往前亂跑,忽見那一羣女子都變作鬼怪形像,趕撲。寶玉正在情急,只見那送玉來的和尚,手裏拿着一面鏡子一照,説道:"我奉妃娘娘旨意,特來救你。"登時鬼怪全無,仍是一片荒郊。寶玉拉着和尚説道:"記得是你領我到這裏,你一時又不見了。看見了好些親人,只是都不理我,忽又鬼怪。到底是夢是真?望老師明白指示。"那和尚道:"你到這裏,曾偷看什麼東西沒有?"寶玉一想道:"他既能帶我到天仙福地,自然也是神仙了,如何瞞得他?況且要問個明白。"便道:"我倒見了好些册子來着。"那和尚道:"可又來!你見了册子還不解麼?世上的情緣,都是那些魔障。只要把歷過的事情細細記着,將來我與你説明。"説着,把寶玉狠命的一推,説:"回去罷!"寶玉站不住脚,一交跌倒,口裏嚷"嗳呵喲!"

王夫人等正在哭泣,聽見寶玉蘇來,連忙叫喚。寶玉睜眼看時,仍躺在炕上,見王夫人、寶釵等哭的眼泡紅腫。定神一想,心裏説道:"是了!我是死去過來的。"遂把神遊的事,呆呆的細想,幸喜多還記得,便哈哈的笑道:"是了,是了!"王夫人只道瘋病復發,便好延醫調治,即命丫頭婆子快去告訴賈政,説是"寶玉回過來了。頭裏原迷住了,如今説出話來,不用備辦後事了。"賈政聽了,即忙進來看視,果見寶玉,便道:"没的痴兒,你要唬死誰麼?"説着,眼淚也不知不覺流下來了。又嘆了幾聲,仍出去叫人請醫生診脉服藥。這裏麝月正思自盡,見寶玉一過來,也放了心。只有夫人叫人端了桂圓湯,叫他喝了幾口,漸漸的定了神。王夫人等放心,也没有説話,只叫人仍把那玉交給寶釵給他帶上。想起那和尚來,這玉不知那裏找來的?又怪,怎麼一時要銀,一時又不見,莫非是神仙不成?寶釵道:"説起那和尚來的去的影響,那玉並不是找來的;頭裏丢的時候,必是那和尚取去的。"王夫人道:"在家裏,怎麼能取的了去?"寶釵道:"既可送來,就可取去。"襲人、麝月道:"那年丢玉,林大爺測了個字,後來二奶奶過了門,我還告訴過二奶奶,説測的那字是什麼'賞'字。二奶奶還記得麼?"寶釵想道:"是了,你們説測的是當鋪裏找去,如今才明,竟是個和尚的'尚'字在上頭,可不是和尚取了去的麼?"王夫人道:"那和尚本來古怪。那年寶玉病的時候,那和尚來説我們家有寶貝可解,説的就是這塊玉了。

他既知道，自然這塊玉到底有些來歷。況且你女婿養下來就嘴裏含着的。古往今來們聽見過這麼第二個麼？只是不知終久這塊玉到底是怎麼着，就連咱們這一個，不知是怎麼着：病也是這塊玉，好也是這塊玉，生也是這塊玉 ……"說到這裏，忽了，不免又流下淚來。寶玉聽了，心裏却也明白，更想死去的事，愈加有因，只不言心裏細細的記憶。

那時惜春便説道："那年失玉，還請妙玉請過仙，説是'青埂峰下倚古松'，還麼'入我門來一笑逢'的話。想起來'入我門'三字，大有講究。佛教的法門最大，只哥不能入得去。"寶玉聽了，又冷笑幾聲。寶釵聽了，不覺的把眉頭兒肐瞅着，發起忙尤氏道："偏你一説又是佛門了，你出家的念頭還沒有歇麼？"惜春笑道："不瞞嫂子我早已斷了葷了。"王夫人道："好孩子，阿彌陀佛！這個念頭是起不得的。"惜春聽也不言語。寶玉想"青燈古佛前"的詩句，不禁連嘆幾聲。忽又想起一床席一枝花句來，拿眼睛看着襲人，不覺又流下淚來。衆人都見他忽笑忽悲，也不解是何意，只他的舊病。豈知寶玉觸處機來，竟能把偷看冊上詩句俱牢牢記住了，只是不説出來中早有一個成見在那裏了，暫且不題。

且説衆人見寶玉死去復生，神氣清爽，又加連日服藥，一天好似一天，漸原起來。便是賈政見寶玉已好，現在丁憂無事，想起賈赦不知幾時遇赦，老太太柩久停寺内，終不放心，欲要扶柩回南安葬，便叫了賈璉來商議。賈璉便道："得極是。如今趁着丁憂，幹了一件大事更好。將來老爺起了服，生恐又不能遂意是我父親不在家，侄兒呢又不敢僭越。老爺的主意狠好，只是這件事也得好幾子。衙門裏緝贓，那是再緝不出來的。"賈政道："我的主意是定了，只爲大爺不在叫你來商議商議怎麼個辦法。你是不能出的，現在這裏没有人。我爲是好幾口材帶回去的，一個怎麼樣的照應呢？想起把蓉哥兒帶了去，況且有他媳婦的棺材也頭。還有你林妹妹的，那是老太太的遺言，説跟着老太太一塊兒回去的。我想這銀子，只好在那裏挪借幾千，也就够了。"賈璉道："如今的人情過于淡薄。老爺丁憂；我們老爺呢，又在外頭，一時借是借不出來的了，只是拿房地文書出去押賈政道："住的房子是官蓋的，那裏動得？"賈璉道："住房是不能動的。外頭還可以出脱的，等老爺起復後再贖也使得。將來我父親回來了，倘能也再起用，也的。只是老爺這麼大年紀，辛苦這一場，侄兒們心裏説不安。"賈政道："老太太的

賈政又吩咐了在家的人，説了好些話，才別了宗祠，便在城外念了幾天經，就發引帶了林之孝等而去。也没有驚動親友，惟有自家男女送了一程回來。

得通靈幻境悟仙緣 1083 送慈柩故鄉全孝道

是應該的。只要你在家謹慎些，把持定了才好。"賈璉道："老爺這倒只管放心，[侄]雖糊塗，斷不敢不認真辦理的。況且老爺回南，少不得多帶些人去，所留下的人[有]限了，這點子費用，還可以過的來。就是老爺路上短少些，必經過賴尚榮的地方，[也]叫他去點力兒。"賈政道："自己的老家人的事，叫人家幫什麼。"賈璉答應了，[一面]便退出來，打算銀錢。賈政便告訴了王夫人，叫他管了家，自己便擇了發引長行的[日]子，就要起身。

　　寶玉此時身體復元，賈環、賈蘭倒認真念書，賈政都交付給賈璉，叫他管教："[明]年是大比的年頭，環兒是有服的，不能入場；蘭兒是孫子，服滿了也可以考的；務[必]寶玉同着侄兒考去。能够中一個舉人，也好贖一贖咱們的罪名。"賈璉等唯唯應[了]。賈政又吩咐了在家的人，說了好些話，才別了宗祠，便在城外念了幾天經，就發[了]船，帶了林之孝等而去。也沒有驚動親友，惟有自家男女送了一程回來。

　　寶玉因賈政命他赴考，王夫人便不時催逼查考起他的工課來。那寶釵、襲人[的]勸勉，自不必說。那知寶玉病後，雖精神日長，他的念頭一發更奇僻了，竟換了一[個人]，不但厭棄功名仕進，竟把那兒女情緣也看淡了好些。只是眾人不大理會，寶玉也[不]說出來。一日，恰遇紫鵑送了林黛玉的靈柩回來，悶坐自己屋裏啼哭，想着："寶[玉無]情，見他林妹妹的靈柩回去，並不傷心落淚；見我這樣痛哭，也不來勸慰，反瞅[着]笑。這樣負心的人，從前都是花言巧語來哄着我們。前夜虧我想得開，不然幾[乎上]了他的當。只是一件叫人不解：如今我看他待襲人等也是冷冷兒的，二奶奶是本[來]喜歡親熱的，麝月那些人就不抱怨他麼？我想女孩子們多半是痴心的，白操了那[些]的心，看將來怎樣結局！"正想着，只見五兒走來瞧他，見紫鵑滿面淚痕，便說："[你]又想林姑娘了？想一個人，聞名不如眼見。頭裏聽着寶二爺女孩子跟前是最好[的，太太]母親再三的把我弄進來。豈知我進來了，盡心竭力的伏侍了幾次病，如今病好[了，]一句好話也沒有剩出來，如今索性連眼兒也都不瞧了。"紫鵑聽他說的好笑，便["嗤"]的一笑，啐道："呸！你這小蹄子！你心裏要寶玉怎麼個樣兒待你才好？女孩[子家]也不害臊！連名公正氣的屋裏人瞧着，他還沒事人一大堆呢，有功夫理你去？"[又]笑着拿個指頭往臉上抹着，問道："你到底算寶玉的什麼人哪？"那五兒聽了，自[己無]言，便飛紅了臉。待要解說不是要寶玉怎樣看待，說他近來不憐下的話，只聽院[子裏]亂嚷，說："外頭和尚又來了，要那一萬銀子呢。太太着急，叫璉二爺和他講去，[璉]二爺又不在家。那和尚在外頭說些瘋話，太太叫請二奶奶過去商量。"不知怎[麼打]發那和尚，下回分解。

第壹佰拾柒回

阻超凡佳人雙護玉　欣聚黨惡子獨承家

話說王夫人打發人來叫寶釵過去商量，寶玉聽見說是和尚在外頭，趕忙的獨自一人走到前頭，嘴裏亂嚷道：“我的師父在那裏？”叫了半天，並不見有和尚。只得走到外面，見李貴將和尚攔住，不放他進來，寶玉便說道：“太太叫我請師父進去。”李貴聽了，鬆了手，那和尚便搖搖擺擺的進去。寶玉看見那僧的形狀與他死去時所見的一般，心裏早有些明白了，便上前施禮，連叫：“師父，弟子迎候來遲。”那僧說：“我不要你們接待，只要銀子拿了來，我就走。”寶玉聽來，又不像有道行的話，看他滿頭癩瘡，混身腌臢破爛，心裏想道：“自古說：‘真人不露相，露相不真人。’也不可當面錯過。我且應了他謝銀，並探探他的口氣。”便說道：“師父不必性急，現在家母料理，請師父坐下，略等片刻。弟子請問師父，可是從太虛幻境而來？”那和尚道：“什麼幻境？不過是來處來、去處去罷了。我是送還你的玉來的。且我問你：那玉是從那裏來的？”寶玉一時對答不來。那僧笑道：“你自己的來路還不知，便來問我！”寶玉本來穎悟，又經點化，早把紅塵看破，只是自己的底裏未知；一聞那僧問起玉來，好像當頭一棒，便說道：“你也不用銀子了，我把那玉還你罷。”那僧笑道：“也該還我了。”寶玉也不答言，往裏就跑。走到自己院內，見寶釵、襲人等都到王夫人那裏去了，忙向自己床邊取了那玉，便走出來。迎面碰見了襲人，撞了一個滿懷，把襲人唬了一跳，說道：“太太說，你陪着和尚坐着

狠好。太太在那裏打算送他些銀兩，你又回來做什麼？”寶玉道：“你快去回太太，說不
用張羅銀兩了，我把這玉還了他就是了。”襲人聽説，即忙拉住寶玉道：“這斷使不得！
那玉就是你的命，若是他拿了去，你又要病着了。”寶玉道：“如今不再病的了，我已
有了心了，要那玉何用！”摔脫襲人，便要想走。襲人急得趕着嚷道：“你回來，我告訴
一句話。”寶玉回過頭來道：“没有什麼説的了。”襲人顧不得什麼，一面趕着跑，一面喊
道：“上回丢了玉，幾乎没有把我的命要了。剛剛兒的有了，你拿了去，你也活不成，我
也活不成了。你要還他，除非是叫我死了！”説着，趕上一把拉住。寶玉急了道：“你死也
要還，你不死也要還。”狠命的把襲人一推，抽身要走。怎奈襲人兩隻手繞着寶玉的脖
子不放鬆，哭喊着坐在地下。

　　裏面的丫頭聽見，連忙趕來，瞧見他兩個人的神情不好，只聽見襲人哭道：“快告
太太去，寶二爺要把那玉去還和尚呢！”丫頭趕忙飛報王夫人。那寶玉更加生氣，用手
掰開了襲人的手，幸虧襲人忍痛不放。紫鵑在屋裏聽見寶玉要把玉給人，這一急比襲人
更甚，把素日冷淡寶玉的主意都忘在九霄雲外了，連忙跑出來幫着抱住寶玉。那寶玉雖
是個男人，用力摔住，怎奈兩個人死命的抱住不放，也難脫身，嘆口氣道：“爲一塊玉這
樣死命的不放；若是我一個人走了，又待怎麼樣呢？”襲人、紫鵑聽到那裏，不禁嚎啕
哭起來。正在難分難解，王夫人、寶釵急忙趕來，見是這樣形景，便哭着喝道：“寶玉
又瘋了嗎？”寶玉見王夫人來了，明知不能脫身，只得陪笑説道：“這當什麼，又叫這樣
大驚小怪。他們總是這樣大驚小怪的。我説那和尚不近人情，他必要一萬銀子，少一個不肯，
生氣進來，拿這玉還他，就説是假的，要這玉幹什麼？他見得我們不希罕那玉，便隨
他些就過去了。”王夫人道：“我打諒真要還他。這也罷了，爲什麼不告訴明白了他們，
他們哭哭喊喊的，像什麼？”寶釵道：“這麼説呢，倒還使得。要是真拿那玉給他，倒
有些古怪，倘或一給了他，又鬧到家口不寧，豈不是不成事了麼？至于銀錢呢，就把
頭面折變了，也還彀了呢。”王夫人聽了道：“也罷了，且就這麼辦罷。”寶玉也不回答，
見寶釵走上來，在寶玉手裏拿了這玉，説道：“你也不用出去，我合太太給他錢就是了。”
寶玉道：“玉不還他也使得，只是我還得當面見他一見才好。”襲人等仍不肯放手，
寶釵明決，説：“放了手，由他去就是了。”襲人只得放手。寶玉笑道：“你們這些人，
重玉不重人哪。你們既放了我，我便跟着他走了，看你們就守着那塊玉怎麼樣？”襲人心
裏又着急起來，仍要拉他，只礙着王夫人和寶釵的面前，又不好太露輕薄，恰好寶

寶玉道：“你快去回太太，説不用張羅銀兩了，我把這玉還了他就是了。”襲人聽説，即忙
拉住寶玉道：“這斷使不得的！那玉就是你的命，若是他拿了去，你又要病着了。”寶玉道：
“如今不再病的了，我已經有了心了，要那玉何用！”摔脫襲人，便要想走。　　戴敦邦

一
百
十
七
回

阻超凡佳人双护玉

阻超凡佳人雙護玉 1087 欣聚黨惡子獨承家

撒手就走了。襲人忙叫小丫頭在三門口傳了焙茗等："告訴外頭照應着二爺，他有些▨
了。"小丫頭答應了出去。

王夫人、寶釵等進來坐下，問起襲人來由，襲人便將寶玉的話細細説了。王夫▨
寶釵甚是不放心，又叫人出去吩咐衆人伺候，聽着和尚説些什麼。回來小丫頭傳話▨
來，回王夫人道："二爺真有些瘋了。外頭小厮們説：裏頭不給他玉，他也没法；如▨
子出來了，求着那和尚帶了他去。"王夫人聽了，説道："這還了得！那和尚説什麼來▨
小丫頭回道："和尚説，要玉不要人。"寶釵道："不要銀子了麼？"小丫頭道："没聽見▨
後來和尚合二爺兩個人説着笑着，有好些話，外頭小厮們都不大懂。"王夫人道："▨
東西！聽不出來，學是自然學得來的。"便叫小丫頭："你把那小厮叫進來。"小丫頭▨
出去叫進那小厮。站在廊下，隔着窗户請了安，王夫人便問道："和尚和二爺的話，▨
不懂，難道學也學不來嗎？"那小厮回道："我們只聽見説什麼'大荒山'，什麼'青埂▨
又説什麼'太虛境'、'斬斷塵緣'這些話。"王夫人聽了也不懂。

寶釵聽了，唬得兩眼直瞪，半句話都没有了。正要叫人出去拉▨
進來，只見寶玉笑嘻嘻的進來，説："好了，好了！"▨
仍是發怔。王夫人道："你瘋瘋顛顛的，説的是什麼▨
寶玉道："正經話又説我瘋顛。那和尚與▨
認得的，他不過也是要來見我一見，他何▨
真要銀子呢，也只當化個善緣就是了。所▨
明了，他自己就飄然而去了，這可不是▨
麼！"王夫人不信，又隔着窗户▨
小厮。那小厮連忙出去問了▨
的人，進來回説："果然和尚走▨
説請太太們放心，我原不要銀▨
只要寶二爺時常到他那裏去▨
了。諸事只要隨緣，自有一定的道理▨
夫人道："原來是個好和尚。你們曾問住▨
裏？"門上道："奴才也問來着，他説我▨
爺是知道的。"王夫人問寶玉道："▨
底住在那裏？"寶玉笑道："這▨
方，説遠就遠，説近就近。▨
不待説完，便道："你醒醒兒▨

着迷在裏頭。現在老爺太太就疼你一個人，老爺還吩咐叫你干功名長進呢。"寶

玉道："我説的不是功名麼？你們不知道，一子出家，七祖升天呢。"王夫人聽到那裏，

也傷心起來，説："我們的家運怎麼好！一個四丫頭，口口聲聲要出家；如今又添出

你來了！我這樣個日子，過他做什麼！"説着，大哭起來。寶釵見王夫人傷心，只得上

去勸。寶玉笑道："我説了這一句頑話，太太又認起真來了。"王夫人止住哭聲道：

"這些話也是混説的麼！"

　　正鬧着，只見丫頭來回話："璉二爺回來了，顔色大變，説請太太回去説話。"王夫

人又吃了一驚，説道："將就些叫他進來罷，小嬸子也是舊親，不用回避了。"賈璉進來

見了王夫人，請了安。寶釵迎着也問了賈璉的安。回説道："剛才接了我父親的書信，説

病重的狠，叫我就去，若遲了，恐怕不能見面。"説到那裏，眼淚便掉下來了。王夫人

問："書上寫的是什麼病？"賈璉道："寫的是感冒風寒起來的，如今成了癆病了。現在危

急，專差一個人連日連夜趕來的，説如若再耽擱一兩天，就不能見面了。故來回太太，

侄兒必得就去才好。只是家裏没人照管，薔兒、芸兒雖説糊塗，到底是個男人，外頭有

了事來，還可傳個話。侄兒家裏倒没有什麼事，秋桐是天天哭着喊着，不願意在這裏，

所以叫了他娘家的人來領了去，倒省了平兒好些氣。雖是巧姐没人照應，還虧平兒

心不狠壞，妞兒心裏也明白，只是性氣比他娘還剛硬些，求太太時常管教管教他。"

説着，眼圈兒一紅，連忙把腰裏拴檳榔荷包的小絹子拉下來擦眼。王夫人道："放着他

祖母在那裏，託我做什麼？"賈璉輕輕的説道："太太要説這個話，侄兒就該活活兒的

死了。没什麼説的，總求太太始終疼侄兒就是了。"説着，就跪下來了。王夫人也眼圈

紅了，説："你快起來，娘兒們説話兒，這是怎麼説？只是一件：孩子也大了，倘或你父

親有個一差二錯，又耽擱住了，或者有個門當户對的來説親，還是等你回來，還是你太

太作主？"賈璉道："現在太太們在家，自然是太太們做主，不必等我。"王夫人道："你要

早些寫了禀帖給二老爺送個信，説家下無人，你父親不知怎樣，快請二老爺將老太

太的事早早的完結，快快回來。"

　　賈璉答應了"是"，正要走出去，復轉回來回説道："咱們家的家下人，家裏還彀使，

只是園裏没有人，太空了。包勇又跟了他們老爺去了。姨太太住得房子，薛二爺已

搬自己的房子内住了，園裏一帶屋子都空着，忒没照應，還得太太叫人常查看查看。

櫳翠庵原是咱們家的地基，如今妙玉不知那裏去了，所有的根基，他的當家女尼

自己作主，要求府裏一個人管理管理。"王夫人道："自己的事還鬧不清，還攔得住外

頭的事麼。這句話，好歹别叫四丫頭知道；若是他知道了，又要吵着出家的念頭出來了。

可知咱們家什麼樣的人家，好好的姑娘出了家，還了得！"賈璉道："太太不提起，侄兒

也不敢説。四妹妹到底是東府裏的，又没有父母，他親哥哥又在外頭，他親嫂子又□説的上話，侄兒聽見要尋死覓活了好幾次。他既是心裏這麼着的了，若是牛着他，□倘或認真尋了死，比出家更不好了。」王夫人聽了點頭道：「這件事真真叫我也難擔□也做不得主，由他大嫂子去就是了。」賈璉又説了幾句，才出來叫了衆家人來，交□楚，寫了書，收拾了行裝。平兒等不免叮嚀了好些話，只有巧姐兒慘傷的了不得。□又欲託王仁照應，巧姐到底不願意；聽見外頭託了芸、薔二人，心裏更不受用，嘴裏□説不出來。只得送了他父親，謹謹慎慎的随着平兒過日子。豐兒、小紅因鳳姐去世□假的告假，告病的告病。平兒意欲接了家中一個姑娘來，一則給巧姐作伴，二則可以□量他。遍想無人，只有喜鸞、四姐兒是賈母舊日鍾愛的，偏偏四姐兒新近出了嫁了□鸞也有了人家兒，不日就要出閣，也只得罷了。

　　且説賈芸、賈薔送了賈璉，便進來見了邢、王二夫人。他兩個倒替着在外書房住□日間便與家人厮鬧，有時找了幾個朋友吃個車輨轆會，甚至聚賭，裏頭那裏知道。□邢大舅、王仁來，瞧見了賈芸、賈薔住在這裏，知他熱鬧，也就借着照看的名兒，時常□外書房設局賭錢喝酒。所有幾個正經的家人，賈政帶了幾個去，賈璉又跟去了幾個□有那賴、林諸家的兒子侄兒。那些少年託着老子娘的福吃喝慣了的，那知當家立計□理？況且他們長輩都不在家，便是没籠頭的馬了。又有兩個旁主人慫恿，無不樂爲。□鬧，把個榮國府鬧得没上没下，没裏没外。那賈薔還想勾引寶玉，賈芸攔住道：「寶□那個人，去運氣的，不用惹他。那一年我給他説了一門子絶好的親，父親在外頭做税□家裏開幾個當鋪，姑娘長的比仙女兒還好看。我巴巴兒的細細的寫了一封書子給他□知他没造化……」説到這裏，瞧了瞧左右無人，又説：「他心裏早和咱們這個二嬸娘□了。你没聽見説，還有一個林姑娘呢，弄的害了相思病死的，誰不知道？這也罷了，各□的姻緣罷咧。誰知他爲這件事倒惱了我了，總不大理。他打諒誰必是借誰的光兒呢。□薔聽了點點頭，才把這個心歇了。

　　他兩個還不知道，寶玉自會那和尚已後，他是欲斷塵緣，一則在王夫人跟前□任性，已與寶釵、襲人等皆不大款洽了。那些丫頭不知道，還要逗他，寶玉那裏看得□眼裏。他也並不將家事放在心裏，時常王夫人、寶釵勸他念書，他便假作攻書，一心□着那個和尚引他到那仙境的機關，心目中觸處皆爲俗人。却在家難受，閑來倒與惜□講，他們兩個人講得上了，那種心更加准了幾分，那裏還管賈環、賈蘭等。那賈環等□

那些少年託着老子娘的福吃喝慣了的，那知當家立計的道理？況且他們長輩都不在家
是没籠頭的馬了。又有兩個旁主人慫恿，無不樂爲。這一鬧，把個榮國府鬧得没上没
没裏没外。

戴敦□

阻超凡佳人雙護玉

1091

欣聚黨惡子獨承家

父親不在家，趙姨娘已死，王夫人
大理會，他便入了賈薔一路。倒』
雲時常規勸，反被賈環辱罵。□
兒見寶玉瘋顛更甚，早和他妙
了，要求着出去。如今寶玉、
他哥兒兩個各有一種脾氣，□
人人不理。獨有賈蘭跟着他□
上緊攻書，作了文字送到學□
教代儒，因近來代儒老病在床
得自己刻苦。李紈是素來沉靜
了請王夫人的安，會會寶釵，餞
一步不走，只有看着賈蘭攻書
以榮府住的人雖不少，竟是名
過各自的，誰也不肯做誰的
賈環、賈薔等愈鬧的不像事
甚至偷典偷賣，不一而足。
更加宿娼爛賭，無所不為。

一日，邢大舅、王仁都在氛
外書房喝酒，一時高興，叫了糹
陪酒的來唱着喝着勸酒。賈香
說："你們鬧的太俗，我要行個令

衆人道："使得。"賈薔道："咱們'月'字流觴罷。我先說起，'月'字數到那個，便是□
喝酒，還要酒面酒底須得依着令官，不依者罰三大杯。"衆人都依了。賈薔喝了一杯
酒，便說："飛羽觴而醉月。"順飲數到賈環。賈薔說："酒面要個'桂'字。"賈環便說
"冷露無聲濕桂花。酒底呢?"賈薔道："說個'香'字。"賈環道："天香雲外飄。"大舅說
"沒趣，沒趣! 你又懂得什麼字了，也假斯文起來?這不是取樂，竟是慪人了，咱們不
了。倒是搳搳拳，輸家喝，輸家唱，叫做'苦中苦'；若是不會唱的，說個笑話兒也使得
要有趣。"衆人都道使得，于是亂搳起來。王仁輸了，喝了一杯，唱了一個，衆人道好
搳起來了，是個陪酒的輸了，唱了一個什麼"小姐小姐多丰彩"。以後邢大舅輸了，衆
要他唱曲兒，他道："我唱不上來的。我說個笑話兒罷。"賈薔道："若說不笑，仍要罰
邢大舅就喝了杯，便說道："諸位聽着：村莊上有一座元帝廟，旁邊有個土地祠。那

常叫土地來説閑話兒。一日，元帝廟裏被了盜，便叫土地去查訪。土地稟道：‘這地□□有賊的，必是神將不小心，被外賊偷了東西去。’元帝道：‘胡説！你是土地，失了盜□你，問誰去呢？你倒不去拿賊，反説我的神將不小心嗎！’土地稟道：‘雖説是不小□到底是廟裏的風水不好。’元帝道：‘你倒會看風水麼？’土地道：‘待小神看看。’那土□各處瞧了一會，便來回稟道：‘老爺坐的身子背後，兩扇紅門就不謹慎。小神坐的背□砌的墙，自然東西丟不了。以後老爺的背後亦改了墙就好了。’元帝老爺聽來有理，□神將派人打墙。衆神將嘆口氣道：‘如今香火一炷也沒有，那裏有磚灰人工來打□元帝老爺沒法，叫衆神將作法，却都沒有主意。那元帝老爺脚下的龜將軍站起來□你們不中用，我有主意：你們將紅門拆下來，到了夜裏拿我的肚子墊住這門口，難□不得一堵墻麼？’衆神將都説道：‘好！又不花錢，又便當結實。’于是龜將軍便當這□使，竟安靜了。豈知過了幾天，那廟裏又丟了東西。衆神將叫了土地來，説道：‘你説□墻就不丟東西，怎麼如今有了墻，還要丟？’那土地道：‘這墻砌的不結實。’衆神將□你瞧去。’土地一看，果然是一堵好墻，怎麼還有失事？把手摸了一摸，道：‘我打諒□墻，那裏知道是個假墻！’”衆人聽了，大笑起來。賈薔也忍不住的笑，説道：“傻大□好！我沒有駡你，你爲什麼駡我？快拿杯來罰一大杯。”

邢大舅喝了，已有醉意。衆人又喝了幾杯，都醉起來。邢大舅説他姐姐不好，王仁説□妹不好，都説的狠狠毒毒的。賈環聽了，趁着酒興也説鳳姐不好，怎樣苛刻我們，怎□踏我們的頭。衆人道：“大凡做個人，原要厚道些，看鳳姑娘仗着老太太這樣的利□今如焦了尾巴梢子了，只剩了一個姐兒，只怕也要現世現報呢。”賈芸想着鳳姐待他□，又想起巧姐兒見他就哭，也信着嘴兒混説。還是賈薔道：“喝酒罷，説人家做什□那兩個陪酒的道：“這位姑娘多大年紀了？長得怎麼樣？”賈薔道：“模樣兒是好的狠□年紀也有十三四歲了。”那陪酒的説道：“可惜這樣人生在府裏這樣人家，若生在小□家，父母弟兄都做了官，還發了財呢。”衆人道：“怎麼樣？”那陪酒的説：“現今有個□王爺，最是有情的，要選一個妃子。若合了式，父母兄弟都跟了去，可不是好事兒□衆人都不大理會，只有王仁心裏略動了一動，仍舊喝酒。

只見外頭走進賴、林兩家的子弟來，説：“爺們好樂呀！”衆人站起來説道：“老大老□怎麼這時候才來？叫我們好等！”那兩個人説道：“今早聽見一個謠言，説是咱們家□出事來了，心裏着急，趕到裏頭打聽去，並不是咱們。”衆人道：“不是咱們就完了，□麼不就來？”那兩個説道：“雖不是咱們，也有些干係。你們知道是誰？就是賈雨村□。我們今兒進去，看見帶着鎖子，説要解到三法司衙門裏審問去呢。我們見他常在□家裏來往，恐有什麼事，便跟了去打聽。”賈芸道：“到底老大用心，原該打聽打聽。

你且坐下喝一杯再説。"兩人讓了一回，便坐下喝着酒，道："這位雨村老爺，人也
幹，也會鑽營，官也不小了，只是貪財，被人家參了個婪索屬員的幾款。如今的萬歲
是最聖明最仁慈的，獨聽了一個'貪'字，或因遭塌了百姓，或因恃勢欺良，是極
的，所以旨意便叫拿。若是問出來了，只怕攔不住；若是沒有的事，那參的人也
如今真真是好時候，只要有造化，做個官兒就好。"衆人道："你的哥哥就是有造化
現做知縣，還不好麼?"賴家的説道："我哥哥雖是做了知縣，他的行爲只怕也保
怎麼樣呢!"衆人道："手也長麼?"賴家的點點頭兒，便舉起杯來喝酒。衆人又道
頭還聽見什麼新聞?"兩人道："別的事沒有。只聽見海疆的賊寇拿住了好些，也
法司衙門裏審問，還審出好些賊寇，也有藏在城裏的，打聽消息，抽空兒就劫搶人
如今知道朝裏那些老爺們都是能文能武，出力報效，所到之處，早就消滅了。"
道："你聽見有在城裏的，不知審出咱們家失盜了一案來沒有?"兩人道："倒沒
見。恍惚有人説是有個內地裏的人，城裏犯了事，搶了一個女人下海去了，那女
依，被這賊寇殺了。那賊寇正要跳出關去，被官兵拿住了，就在拿獲的地方正
了。"衆人道："咱們櫳翠庵的什麼妙玉，不是叫人搶去，不要就是他罷?"賈環道
是他。"衆人道："你怎麼知道?"賈環道："妙玉這個東西是最討人嫌的。他一日
酸，見了寶玉就眉開眼笑了。我若見了他，他從不拿正眼瞧我一瞧。真要是他，我
願呢!"衆人道："搶的人也不少，那裏就是他?"賈芸道："有點信兒。前日有見人
庵裏的道婆做夢，説看見是妙玉叫人殺了。"衆人笑道："夢話算不得。"邢大舅道
他夢不夢，咱們快吃飯罷，今夜做個大輸贏。"

　　衆人願意，便吃畢了飯，大賭起來。賭到三更多天，只聽見裏頭亂嚷，説是："
娘合珍大奶奶拌嘴，把頭髮都鉸掉了。趕到邢夫人、王夫人那裏去磕了頭，説是要
他做尼姑呢，送他一個地方，若不容他，他就死在眼前。那邢、王兩位太太沒主意，
薔大爺、芸二爺進去。"賈芸聽了，便知是那回看家的時候起的念頭，想來是勸
的了，便合賈薔商議道："太太叫我們進去，我們是做不得主的，況且也不好做主，
勸去。若勸不住，只好由他們罷。咱們商量了寫封書給璉二叔，便卸了我們的干係
兩人商量定了主意，進去見了邢、王兩位太太，便假意的勸了一回。無奈惜春立意
出家，就不放他出去，只求一兩間凈屋子給他誦經拜佛。尤氏見他兩個不肯作主，
惜春尋死，自己便硬做主張，説："這個不是，索性我耽了罷。説我做嫂子的容不
姑子，逼他出了家了，就完了。若説到外頭去呢，斷斷使不得；若在家裏呢，太太們
這裏，算我的主意罷。叫薔哥兒寫封書子給你珍大爺、璉二叔就是了。"賈薔等答
不知邢、王二夫人依與不依，下回分解。

第壹佰拾捌回

記微嫌舅兄欺弱女　驚謎語妻妾諫痴人

話説邢、王二夫人聽尤氏一段話，明知也難挽回，王夫人只得説道："姑娘要行善，這也是前生的夙根，我們也實在攔不住。只是咱們這樣人家的姑娘出了家，不成了事體。如今你嫂子説了，准你修行，也是好處。却有一句話要説：那頭髮可以不剃的，只要自己的心真，那在頭髮上頭呢？你想妙玉也是帶髮修行的，不知他怎樣凡心一動，才鬧到那個分兒。姑娘執意如此，我們就把姑娘住的房子便算了姑娘的静室，所有服侍姑娘的人，也得叫他們來問，他若願意跟的，就講不得説親配人；若不願意跟的，另打主意。"惜春聽了，收了淚，拜謝了邢、王二夫人、李紈、尤氏等。王夫人説了，便問彩屏等誰願跟姑娘修行，彩屏等回道："太太們派誰就是誰。"王夫人知道不願意，正在想人。襲人立在寶玉身後，想來寶玉必要大哭，防着他的舊病，豈知寶玉嘆道："真真難得！"襲人心裏更自傷悲。寶釵雖不言語，遇事試探，見是執迷不醒，只得暗中落淚。王夫人才要叫了衆丫頭來問，忽見紫鵑走上前去，在王夫人面前跪下回道："剛才太太問跟四姑娘的姐姐，太太看着怎麼樣？"王夫人道："這個如何强派得人的？誰願意，他自然就説出來了。"紫鵑道："姑娘修行，自然姑娘願意，並不是別的姐姐們的意思。我有句話回太太：我也並不是拆開姐姐們，各人有各人的心。我伏侍林姑娘一場，林姑娘待我也是太太們知道的，實在恩重如山，無以可報。他死了，我恨不得跟了他去，但是他不是這裏的人，我又受主子家的恩典，

難以從死。如今四姑娘既要修行，我就求太太們將我派了跟着姑娘，伏侍姑娘一輩
不知太太們准不准？若准了，就是我的造化了。"

　　邢、王二夫人尚未答言，只見寶玉聽到那裏，想起黛玉，一陣心酸，眼淚早
了。衆人才要問他時，他又哈哈的大笑，走上來道："我不該說的，這紫鵑蒙太太
我屋裏，我才敢說。求太太准了他罷，全了他的好心。"王夫人道："你頭裏姊妹
嫁，還哭得死去活來；如今看見四妹妹要出家，不但不勸，倒說好事：你如今到
怎麼個意思？我索性不明白了。"寶玉道："四妹妹修行是已經准的了，四妹妹也
定主意了。若是真的，我有一句話告訴太太；若是不定的，我就不敢混說了。"
道："二哥哥話說也好笑，一個人主意不定，便扭得過太太們來了？我也是像紫
話，容我呢，是我的造化；不容我呢，還有一個死呢，那怕什麼？二哥哥既有話，
說。"寶玉道："我這也不算什麼泄漏了，這也是一定的。我念一首詩給你們聽聽
衆人道："人家苦得狠的時候，你倒來做詩慪人。"寶玉道："不是做詩，我到一個
兒看了來的。你們聽聽罷。"衆人道："使得。你就念念，別順着嘴兒胡謅。"寶玉
分辯，便說道：

　　　　勘破三春景不長，緇衣頓改昔年妝。可憐繡戶侯門女，獨臥青燈古佛旁。

　　李紈、寶釵聽了咤異道："不好了，這人入了迷了！"王夫人聽了這話，點頭嘆
便問："寶玉，你到底是那裏看來的？"寶玉不便說出來，回道："太太也不必問我，
見的地方。"王夫人回過味來，細細一想，便更哭起來道："你說前兒是頑話，怎麼
有這首詩？罷了，我知道了，你們叫我怎麼樣呢？我也沒有法兒了，也只得由着你
罷！但是要等我合上了眼，各自幹各自的就完了。"寶釵一面勸着，這個心比刀鉸更
也掌不住，便放聲大哭起來。襲人已經哭的死去活來，幸虧秋紋扶着。寶玉也不啼
也不相勸，只不言語。賈蘭、賈環聽到那裏，各自走開。李紈竭力的解說："總是
見四妹妹修行，他想來是痛極了，不顧前後的瘋話，這也作不得准的。獨有紫鵑
情准不准，好叫他起來。"王夫人道："什麼依不依，橫竪一個人的主定了，那也是
過來的。可是寶玉說的，也是一定的了。"紫鵑聽了磕頭，惜春又謝了王夫人。紫
給寶玉、寶釵磕了頭，寶玉念聲："阿彌陀佛，難得，難得！不料你倒先好了。"寶釵
有把持，也難掌住。只有襲人也顧不得王夫人在上，便痛哭不止。說："我也願意
四姑娘去修行。"寶玉笑道："你也是好心，但是你不能享這個清福的。"襲人哭道：
麼說，我是要死的了？"寶玉聽到那裏，倒覺傷心，只是說不出來。因時已五更，寶

賈芸便將賈環的話附耳低言的說了。王仁拍手道："這倒是一種好事，又有銀子，只怕
不能。若是你們敢辦，我是親舅舅，做得主的。"

　　　　　　　　　　　　　　　　　　　　　　　　　　　熊藝

賣舅王仁謀密計
姐巧賣庚辰冬月
藝郎於沙㳘

王夫人安歇。李紈等各自散去。彩屏等暫且伏侍惜春回去，後來指配了人家。紫鵑〔……〕伏侍，毫不改初，此是後話。

且言賈政扶了賈母靈柩一路南行，因遇着班師的兵將船隻過境，河道擁擠，〔……〕速行，在道實在心焦。幸喜遇見了海疆的官員，聞得鎮海統制欽召回京，想來探〔……〕定回家，略略解些煩心。只打聽不出起程的日期，心裏又煩躁。想到盤費算來〔……〕不得已寫書一封，差人到賴尚榮任上借銀五百，叫人沿途迎上來應需用。那人去〔……〕日，賈政的船才行得十數里，那家人回來，迎上船隻，將賴尚榮的稟啓呈上，書內〔……〕多少苦處，備上白銀五十兩。賈政看了生氣，即命家人立刻送還，將原書發回，〔……〕不必費心。那家人無奈，只得回到賴尚榮任所。賴尚榮接到原書銀兩，心中煩悶〔……〕事辦得不周，倒又添了一百，央來人帶回，幫着說些好話。豈知那人不肯帶回，〔……〕就走了。賴尚榮心下不安，立刻修書到家，回明他父親，叫他設法告假，贖出身來〔……〕是賴家託了賈薔、賈芸等在王夫人面前乞恩放出。賈薔明知不能，過了一日，假說〔……〕夫人不依"的話回覆了。賴家一面告假，一面差人到賴尚榮任上，叫他告病辭官〔……〕夫人並不知道。

那賈芸聽見賈薔的假話，心裏便沒想頭。連日在外又輸了好些銀錢，無所抵償〔……〕和賈環相商。賈環本是一個錢沒有的，雖是趙姨娘積蓄些微，早被他弄光了，那能〔……〕人家？便想起鳳姐待他刻薄，要趁賈璉不在家，要擺布巧姐出氣，遂把這個當叫賈芸〔……〕上，故意的埋怨賈芸道："你們年紀又大，放着弄銀錢的事又不敢辦，倒和我沒有〔……〕人相商！"賈芸道："三叔，你這話說的倒好笑！咱們一塊兒頑，一塊兒鬧，那裏有銀〔……〕事？"賈環道："不是前兒有人說是外藩要買個偏房，你們何不和王大舅商量，把巧〔……〕給他呢？"賈芸道："叔叔，我說句招你生氣的話：外藩花了錢買人，還想能和咱們〔……〕麼？"賈環在賈芸耳邊說了些話，賈芸雖然點頭，只道賈環是小孩子的話，也不當事〔……〕好王仁走來說道："你們兩個人商量些什麼，瞞着我麼？"賈芸便將賈環的話附和〔……〕的說了。王仁拍手道："這倒是一種好事，又有銀子，只怕你們不能。若是你們敢〔……〕是親舅舅，做得主的。只要環老三在大太太跟前那麼一說，我找邢大舅再一說，太太〔……〕問起來，你們齊打夥說好就是了。"

賈環等商議定了，王仁便去找邢大舅，賈芸便去回邢、王二夫人，說得錦上添花〔……〕王夫人聽了雖然入耳，只是不信。邢夫人聽得邢大舅知道，心裏願意，便打發人〔……〕邢大舅來問他。那邢大舅已經聽了王仁的話，又可分肥，便在邢夫人跟前說道："〔……〕這位郡王，是極有體面的。若應了這門親事，雖說是不是正配，保管一過了門，姑〔……〕官早復了，這裏的聲勢又好了。"邢夫人本是沒主意人，被傻大舅一番假話，哄〔……〕動，請了王仁來一問，更說得熱鬧。于是邢夫人倒叫人出去追着賈芸去說。王仁〔……〕

人去到外藩公館说了。那外藩不知底細，便要打發人來相看。賈芸又鑽了相看的

说明："原是瞞着合宅的，只说是王府相親。等到成了，他祖母作主，親舅舅的保

是不怕的。"那相看的人應了。賈芸便送信與邢夫人，並回了王夫人。那李紈、寶釵

不知原故，只道是件好事，也都歡喜。那日果然來了幾個女人，都是艷妝麗服。邢夫

接了進去，叙了些閑話。那來人本知是個詰命，也不敢待慢。邢夫人因事未定，也沒

和巧姐说明，只说有親戚來瞧，叫他去見。那巧姐到底是個小孩子，那管這些，便跟

媽媽過來。平兒不放心，也跟着來。只見有兩個宮人打扮，見了巧姐，便渾身上下一

更又起身來，拉着巧姐的手又瞧了一遍，略坐了一坐就走了。倒把巧姐看得羞臊，

房中納悶，想來没有這門親戚，便問平兒。平兒先看見來頭，却也猜着："八九必

親的。但是二爺不在家，大太太作主，到底不知是那府裏的。若说是對頭親，不該

相看。瞧那幾個人的來頭，不像是本支王府，好像是外頭路數。如今且不必和姑

明，且打聽明白再说。"

平兒心下留神打聽。那些丫頭婆子都是平兒使過的，平兒

，所有聽見外頭的風聲都告訴了，平兒便嚇的没了主

雖不和巧姐说，便趕着去告訴了李紈、寶釵，求他二

告訴王夫人。王夫人知道這事不好，便和

人说知。怎奈邢夫人信了兄弟並王仁的

又疑心王夫人不是好意，便说："孫女兒

了，現在璉兒不在家，這件事

做得主。況且是他親舅爺爺和

舅舅打聽的，難道倒比別人不

？我横竪是願意的，倘有什麽

，我和璉兒也抱怨不着別人。"

人聽了這些話，心下暗暗生

邊強说些閑話，便走了出來，告

寶釵，自己落淚。寶玉勸道："太

煩惱，這件事我看來是不成

這又是巧姐兒命裏所招，只求太

管就是了。"王夫人道："你一開

是瘋話。人家说定了，就要接過

依平兒的話，你璉二哥可不抱

麽？別说自己的侄孫女兒，就是

親戚家的, 也是要好才好。邢姑娘是我們作媒的, 配了你二大舅子, 如今和和順順的過日子不好麼? 那琴姑娘, 梅家娶了去, 聽見説是豐衣足食的, 狠好。就是史姑娘, 是他叔的主意, 頭裏原好, 如今姑爺癆病死了, 你史妹妹立志守寡, 也就苦了。若是巧姐兒錯給了人家兒, 可不是我的心壞?" 正説着, 平兒過來瞧寶釵, 並探聽邢夫人的口氣, 寶釵將邢夫人的話説了一遍, 平兒呆了半天, 跪下求道: "巧姐兒終身, 全仗着太太。若信了人家的話, 不但姑娘一輩子受了苦, 是便璉二爺回來, 怎麼説呢?" 王夫人道: "你是個明白人, 起來聽我説。巧姐兒到底是大太太孫女兒, 他要作主, 我能攔他麼?" 寶玉勸道: "無妨礙的, 只要明白就是了。" 平兒生怕寶玉瘋顛嚷出來, 也並不言語, 回了邢夫人, 竟自去了。

　　這裏王夫人想到煩悶, 一陣心痛, 叫丫頭扶着, 勉强回到自己房中躺下, 不叫寶玉、寶釵過來, 説: "睡睡就好的。" 自己卻也煩悶。聽見説李嬸娘來了, 也不及接待。

見賈蘭進來請了安, 回道: "早爺爺那裏打發人帶了書子來, 外頭小子們傳進來的。我母親接了, 正要過來, 因我老娘來了, 叫我先送給太太瞧, 回來我母親就過來回太太, 還説我老娘要來呢。" 説着, 一面把書子呈上。王夫人一面接書, 一面問道: "你老娘來作什麼?" 賈蘭道: "我也不知道。我只見我老娘説是要給我姨兒的婆婆家有什麼信了。" 王夫人聽了, 想起來前次給甄寶玉説了李綺, 放定下茶, 想來此時甄家要過門, 所以李嬸娘來商量這件事情, 便點點頭兒。一面拆信, 見上面寫着道:

　　　近因沿途俱係海疆凱旋船隻, 不能迅速前行。聞探姐隨翁婿來都, 不知曾有信接到璉侄手票, 知大老爺身體欠安, 亦不知已有確信否? 寶玉、蘭哥場期已近, 務須實功, 不可怠惰。老太太靈柩抵家尚需日時, 我身體平善, 不必挂念。此諭寶玉等知道。

手書。蓉兒另稟。

　　王夫人看了，仍舊遞給賈蘭説：“你拿去給你二叔叔瞧瞧，還交給你母親罷。”正□着，李紈同李嬸娘過來，請安問好畢，王夫人讓了坐。李嬸娘便將甄家要娶李綺的□了一遍，大家商議了一會子。李紈因問王夫人道：“老爺的書子，太太看過了麼？”□人道：“看過了。”賈蘭便拿着給他母親瞧。李紈看了道：“三姑娘出門了好幾年，□有來。如今要回京了，太太也放了好些心。”王夫人道：“我本是心痛，看見探丫頭□來了，心裏略好些。只是不知幾時才到。”李嬸娘便問了賈政在路好。李紈因向賈□道：“哥兒瞧見了？場期近了，你爺爺惦記的什麼是的。你快拿了去給二叔叔瞧去□”李嬸娘道：“他們爺兒兩個又没進過學，怎麼能下場呢？”王夫人道：“他爺爺做糧□起身時，給他們爺兒兩個援了例監了。”李嬸娘點頭。賈蘭一面拿着書子出來，來□玉。

　　却説寶玉送了王夫人去後，正拿着《秋水》一篇在那裏細玩。寶釵從裏間走出，見□的得意忘言，便走過來一看，見也這個，心裏着實煩悶，細想：“他只顧把這些出□羣的話當作一件正經事，終久不妥。看他這種光景，料勸不過來，便坐在寶玉旁□怔怔的坐着。寶玉見他這般，便道：“你這又是爲什麼？”寶釵道：“我想你我既爲夫□，便是我終身的倚靠，却不在情欲之私。論起榮華富貴，原不過是過眼烟雲，但自□賢，以人品根柢爲重……”寶玉也没聽完，把那書本擱在旁邊，微微的笑道：“據□‘人品根柢’，又是什麼‘古聖賢’，你可知古聖賢説過‘不失其赤子之心’。那赤子□麼好處？不過是無知、無識、無貪、無忌。我們生來已陷溺在貪嗔痴愛中，猶如污□一般，怎麼能跳出這般塵網？如今才曉得‘聚散浮生’四字，古人説了，曾不提醒一□既要講到人品根柢，誰是到那太初一步地位的？”寶釵道：“你既説‘赤子之心’，古□原以忠孝爲赤子之心，並不是遁世離羣、無關無係爲赤子之心。堯、舜、禹、湯、周、□刻以救民濟世爲心，所謂赤子之心，原不過是‘不忍’二字。若你方才所説的忍于□天倫，還成什麼道理？”寶玉點頭笑道：“堯、舜不强巢、許，武、周不强夷、齊。”寶□等他説完，便道：“你這個話益發不是了。古來若都是巢、許、夷、齊，爲什麼如今□把堯、舜、周、孔稱爲聖賢呢？況且你自比夷、齊，更不成話。伯夷、叔齊原是生在□世，有許多難處之事，所以才有託而逃。當此聖世，咱們世受國恩，祖父錦衣玉□况你自有生以來，自去世的老太太以及老爺太太視如珍寶，你方才所説，自己想□，是與不是？”

　　寶玉聽了，也不答言，只有仰頭微笑。寶釵因又勸道：“你既理屈詞窮，我勸你從□心收一收，好好的用用功。但能博得一第，便是從此而止，也不枉天恩祖德了。”□點了點頭，嘆了口氣説道：“一第呢，其實也不是什麼難事，倒你這個‘從此而止，

不枉天恩祖德'，却還不離其宗。"寶釵未及答言，襲人過來說道："剛才二奶奶說的
聖先賢，我們也不懂。我只想着我們這些人從小兒辛辛苦苦跟着二爺，不知陪了多
小心，論起理來，原該當的，但只二爺也該體諒體諒。况且二奶奶替二爺在老爺太
跟前行了多少孝道，就是二爺不以夫妻爲事，也不可太辜負了人心。至于神仙那
層，更是謊話，誰見過有走到凡間來的神仙呢？那裏來的這麼個和尚，說了些混話
爺就信了真。二爺是讀書的人，難道他的話比老爺太太還重麼？"寶玉聽了，低頭
語。襲人還要說時，只聽外面脚步走響，隔着窗户問道："二叔在屋裏呢麼？"寶玉聽
是賈蘭的聲音，便站起來笑道："你進來罷。"寶釵也站起來。賈蘭進來，笑容可掬的
寶玉、寶釵請了安，問了襲人的好。襲人也問了好，便把書子呈給寶玉瞧。寶玉接在
中看了，便道："你三姑姑回來了。"賈蘭道："爺爺既如此寫，自然是回來的了。"寶
點頭不語，默默如有所思。賈蘭便問："叔叔看見爺爺後頭寫的，叫咱們好生念書
叔叔這一成子只怕總没作文章罷？"寶玉笑道："我也要作幾篇熟一熟手，好去誆這
功名。"賈蘭道："叔叔既這樣，就擬幾個題目，我跟着叔叔作作，也好進去混場。別
那時交了白卷子，惹人笑話。不但笑話我，人家連叔叔都要笑話了。"寶玉道："你也
至如此。"說着，寶釵命賈蘭坐下。寶玉仍坐在原處，賈蘭側身坐了，兩個談了一回
不覺喜動顔色。寶釵見他爺兒兩個談得高興，便仍進屋裏去了，心中細想："寶玉此
光景，或者醒悟過來了；只是剛才說話，他把那'從此而止'四字單單的許可，這
知是什麼意思了。"寶釵尚自猶豫，惟有襲人看他愛講文章，提到下場，更又欣然
裏想道："阿彌陀佛！好容易講《四書》是的，才講過來了。"這裏寶玉和賈蘭講文，
沏過茶來，賈蘭站起來接了，又說了一會子下場的規矩，並請甄寶玉在一處的話
玉也甚似願意。

一時賈蘭回去，便將書子留給寶玉了。那寶玉拿着書子，笑嘻嘻走進來遞給
收了，便出來將那本《莊子》收了，把幾部向來最得意的如《參同契》、《元命苞》、《
會元》之類，叫出麝月、秋紋、鶯兒等都搬了擱在一邊。寶釵見他這番舉動，甚爲
因欲試探他，便笑問道："不看他倒是正經，但又何必搬開呢？"寶玉道："如今才明
來了，這些書都算不得什麼，我還要一火焚之，方爲乾净。"寶釵聽了，更欣喜異常
聽寶玉口中微吟道：

*寶玉聽到這裏，又覺塵心一動，連忙斂神定息，微微的笑道："據你說來，我是有造化
你們姑娘也是有造化的，你呢？"鶯兒把臉飛紅了，勉强道："我們不過當丫頭一輩
咧，有什麼造化呢？"寶玉笑道："果然能够一輩子是丫頭，你這個造化比我們還大
鶯兒聽見這話，似乎又是瘋話了，恐怕自己招出寶玉的病根來，打算着要走。只見寶
着說道："傻丫頭，我告訴你罷。"*

戴敦

內典語中無佛性，金丹法外有仙舟。

　　寶釵也没狠聽真，只聽得"無佛性"、"有仙舟"幾個字，心中轉又狐疑，且看他[　]光景。寶玉便命麝月、秋紋等收拾一間静室，把那些語録名稿及應制詩之類都找出[　]攤在静室中，自己却當真静静的用起功來。寶釵這才放了心。那襲人此時真是聞所[　]聞，見所未見，便悄悄的笑着向寶釵道："到底奶奶説話透徹，只一路講究，就把二[　]明白了。就只可惜遲了一點兒，臨場太近了。"寶釵點頭微笑道："功名自有定數，[　]不中，倒也不在用功的遲早。但願他從此一心巴結正路，把從前那些邪魔永不沾染[　]是好了。"説到這裏，見房裏無人，便悄説道："這一番悔悟回來，固然狠好，但只一[　]怕又犯了前頭的舊病，和女孩兒們打起交道來，也是不好。"襲人道："奶奶説的也[　]二爺自從信了和尚，才把這些姐妹冷淡了；如今不信和尚，真怕又要犯了前頭的舊[　]呢。我想奶奶和我，二爺原不大理會。紫鵑去了，如今只他們四個，這裏頭就是五[　]些個狐媚子，聽見説他媽求了大奶奶和奶奶，説要討出去給人家兒呢，但是這兩天[　]在這裏呢。麝月、秋紋雖没别的，只是二爺那幾年也都有些頑頑皮皮的。如今算來[　]鶯兒，二爺倒不大理會，況且鶯兒也穩重。我想倒茶弄水，只叫鶯兒帶着小丫頭們[　]就够了，不知奶奶心裏怎麽樣？"寶釵道："我也慮的是這些，你説的倒也罷了。"從[　]派鶯兒帶着小丫頭伏侍。

　　那寶玉却也不出房門，天天只差人去給王夫人請安。王夫人聽見他這番光景，[　]種欣慰之情，更不待言了。到了八月初三這一日，正是賈母的冥壽。寶玉早晨過來[　]頭，便回去仍到静室中去了。飯後，寶釵、襲人等都和姊妹們跟着邢、王二夫人在前[　]屋裏説閑話兒。寶玉自在静室冥心危坐，忽見鶯兒端了一盤瓜果進來，説："太太[　]送來給二爺吃的。這是老太太的克什。"寶玉站起來答應了，復又坐下，便道："擱[　]裏罷。"鶯兒一面放下瓜裏，一面悄悄向寶玉道："太太那裏夸二爺呢。"寶玉微笑[　]又道："太太説了，二爺這一用功，明兒進場下了出來，明年再中了進士作了官，老[　]太可就不枉了盼二爺了。"寶玉也只點頭微笑。鶯兒忽然想起那年給寶玉打絡子的[　]寶玉説的話來，便道："真要二爺中了，那可是我們姑奶奶的造化了。二爺還記得[　]年在園子裏，不是二爺叫我打梅花絡子時説的：我們姑奶奶後來帶着我不知到那[　]有造化的人家兒去呢，如今二爺可是有造化的罷咧。"寶玉聽到這裏，又覺塵心一[　]連忙斂神定息，微微的笑道："據你説來，我是有造化的，你們姑娘也是有造化的[　]呢？"鶯兒把臉飛紅了，勉强道："我們不過當丫頭一輩子罷咧，有什麽造化呢？"寶[　]道："果然能够一輩子是丫頭，你這個造化比我們還大呢！"鶯兒聽見這話，似乎又[　]話了，恐怕自己招出寶玉的病根來，打算着要走。只見寶玉笑着説道："傻丫頭，我[　]你罷。"未知寶玉又説出什麽話來，且聽下回分解。

〈第壹佰拾玖回〉

中鄉魁寶玉却塵緣　沐皇恩賈家延世澤

　　話說鶯兒見寶玉說話摸不着頭腦，正自要走，只聽寶玉又說道：「傻丫頭，我告訴你罷：你姑娘既是有造化的，你跟着他，自然也是有造化的了。你襲人姐姐是靠不住的。只要往後你盡心伏侍他就是了，日後或有好處，也不枉你跟着他熬了一場。」鶯兒聽了前頭像話，後頭說的又有些不像了，便道：「我知道了。姑娘還等我呢。二爺要吃果子時，打發小丫頭叫我就是了。」寶玉點頭，鶯兒才去了。一時寶釵、襲人回來，各自房中去了。不題。

　　且說過了幾天，便是場期。別人只知盼望他爺兒兩個作了好文章，便可以高中的了，只有寶釵見寶玉的工課雖好，只是那有意無意之間，却別有一種冷靜的光景。知他要進場了，頭一件，叔姪兩個都是初次赴考，恐人馬擁擠，有什麼失閃；第二件，寶玉自和尚去後，總不出門，雖然見他用功喜歡，只是改的太速太好了，反倒有些信不及，只怕又有什麼變故。所以進場的頭一天，一面派了襲人帶了小丫頭們同着素雲等，給他爺兒兩個收拾妥當，自己又都過了目，好好的擱起預備着；一面過來同李紈回了王夫人，揀家裏的老成管事的多派了幾個，只說怕人馬擁擠碰了。次日，寶玉、賈蘭換了半新不舊的衣服，欣然過來，見了王夫人。王夫人囑咐道：「你們爺兒兩個都是初次下場，但是你們活了這麼大，並不曾離開我一天，就是不在我眼前，也是丫鬟媳婦們圍着，何曾自己孤身睡過一夜？今日各自進去，孤孤恓恓，舉目無親，須要自己保重。早些作完了文章出來，找着家人早些回來，也叫你母親媳婦們放心。"王夫人說着，不免傷心起來。賈蘭聽一句，答應一句。只見寶玉一聲不哼，待王夫人說完了，走過來給王夫人跪下，滿眼流淚磕了三個頭，說道："親生我一世，我也無可答報。只有這一入場，用心作了文章，好好的中個舉人出來時太太喜歡喜歡，便是兒子一輩的事也完了，一輩子的不好，也都遮過去了。"王夫人聽了，更覺傷心起來，便道："你有這個心，自然是好的，可惜你老太太不能見你的了。"一面說，一面拉他起來。那寶玉只管跪着，不肯起來，便說道："老太太見與不見，總是知道的，喜歡的。既能知道了，喜歡了，便不見也和見了的一樣，只不過隔了形，並非隔了神氣啊。"

　　李紈見王夫人和他如此，一則怕勾起寶玉的病來，二則也覺得光景不大吉祥，走過來說道："太太，這是大喜的事，爲什麼這樣傷心？況且寶兄弟近來狠知好歹，狠孝順，又肯用功，只要帶了侄兒進去，好好的作文章，早早的回來，寫出來請咱們的世交弟生們看了，等着爺兒兩個都報了喜，就完了。"一面叫人攙起寶玉來。寶玉却轉過來給李紈作了個揖，說："嫂子放心。我們爺兒兩個都是必中的，日後蘭哥還有大出息，嫂子還要帶鳳冠穿霞帔呢。"李紈笑道："但願應了叔叔的話，也不枉……"說到這裏恐怕又惹起王夫人的傷心來，連忙咽住了。寶玉笑道："只要有了個好兒子，能够接續祖基，就是大哥哥不能見，也算他的後事完了。"李紈見天氣不早了，也不肯儘着和他說話，只好點點頭兒。此時寶釵聽得早已呆了。這些話，不但寶玉，便是王夫人、李紈所說句句都是不祥之兆，却又不敢認真，只得忍淚無言。那寶玉走到跟前，深深的作了一揖。衆人見他行事古怪，也摸不着是怎麼樣，又不敢笑他。只見寶釵的眼淚直流下來，衆人更是納罕。又聽寶玉說道："姐姐，我要走了。你好生跟着太太，聽我的喜信兒罷。"寶釵道："是時候了，你不必說這些嘮叨話了。"寶玉道："你倒催的我緊，我自己也知道該走了。"回頭見衆人都在這裏，只沒惜春、紫鵑，便說道："四妹妹和紫鵑姐姐跟前，替我說一句罷，橫竪是再見就完了。"衆人見他的話又像有理，又像瘋話，大家只說他從沒出過門，都是太太的一套話招出來的，不如早早催他去了就完了事了，便說道："有人等你呢，你再鬧就誤了時辰了。"寶玉仰面大笑道："走了，走了，不用胡鬧了，完了事了。"衆人也都笑道："快走罷。"獨有王夫人和寶釵娘兒兩個，倒像生離死別的一般，那眼淚也不知從那裏來的，直流下來，幾乎失聲哭出。但見寶玉嘻天哈地，大有瘋傻之狀，遂從此出門走了。正是：

　　　　走求名利無雙地，打出樊籠第一關。

寶玉仰面大笑道："走了，走了，不用胡鬧了，完了事了。"衆人也都笑道："快走罷。"獨有王夫人和寶釵娘兒兩個，倒像生離死別的一般，那眼淚也不知從那裏來的，直流下來，幾乎失聲哭出。但見寶玉嘻天哈地，大有瘋傻之狀。

戴敦邦

沐皇恩賈家延世澤

　　不言寶玉、賈蘭出門赴考。且説賈環見他們考去，自己又氣又恨，便自大爲王
"我可要給母親報仇了！家裏一個男人沒有，上頭大太太依了，我還怕誰！"想定了主
跑到邢夫人那邊請了安，説了些奉承的話。那邢夫人自然喜歡，便説道："你這才
理的孩子呢！像那巧姐兒的事，原該我做主的，你璉二哥糊塗，放着親奶奶，倒託
去！"賈環道："人家那頭兒也説了，只認得這一門子，現在定了，還要備一份大禮
太太呢。如今太太有了這樣的藩王孫女婿兒，還怕大老爺沒大官做麼？不是我説自
太太，他們有了元妃姐姐，便欺壓的人難受，——將來巧姐兒別也是這樣沒良心，
去問問他。"邢夫人道："你也該告訴他，他才知道你的好處。只怕他父親在家，也
出這麼門子好親事來。但只平兒那個糊塗東西，他倒説這件事不好，説是你太太也
意，想來恐怕我們得了意。若遲了，你二哥回來，又聽人家的話，就辦不成了。"賈環
"那邊都定了，只等太太出了八字，王府的規矩，三天就要來娶的。但是一件，只怕
不願意：那邊説是不該娶犯官的孫女，只好悄悄的抬了去，等大老爺免了罪做了官
大家熱鬧起來。"邢夫人道："這有什麼不願意？也是禮上應該的。"賈環道："既這麼
這帖子太太出了就是了。"邢夫人道："這孩子又糊塗了！裏頭都是女人，你叫薔哥
了一個就是了。"賈環聽説，喜歡的了不得，連忙答應了出來，趕着和賈芸説了，邀
仁到那外藩公館立文書、兌銀子去了。

　　那知剛才所説的話，早被跟邢夫人的丫頭聽見。那丫頭是求了平兒才挑上的
抽空兒趕到平兒那裏，一五一十的都告訴了。平兒早知此事不好，已和巧姐細細
明。巧姐哭了一夜，必要等他父親回來作主，大太太的話不能遵。今兒又聽見這話
大哭起來，要和太太講去。平兒急忙攔住道："姑娘且慢着，大太太是你的親祖母
説二爺不在家，大太太做得主的，況且還有舅舅做保山。他們都是一氣，姑娘一個
那裏説得過呢？我到底是下人，説不上話去。如今只可想法兒，斷不可冒失的。"
人那邊的丫頭道："你們快快的想主意，不然可就要抬走了。"説着，各自去了。平
過頭來，見巧姐哭作一團，連忙扶着道："姑娘哭是不中用的，如今是二爺毅不
見他們的話頭……"這句話還沒説完，只見邢夫人那邊打發人來告訴："姑娘大
事來了！叫平兒將姑娘所有應用的東西料理出來，若是賠送呢，原説明了等二爺
再辦。"平兒只得答應了。回來又見王夫人過來，巧姐兒一把抱住，哭得倒在懷裏
夫人也哭道："姐兒，不用着急。我爲你吃了大太太好些話，看來是扭不過來的。
只好應着緩下去，即刻差個家人趕到你父親那裏去告訴。"平兒道："太太還不
麼？早起三爺在大太太跟前説了，什麼外藩規矩，三日就要過去的。如今大太太

兒寫了名字年庚去了，還等得二爺麼！"王夫人聽説是三爺，便氣得説不出話來，
半天，一疊聲叫人找賈環。找了半日，人回今早同薔哥兒、王舅爺出去了。王夫人
"芸哥兒呢?"衆人回説:"不知道。"巧姐屋內人人瞪眼，一無方法。王夫人也難和邢
爭論，只有大家抱頭大哭。

有個婆子進來回説:"後門上的人説，那個劉老老又來了。"王夫人道:"咱們家遭
這樣事，那有工夫接待人?不拘怎麼回了他去罷。"平兒道:"太太該叫他進來，他是
的乾媽，也得告訴告訴他。"王夫人不言語，那婆子便帶了劉老老進來，各人見了
。劉老老見衆人的眼圈兒都是紅的，也摸不着頭腦，遲了一會子便問道:"怎麼
太太姑娘們必是想二姑奶奶了。"巧姐兒聽見提起他母親，越發大哭起來。平兒
"老老別説閑話。你既是姑娘的乾媽，也該知道的。"便一五一十的告訴了，把個劉
也唬怔了。等了半天，忽然笑道:"你這樣一個伶俐姑娘，沒聽見過鼓兒詞麼?這
的方法多着呢。這有什麼難的?"平兒趕忙問道:"老老，你有什麼法兒，快説罷！"
老道:"這有什麼難的呢?一個人也不叫他們知道，扔崩一走，就完了事。"平兒
這可是混説了。我們這樣人家的人，走到那裏去?"劉老老道:"只怕你們不走，你
走，就到我屯裏去，我就把姑娘藏起來，即刻叫我女婿弄了人，叫姑娘親筆寫個
，趕到姑老爺那
少不得他就來了，
好麼?"平兒道:
太太知道呢?"劉
道:"我來，他們
麼?"平兒道:"大
住在後頭，他待
薄，有什麼信没
給他的。你若前
來，就知道了;如
後門來的，不妨
劉老老道:"咱們
了幾時，我叫女
了車來接了去。"
道:"這還等得幾

時呢！你坐着罷。"急忙進去將劉老老的話，避了旁人告訴了。

王夫人想了半天，不妥當。平兒道："只有這樣。爲的是太太，才敢說明。太太就知道，回來倒問大太太。我們那裏就有人去，想二爺回來也快。"王夫人不言語，嘆口氣。巧姐兒聽見，便和王夫人道："只求太太救我！橫竪父親回來，只有感激的。"道："不用說了，太太回去罷。回來只要太太派人看屋子。"王夫人道："掩密些。你們人的衣服鋪蓋是要的。"平兒道："要快走了才中用呢。是他們定了回來，就有了了。"提醒了王夫人，便道："是了，你們快辦去罷，有我呢。"于是王夫人回去，倒過邢夫人說閑話兒，把邢夫人先拌住了。平兒這裏便遣人料理去了，囑咐道："倒別有人進來看見，就說是大太太吩咐的，要一輛車子送劉老老去。"這裏又買囑了看的人雇了車來。平兒便將巧姐裝做青兒模樣，急急去的了。後來平兒只當送人，眼見，也跨上車去了。原來近日賈府後門雖開，只有一兩個人看着，餘外雖有幾個家下因房大人少，空落落的，誰能照應？且邢夫人又是個不憐下人的，衆人明知此事不妥却感念平兒的好處，所以通同一氣，放走了巧姐。邢夫人還自和王夫人說話，那裏理只有王夫人甚不放心，說了一回話，悄悄的走到寶釵那裏坐下，心裏還是惦記着。見王夫人神色恍惚，便問："太太的心裏有什麼事？"王夫人將這事背地裏和寶釵說寶釵道："險得狠！如今得快快兒的叫芸哥兒止住那裏才妥當。"王夫人道："我找兒呢。"寶釵道："太太總要裝作不知，等我想個人去叫大太太知道才好。"王夫人默一任寶釵想人，暫且不言。

且說外藩原是要買幾個使喚的女人，據媒人一面之辭，所以派人相看。相看回去稟明了藩王，藩王問起人家，衆人不敢隱瞞，只得實說。那外藩聽了，知是世戚，便說："了不得！這是有干例禁的，幾乎誤了大事！況我朝覲已過，便要擇日起倘有人來再說，快快打發出去。"這日恰好賈芸、王仁等遞送年庚，只見府門裏頭便說："奉王爺的命：再敢拿賈府的人來冒充民女者，要拿住究治。如今太平時誰敢這樣大膽？"這一嚷，唬得王仁等抱頭鼠竄的出來，埋怨那說事的人，大家掃散。賈環在家候信，又聞王夫人傳喚，急得煩躁起來。見賈芸一人回來，趕着問道了麼？"賈芸慌忙跺足道："了不得，了不得！不知誰露了風了。"還把吃虧的話遍。賈環氣得發怔，說："我早起在大太太跟前說的這樣好，如今怎麼樣處呢？這你們衆人坑了我了！"

正沒主意，聽見裏頭亂嚷，叫着賈環等的名字說："大太太、二太太叫呢。"兩只得蹭進去，只見王夫人怒容滿面，說："你們幹的好事！如今逼死了巧姐兒和平兒

這裏又買囑了看後門的人雇了車來。平兒便將巧姐裝做青兒模樣，急急去的了。　熊藝

慧紫鵑巧姐 千心藿了率將巧儿送給了楼样

自己当送蓉随刘姥姥去了後辰清和蓮郎弟

快快的給我找還尸首來完事！”兩個人跪下，賈環不敢言語，賈芸低頭說道：“孫子不敢幹什麼，爲的是邢舅太爺和王舅爺説給巧妹妹作媒，我們才回太太們的。大太太願意，才叫孫子寫帖兒去的。人家還不要呢，怎麼我們逼死了妹妹呢？”王夫人道：“現在大太太那裏説的，三日内便要抬了走。説親作媒，有這樣的麼？我也不問你們，快把巧姐兒還了我們，等老爺回來再説。”邢夫人如今也是一句話兒説不出了，只有落淚。王夫人便罵賈環説：“趙姨娘這樣混賬的東西，留的種子也是這混賬的！”説着，叫人扶着回到自己房中。那賈環、賈芸、邢夫人三個人互相埋怨，説道：“如今且不用埋怨，想來死是不死的，必是平兒帶了他到那什麼親戚家躲着去了。”邢夫人叫了前後的門 人來罵着問：“巧姐兒和平兒知道那裏去了？”豈知下人一口同音，説是：“太太不必問我們，問當家的爺們就知道了。在大太太也不用鬧，等我們太太問起來我們有話説。要打大家打，要發大家都發。自從璉二爺出了門，外頭鬧的還了得！我們月錢月米是不給的，賭錢喝酒鬧小旦，還接了外頭的媳婦兒到宅裏來，這不是爺們麼！”説得賈芸等頓口無言。王夫人那邊又打發人來催説：“叫爺們快找來！”那賈環等恨無地縫可鑽，又不敢盤問巧姐那邊的人。明知衆人深恨，是必藏起來了。但是這話怎敢在王夫人面前説？只得各處親戚家打聽，毫無蹤迹。裏頭一個邢夫人，外頭賈芸等，這幾天閙的晝夜不寧。

看看到了出場日期，王夫人只盼着寶玉、賈蘭回來。等到晌午，不見回來。王夫人、李紈、寶釵着忙，打發人去到下處打聽。去了一起，又無消息，連去的人也不來。回來又打發一起人去，又不見回來。三個人心裏如熱油熬煎。等到傍晚，有人進來，是賈蘭。衆人喜歡，問道：“寶二叔呢？”賈蘭也不及請安，便哭道：“二叔丟了。”王夫人聽了這話，便怔了半天，也不言語，便直挺挺的躺倒床上，虧得彩雲等在後面扶着，死的叫醒轉來哭着。見寶釵也是白瞪兩眼，襲人等已哭得淚人一般，只有哭着罵道：“糊塗東西！你同二叔在一處，怎麼他就丟了？”賈蘭道：“我和二叔在下處是一處吃、一處睡，進了場，相離也不遠，刻刻在一處的。今兒一早，二叔的卷子早完了，等我呢。我們兩個人一起去交了卷子，一同出來，在龍門口一擠，回頭就不見了。我們接場的人都問我，李貴還説看見的。相離不過數步，怎麼一擠就不見了？現叫李貴分頭的找去，我也帶了人，各處號裏都找遍了，沒有。我所以這時候才回來。”王夫人是哭的一句話也説不出來，寶釵心裏已知八九，襲人痛哭不已。賈薔等不等吩咐，是分頭而去。可憐榮府的人，個個死多活少，空備了接場的酒飯。賈蘭也忘却了辛苦，還要自己找去，倒是王夫人攔住道：“我的兒，你叔叔丟了，還禁得再丟了你麼？

巧姐裝做青兒模樣。

劉旦宅

巧姐避禍

子，你歇歇去罷。”賈蘭那裏肯走？尤氏等苦勸不止。衆人中只有惜春心裏却明白，只不好説出來，便問寶釵道：“二哥哥帶了玉去了没有？”寶釵道：“這是隨身的東○，怎麼不帶？”惜春聽了，便不言語。襲人想起那日搶玉的事來，也是料着那和尚作○，柔腸幾斷，珠淚交流，嗚嗚咽咽哭個不住，追想當年寶玉相待的情分：“有時慪他○，便惱了，也有一種令人回心的好處，那温存體貼是不用説了；若慪急了，他便賭○做和尚，那知道今日却應了這句話。”

　　看看那天已覺是四更天氣，並没有個信兒。李紈又怕王夫人苦壞了，極力的勸○房，衆人都跟着伺候。只有邢夫人回去，賈環躲着不敢出來。王夫人叫賈蘭去了，○無眠。次日天明，雖有家人回來，都説没有一處不尋到，實在没有影兒。于是薛姨媽○蝌、史湘雲、寶琴、李嬸等接二連三的過來請安問信。如此一連數日，王夫人哭得○不進，命在垂危。忽有家人回道：“海疆來了一人，口稱統制大人那裏來的，説我們○三姑奶奶明日到京了。”王夫人聽説探春回京，雖不能解寶玉之愁，那個心略放了○。到了明日，果然探春回來，衆人遠遠接着，見探春出跳得比先前更好，服采鮮明○了王夫人形容枯槁，衆人眼腫腮紅，便也大哭起來。哭了一會，然後行禮。看見惜○姑打扮，心裏狠不舒服。又聽見寶玉心迷走失，家中多少不順的事，大家又哭起來○虧得探春能言，見解亦高，把話來慢慢兒的勸解了好些時，王夫人等略覺好些。再○三姑爺也來了，知有這樣的事，探春住下勸解。跟探春的丫頭老婆也與衆姐妹們相○各訴別後的事。從此上上下下的人，竟是無晝無夜，專等寶玉的信。

　　那一夜五更多天，外頭幾個家人進來，到二門口報喜。幾個小丫頭亂跑進來，○及告訴大丫頭了，進了屋子便説：“太太奶奶們大喜！”王夫人打諒寶玉找着了，便○的站起身來，説：“在那裏找着的？快叫他進來！”那人道：“中了第七名舉人。”王夫人○“寶玉呢？”家人不言語，王夫人仍舊坐下。探春便問：“第七名中的是誰？”家人回説○寶二爺。”正説着，外頭又嚷道：“蘭哥兒中了！”那家人趕忙出去接了報單回稟，○中了一百三十名。李紈心下喜歡，因王夫人不見了寶玉，不敢喜形于色。王夫人見○中了，心下也是喜歡，只想：“若是寶玉一回來，咱們這些人，不知怎樣樂呢！”獨有○心下悲苦，又不好掉淚。衆人道喜，説是：“寶玉既有中的命，自然再不會丟的，況天○有迷失了的舉人？”王夫人等想來不錯，略有笑容，衆人便趁勢勸王夫人等多進了○食。只見三門外頭焙茗亂嚷説：“我們二爺中了舉人，是丟不了的了。”衆人問道：“○得呢？”焙茗道：“一舉成名天下聞。如今二爺走到那裏，那裏就知道的，誰敢不送○裏頭的衆人都説：“這小子雖是没規矩，這句話是不錯的。”惜春道：“這樣大人了，○

那莊上也有幾家富户，知道劉老老家來了賈府姑娘，誰不來瞧？都道是天上神仙。熊藝

失的?只怕他勘破世情,入了空門,這就難招着他了。"這句話,又招得王夫人等又哭起來。李紈道:"古來成佛作祖成神仙的,果然把爵位富貴都拋了,也多得狠。"王夫人哭道:"他若拋了父母,這就是不孝,怎能成佛作祖?"探春道:"大凡一個人,不可處。二哥哥生來帶塊玉來,都道是好事,這麼說起來,都是有了這塊玉的不好。若有幾天不見,我不是叫太太生氣,就有些原故了,只好譬如沒有生這位哥哥罷了。來有來頭成了正果,也是太太幾輩子的修積。"寶釵聽了不言語,襲人那裏忍得住?心

裏一疼，頭上一暈，便栽倒了。王夫人見了可憐，命人扶他回去。賈環見哥哥、侄兒中
又爲巧姐的事大不好意思，只抱怨薔、芸兩個。知道探春回來，此事不肯干休，又□
躲開，這幾天竟是如在荊棘之中。

　　明日，賈蘭只得先去謝恩。知道甄寶玉也中了，大家序了同年。提起賈寶玉心□
失，甄寶玉嘆息勸慰。知貢舉的將考中的卷子奏聞，皇上一一的披閱，看取中的文□
俱是平正通達的。見第七名賈寶玉是金陵籍貫，第一百三十名又是金陵賈蘭，皇上□
詢問："兩個姓賈的是金陵人氏，是否賈妃一族？"大臣領命出來，傳賈寶玉、賈蘭問□
賈蘭將寶玉場後迷失的話並將三代陳明，大臣代爲轉奏。皇上最是聖明仁德，想起□
功勛，命大臣查覆。大臣便細細的奏明，皇上甚是憫恤，命有司將賈赦犯罪情由查□
奏。皇上又看到海疆靖寇班師善後事宜一本，奏的是海宴河清，萬民樂業的事。皇□
心大悅，命九卿叙功議賞，並大赦天下。賈蘭等朝臣散後，拜了座師，並聽見朝內有□
的信，便回了王夫人等。合家略有喜色，只盼寶玉回來。薛姨媽更加喜歡，便要打□
罪。一日，人報甄老爺同三姑爺來道喜，王夫人便命賈蘭出去接待。不多一回，賈□
來笑嘻嘻的回王夫人道："太太們大喜。甄老伯在朝內聽見有旨意，説是大老爺□
名免了。珍大爺不但免了罪，仍襲了寧國三等世職。榮國世職仍是老爺襲了，俟丁□
滿，仍升工部郎中。所抄家產，全行賞還。二叔的文章，皇上看了甚喜，問知元妃兄□
北靜王還奏説人品亦好。皇上傳旨召見，衆大臣奏稱：'據伊侄賈蘭回稱出場時迷□
現在各處尋訪。'皇上降旨，着五營各衙門用心尋訪。這旨意一下，請太太們放心，
這樣聖恩，再没有找不着了。"王夫人等這才大家稱賀，喜歡起來。

　　只有賈環等心下着急，四處找尋巧姐。那知巧姐隨了劉老老，帶着平兒出了城□
了莊上，劉老老也不敢輕褻巧姐，便打掃上房讓給巧姐、平兒住下。每日供給雖是□
風味，倒也潔净，又有青兒陪着，暫且寬心。那莊上也有幾家富户，知道劉老老家□
賈府姑娘，誰不來瞧？都道是天上神仙，也有送菜果的，也有送野味的，倒也熱鬧。
有個極富的人家，姓周，家財巨萬，良田千頃，只有一子，生得文雅清秀，年紀十四
他父母延師讀書，新近科試中了秀才。那日他母親看見了巧姐，心裏羨慕，自想："
莊家人家，那能配得起這樣世家小姐？"呆呆的想着。劉老老知他心事，拉着他説："
心事，我知道了，我給你們做個媒罷。"周媽媽笑道："你别哄我。他們什麼人家？肯
們莊家人麼！"劉老老道："説着瞧罷。"于是兩人各自走開。劉老老惦記着賈府，叫
進城打聽，那日恰好到寧榮街，只見有好些車轎在那裏。板兒便在鄰近打聽，説是

劉老老聽了得意，便叫人趕了兩輛車，請巧姐、平兒上車。巧姐等在劉老老家住熟了
是依依不捨，更有青兒哭着，恨不能留下。

兩府復了官，賞還抄的家產，如今府裏又要起來了。只是他們的寶玉中了官，不知走到那裏去了。」板兒心裏喜歡，便要回去，又見好幾匹馬到來，在門前下馬。只見門上打旦請安說：「二爺回來了，大喜！大老爺身上安了麼？」那位爺笑着道：「好了。又遇恩就要回來了。」還問：「那些人做什麼的？」門上回說：「是皇上派官在這裏下旨意，叫頂家產。」那位爺便喜歡進去。板兒便知是賈璉了，也不用打聽，趕忙回去告訴了他旦母。劉老老聽說，喜的眉開眼笑，去和巧姐兒賀喜，將板兒的話說了一遍。平兒笑

說道：“可不是虧得老老這樣一辦？不然，姑娘也摸不着那好時候。”巧姐更自歡喜。□
着，那送賈璉信的人也回來了，說是：“姑老爺感激得狠，叫我一到家快把姑娘送回□
又賞了我好幾兩銀子。”劉老老聽了得意，便叫人趕了兩輛車，請巧姐、平兒上車。□
等在劉老老家住熟了，反是依依不捨，更有青兒哭着，恨不能留下。劉老老和他不□
別，便叫青兒跟了進城，一徑直奔榮府而來。

　　且說賈璉先前知道賈赦病重，趕到配所，父子相見，痛哭了一場，漸漸的好起□
璉接着家書，知道家中的事，稟明賈赦回來。走到中途，聽得大赦，又趕了兩天，今□
家，恰遇頒賞恩旨。裏面邢夫人等正愁無人接旨，雖有賈蘭，終是年輕。人報璉二□
來，大家相見，悲喜交集。此時也不及叙話，即到前廳叩見了。欽命大人問了他父親□
說：“明日到內府領賞，寧國府第，發交居住。”衆人起身辭別，賈璉送出門去，見有□
屯車，家人們不許停歇，正在吵鬧。賈璉早知是送巧姐來的車，便罵家人道：“你們□
糊塗忘八崽子！我不在家，就欺心害主，將巧姐兒都逼走了。如今人家送來，還要攔□
必是你們和我有什麼仇麼？”衆家人原怕賈璉回來不依，想來少時才破，豈知賈璉說□
更明，心下不懂，只得站着回道：“二爺出門，奴才們有病的，有告假的，都是三爺、薔□
爺、芸大爺作主，不與奴才們相干。”賈璉道：“什麼混賬東西！我完了事再和你們說□
把車趕進來！”賈璉進去見邢夫人，也不言語，轉身到了王夫人那裏，跪下磕了個頭□
道：“姐兒回來了，全虧太太。環兒弟太太也不用說他了。只是芸兒這東西，他上回□
就鬧亂兒，如今我去了幾個月，便鬧到這樣。回太太的話：這種人，攆了他不往來□
得。”王夫人道：“你大舅子爲什麼也是這樣？”賈璉道：“太太不用說，我自有道理。□
說着，彩雲等回道：“巧姐兒進來了！”見了王夫人，雖然別不多時，想起這樣逃難□
況，不免落下淚來，巧姐兒也便大哭。賈璉謝了劉老老，王夫人便拉他坐下，說起□
的話來。賈璉見平兒，外面不好說別的，心裏感激，眼中流淚。自此賈璉心裏愈敬平□
打算等賈赦等回來，要扶平兒爲正。此是後話，暫且不題。

　　邢夫人正恐賈璉不見了巧姐，是有一番的周折，又聽見賈璉在王夫人那裏，心□
是着急，便叫丫頭去打聽。回來說是巧姐兒同着劉老老在那裏說話，邢夫人才如□
覺，知他們的鬼，還抱怨着：“王夫人調唆我母子不和，到底是那個送信給平兒的？”□
着，只見巧姐同着劉老老帶了平兒，王夫人在後頭跟着進來，先把頭裏的話都說□
芸、王仁身上，說：“大太太原是聽見人說爲的是好事，那裏知道外頭的鬼。”邢夫□
了，自覺羞慚，想起王夫人主意不差，心裏也服。于是邢、王夫人彼此心下相安。平□
了王夫人，帶了巧姐到寶釵那裏來請安，各自提各自的苦處。又說到：“皇上隆恩□
家該興旺起來了，想來寶二爺必回來的。”正說到這話，只見秋紋忽忙來說：“襲人□
了！”不知何事，且聽下回分解。

第壹佰貳拾回

甄士隱詳說太虛情　賈雨村歸結紅樓夢

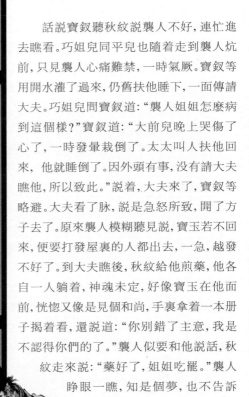

話說寶釵聽秋紋說襲人不好，連忙進去瞧看。巧姐兒同平兒也隨着走到襲人炕前，只見襲人心痛難禁，一時氣厥。寶釵等用開水灌了過來，仍舊扶他睡下，一面傳請大夫。巧姐兒問寶釵道："襲人姐姐怎麼病到這個樣？"寶釵道："大前兒晚上哭傷了心了，一時發暈栽倒了。太太叫人扶他回來，他就睡倒了。因外頭有事，沒有請大夫瞧他，所以致此。"說着，大夫來了，寶釵等略避。大夫看了脉，說是急怒所致，開了方子去了。原來襲人模糊聽見說，寶玉若不回來，便要打發屋裏的人都出去，一急，越發不好了。到大夫瞧後，秋紋給他煎藥，他各自一人躺着，神魂未定，好像寶玉在他面前，恍惚又像是見個和尚，手裏拿着一本冊子揭着看，還說道："你別錯了主意，我是不認得你們的了。"襲人似要和他說話，秋紋走來說："藥好了，姐姐吃罷。"襲人睜眼一瞧，知是個夢，也不告訴人。吃了藥，便自己細細的想："寶玉必是跟了和尚去。上回他要拿玉出去，便是要脫身的樣子，被我揪住，看他竟不像往常，把我混推混揉的，一點情意都沒有。後來待二奶奶更生厭煩，在別的姊妹跟前也是沒有一點情意，這就是悟道的樣子。但是你悟了道，拋了二奶奶，怎麼好？我是太太派我服侍你，雖是月錢照着那樣的分例，其實我究竟沒有

在老爺太太跟前回明，就算了你的屋裏人。若是老爺太太打發我出去，我若死守着叫人笑話；若是我出去，心想寶玉待我的情分，實在不忍。"左思右想，實在難處。剛才的夢，好像和我無緣的話，倒不如死了乾淨。豈知吃藥已後，心痛減了好些，躺着，只好勉強支持。過了幾日，起來服侍寶釵。寶釵想念寶玉，暗中垂淚，自嘆命又知他母親打算給哥哥贖罪，狠費張羅，不能不幫着打算。暫且不表。

且說賈政扶賈母靈柩，賈蓉送了秦氏、鳳姐、鴛鴦的棺木，到了金陵，先安了葬。自送黛玉的靈，也去安葬。賈政料理墳基的事。一日，接到家書，一行一行的看到寶玉蘭得中，心裏自是喜歡；後來看到寶玉走失，復又煩惱，只得趕忙回來。在道兒上又有恩旨赦的旨意，又接家書，果然赦罪復職，更是喜歡，便日夜趕行。一日，行到毗陵方，那天乍寒下雪，泊在一個清淨去處。賈政打發眾人上岸投帖，辭謝朋友，總說即船，都不敢勞動。船中只留一個小廝伺候，自己在船中寫家書，先要打發人起早到到寶玉的事，便停筆抬頭，忽見船頭上微微的雪影裏面，一個人光着頭，赤着腳，身着一領大紅猩猩氈的斗篷，向賈政倒身下拜。賈政尚未認清，急忙出船，欲待扶住問誰，那人已拜了四拜，站起來打了個問訊。賈政才要還揖，迎面一看，不是別人，卻玉。賈政吃一大驚，忙問道："可是寶玉麼?"那人只不言語，似喜似悲。賈政又問道："是寶玉，如何這樣打扮，跑到這裏?"寶玉未及回言，只見船頭上來了兩人，一僧一道住寶玉說道："俗緣已畢，還不快走!"說着，三個人飄然登岸而去。賈政不顧地滑，疾

三個人飄然登岸而去。只聽得他們三人口中不知是那個作歌曰：我所居兮，青埂之峰所游兮，鴻濛太空。誰與我游兮，吾誰與從? 渺渺茫茫兮，歸彼大荒。　　　　顏梅華

見那三人在前，那裏趕得上？只聽得他們三人口中不知是那個作歌曰：

> 我所居兮，青埂之峰。我所游兮，鴻濛太空。誰與我游兮，吾誰與從？渺渺茫茫兮，歸彼大荒。

賈政一面聽着，一面趕去，轉過一小坡，倏然不見。賈政已趕得心虛氣喘，驚疑不□回過頭來，見自己的小廝也是隨後趕來。賈政問道：“你看見方才那三個人麼？”小廝□“看見的。奴才爲老爺追趕，故也趕來。後來只見老爺，不見那三個人了。”賈政還欲□，只見白茫茫一曠野，並無一人。賈政知是古怪，只得回來。

衆家人回船，見賈政不在艙中，問了船夫，說是老爺上岸追趕兩個和尚一個道士去□衆人也從雪地裏尋踪迎去，遠遠見賈政來了，迎上去接着，一同回船。賈政坐下，喘□方定，將見寶玉的話說了一遍。衆人回稟，便要在這地方尋覓。賈政嘆道：“你們不知□這是我親眼見的，並非鬼怪。況聽得歌聲，大有元妙。那寶玉生下時，銜了玉來，便也□，我早知不祥之兆，爲的是老太太疼愛，所以養育到今。便是那和尚道士，我也見□三次。頭一次，是那僧道來說玉的好處；第二次，便是寶玉病重，他來了將那玉持誦□一番，寶玉便好了；第三次，送那玉來，坐在前廳，我一轉眼就不見了。我心裏便有些□，只道寶玉果真有造化，高僧仙道來護佑他的，豈知寶玉是下凡歷劫的，竟哄了老□十九年！如今叫我才明白。”說到那裏，掉了淚來。衆人道：“寶二爺果然是下凡的和□就不該中舉了。怎麼中了才去？”賈政道：“你們那裏知道？大凡天上星宿，山中老□洞裏的精靈，他自具一種性情。你看寶玉何嘗肯念書？他若略一經心，無有不能的。□一種脾氣，也是各別另樣。”說着，又嘆了幾聲。衆人便拿璉哥得中、家道復興的話□一番。賈政仍舊寫家書，便把這事寫上，勸諭合家不必想念了。寫完封好，即着家□□去。賈政隨後趕回，暫且不題。

且說薛姨媽得了赦罪的信，便命薛蝌去各處借貸，並自己湊齊了贖罪銀兩。刑部准□收兌了銀子，一角文書將薛蟠放出。他們母子姊妹弟兄見面，不必細述，自然是悲喜□了。薛蟠自己立誓說道：“若是再犯前病，必定犯殺犯剮！”薛姨媽見他這樣，便要握□，說：“只要自己拿定主意，必定還要妄巴口舌血淋淋的起這樣惡誓麼？只香菱跟了□受了多少的苦處，他媳婦已經自己治死自己了，如今雖說窮了，這碗飯還有得吃，據□主意，我便算他是媳婦了。你心裏怎麼樣？”薛蟠點頭願意，寶釵等也說：“狠該這□”倒把香菱急得臉脹通紅，說是：“伏侍大爺一樣的，何必如此。”衆人便稱起大奶奶□無人不服。薛蟠便要去拜謝賈家，薛姨媽、寶釵也都過來。見了衆人，彼此聚首，又說□一番的話。正說着，恰好那日賈政的家人回家，呈上書子，說：“老爺不日到了。”王夫□叫蘭將書子念給聽。賈蘭念到賈政親見寶玉的一段，衆人聽了，都痛哭起來，王夫□寶釵、襲人等更甚。大家又將賈政書內叫家內不必悲傷，原是借胎的話解說了一番：

"與其作了官，倘或命運不好，犯了事，□家敗產，那時倒不好了；寧可咱們家出□位佛爺，倒是老爺太太的積德，所以□投到咱們家來。不是説句不顧前後□話，當初東府裏太爺，倒是修煉了十幾□也沒有成了仙，這佛是更難成的。太太這□一想，心裏便開豁了。"王夫人哭着和薛姨□道："寶玉拋了我，我還恨他呢。我嘆□是媳婦的命苦，才成了一二年的親，□麼他就硬着腸子都撂下了走了呢□薛姨媽聽了，也甚傷心。寶釵哭得□事不知。所有爺們都在外頭。王夫人□說道："我爲他擔了一輩子的驚，剛剛□

的娶了親，中了舉人，又知道媳婦作了胎，我才喜歡些，不想弄到這樣結局！早知這□就不該娶親，害了人家的姑娘。"薛姨媽道："這是自己一定的。咱們這樣人家，還有什□別的説的嗎？幸喜有了胎，將來生個外孫子，必定是有成立的，後來就有了結果了。你□大奶奶，如今蘭哥兒中了舉人，明年成了進士，可不是就做了官了麼？他頭裏的苦也□吃盡的了，如今的甜來，也是應爲人的好處。我們姑娘的心腸兒，姊姊是知道的，並不□刻薄輕佻的人，姊姊倒不必耽憂。"王夫人被薛姨媽一番言語說得極有理，心想："寶□小時候便是廉靜寡欲，極愛素淡的，説所以才有這個事。想來生在世，真有一定數的□着寶釵雖是痛哭，他端莊樣兒一點不走，卻倒來勸我，這是真真難得的！不想寶玉這□一個人，紅塵中福分竟沒有一點兒。"

想了一回，也覺解了好些。又想到襲人身上："若説別的丫頭呢，沒有什麼難處□大的配了出去，小的伏侍二奶奶就是了。獨有襲人，可怎麼處呢？"此時多也不好說□等晚上和薛姨媽商量。那日薛姨媽並未回家，因恐寶釵痛哭，所以在寶釵房中解勸□寶釵卻是極明理，思前想後："寶玉原是一種奇異的人，夙世前因，自有一定，原無可□天尤人。"更將大道理的話告訴他母親了，薛姨媽心裏反倒安了，便到王夫人那裏，先□寶釵的話說了。王夫人點頭嘆道："若説我無德，不該有這樣好媳婦了。"説着更又□起來。薛姨媽倒又勸了一會子，因又提起襲人來，説："我見襲人近來瘦的了不得，□一心想着寶哥兒。但是正配呢，理應守的；屋裏人願守，也是有的。惟有這襲人，雖□算個屋裏人，到底他和寶哥兒並沒有過明路兒的。"王夫人道："我才剛想着，正要□妹商量商量。若説放他出去，恐怕他不願意，又要尋死覓活的；若要留着他也罷，又□

依,所以難處。"薛姨媽道:"我看姨老爺是再不肯叫守着的。再者姨老爺並不知道襲□事,想來不過是個丫頭,那有留的理呢?只要姊姊叫他本家的人來,狠狠的吩咐他,□配一門正經親事,再多多的陪送他些東西。那孩子心腸兒也好,年紀兒又輕,也不枉□姐姐會子,也算姐姐待他不薄了。襲人那裏,還得我細細勸他。就是叫他家的人來,□用告訴他;只等他家裏果然說定了好人家兒,我們還打聽打聽,若果然足衣足食,女□的像個人兒,然後叫他出去。"王夫人聽了道:"這個主意狠是。不然,叫老爺冒冒失□一辦,我可不是又害了一個人了麼。"薛姨媽聽了點頭道:"可不是麼。"又說了幾句,□了王夫人,仍到寶釵房中去了。看見襲人淚痕滿面,薛姨媽便勸解譬喻了一會。襲人□老實,不是伶牙利齒的人,薛姨媽說一句,他應一句,回來說道:"我是做下人的人,□太瞧得起我,才和我說這些話。我是從不敢違拗太太的。"薛姨媽聽他的話:"好一個□的孩子!"心裏更加喜歡。寶釵又將大義的話說了一遍,大家各自相安。

　　過了幾日,賈政回家,衆人迎接。賈政見賈赦、賈珍已都回家,弟兄叔侄相見,大家□別來的景況,然後內眷們見了,不免想起寶玉來,又大家傷了一會子心。賈政喝住□"這是一定的道理!如今只要我們在外把持家事,你們在內相助,斷不可仍是從前這□散漫。別房的事,各有各家料理,也不用總承。我們本房的事,裏頭全歸于你,都要□而行。"王夫人便將寶釵有孕的話也告訴了,將來丫頭們都放出去,賈政聽了,點頭□。次日,賈政進內請示大臣們,說是:"蒙恩感激,但未服闋,應該怎麼謝恩之處,望□人們指教。"衆朝臣說是代奏請旨,于是聖恩浩蕩,即命陛見。賈政進內謝了恩,聖□降了好些旨意,又問起寶玉的事來,賈政據實回奏。聖上稱奇,旨意說寶玉的文章□清奇,想他必是過來人,所以如此。若在朝中,可以進用;他既不敢受聖朝的爵位,□了一個"文妙真人"的道號,賈政又叩頭謝恩而出。回到家中,賈璉、賈珍接着。賈政□內的話述了一遍,衆人喜歡。賈珍便回說:"寧國府第收拾齊全,回明了要搬過去。□庵圈在園內,給四妹妹靜養。"賈政並不言語,隔了半日,却吩咐了一番"仰報天恩"□。賈璉也趁便回說:"巧姐親事,父親太太都願意給周家爲媳。"賈政昨晚也知巧姐□末,便說:"大老爺大太太作主就是了。莫說村居不好,只要人家清白,孩子肯念書,□上進。朝裏那些官兒,難道都是城裏的人麼?"賈璉答應了"是",又說:"父親有了年□況且又有痰症的根子,靜養幾年,諸事原仗二老爺爲主。"賈政道:"提起村居養靜,□我意,只是我受恩深重,尚未酬報耳。"賈政說畢進內。賈璉打發請了劉老老來,應□件事。劉老老見了王夫人等,便說些將來怎樣升官,怎樣起家,怎樣子孫昌盛。

　　正說着,丫頭回道:"花自芳的女人進來請安。"王夫人問幾句話,花自芳的女人將□作媒,說的是城南蔣家的,現在有房有地,又有鋪面,姑爺年紀略大幾歲,並沒有□的,況且人物兒長的是百裏挑一的。王夫人聽了願意,說道:"你去應了,隔幾日進來，再接你妹子罷。"王夫人又命人打聽，都說是好。王夫人便告訴了寶釵，仍請了薛姨媽細細的告訴了襲人。襲人悲傷不已，又不敢違命的，心裏想起寶玉那年到他家去來兒的"死也不回去"的話："如今太太硬作主張，若說我守着，又叫人說我不害臊是去了，實不是我的心願。"便哭得咽哽難鳴。又被薛姨媽、寶釵等苦勸，回過念頭想"我若是死在這裏，倒把太太的好心弄壞了。我該死在家裏才是。"于是襲人含悲辭了眾人，那姐妹分手時，自然更有一番不忍說。襲人懷着必死的心腸，上車回去，見哥哥嫂子，也是哭泣，但只說不出來。那花自芳把蔣家的聘禮送給他看，又把自己辦妝盒一一指給他瞧，說那是太太賞的，那是置辦的，襲人此時更難開口。住了兩日，細想起來："哥哥辦事不錯，若是死在哥哥家裏，豈不又害了哥哥呢？"千思萬想，左右爲難，真是一縷柔腸，幾乎牽斷，只得忍住。那日已是迎娶吉期，襲人本不是那一種潑辣的人，委委屈屈的上轎而去，心裏另想到那裏，再作打算。豈知過了門，見那蔣家辦事極其認真，全都按着正配的規矩，一進了門，丫頭僕婦都稱"奶奶"。襲人此時欲要尋死，這裏，又恐害了人家，辜負了一番好意。那夜原是哭着不肯俯就的，那姑爺卻極柔情曲意的承順。到了第二天開箱，這姑爺看見一條猩紅汗巾，方知是寶玉的丫頭。原來蔣玉函只知是賈母的侍兒，益想不到襲人。此時蔣玉函念着寶玉待他的舊情，倒覺滿心慚愧，更加周旋。又故意將寶玉所換那條松花綠的汗巾拿出來，襲人看了，方知這姓蔣的原來就是蔣玉函，始信姻緣前定。襲人才將心事說出，蔣玉函也深爲嘆息敬服，不敢勉強，並越發溫柔體貼，弄得個襲人真無死所了。

看官聽說：雖然事有前定，無可奈何，但孽子孤臣，義夫節婦，這"不得已"三字也不是一概推委得的。——此襲人所以在"又副冊"也。正是前人過那桃花廟的詩上說：

千古艱難惟一死，傷心豈獨息夫人！

不言襲人從此又是一番天地。且說那賈雨村犯了婪索的案件，審明定罪，今遇赦，遞籍爲民。雨村因叫家眷先行，自己帶了一個小廝，一車行李，來到急流津覺迷渡口。只見一個道者從那渡頭草棚裏出來，執手相迎。雨村認得是甄士隱，也連忙打恭隱道："賈老先生，別來無恙？"雨村道："老仙長到底是甄老先生！何前次相逢，覿面不認？後知火焚草亭，下鄙深爲惶恐。今日幸得相逢，益嘆老仙翁道德高深。奈鄙人下愚不移，致有今日。"甄士隱道："前者老大人高官顯爵，貧道怎敢相認？原因故交，敢贈片言，不意老大人相棄之深。然而富貴窮通，亦非偶然。今日復得相逢，也是一椿奇事。這裏離草庵不遠，暫請膝談，未知可否？"雨村欣然領命，兩人携手而行，小廝驅車隨後。到

空空道人便將賈雨村言了，方把這《石頭記》示看。那雪芹先生笑道："果然是'賈雨村言'了。"

戴敦邦

紅樓夢全圖第一百二十四甄士隱詳說太虛情 賈雨村歸結紅樓夢 戴敦邦之作乙化乙作逢五時值公元壬申歲十九年 滬中予戴敦邦持筆

座茅庵，士隱讓進雨村坐下，小童獻上茶來。雨村便請教仙長超塵的始末，士隱笑〔道〕："一念之間，塵凡頓易。老先生從繁華境中來，豈不知溫柔富貴鄉中有一寶玉乎？"雨〔村〕道："怎麼不知！近聞紛紛傳述，說他已遁入空門。下愚當時也曾與他往來過數次，〔不〕想此人竟有如是之決絕。"士隱道："非也。這一段奇緣，我先知之。昔年我與先生在〔仁〕清巷舊宅門口敘話之前，我已會過他一面了。"雨村驚訝道："京城離貴鄉甚遠，何〔以〕見？"士隱道："神交久矣。"雨村道："既然如此，現今寶玉的下落，仙長定能知之。"〔士隱〕道："寶玉，即寶玉也。那年榮寧查抄之前，釵黛分離之日，此玉早已離世。一為僻禍〔一〕為撮合，從此凰緣一了，形質歸一。又復稍示神靈，高魁貴子，方顯得此玉那天奇地〔異，非〕鍛煉之寶，非凡間可比。前經茫茫大士、渺渺真人携帶下凡，如今塵緣已滿，仍是此〔二〕人携歸本處：這便是寶玉的下落。"

雨村聽了，雖不能全然明白，卻也十知四五，便點頭嘆道："原來如此！下愚不知〔。〕那寶玉既有如此的來歷，又何以情迷至此，復又豁悟如此？還要請教。"士隱笑道："此〔事〕說來，老先生未必盡解。太虛幻境，即是真如福地。一番閱冊，原始要終之道，歷歷生〔平，〕如何不悟？仙草歸真，為有通靈不復原之理呢？"雨村聽着，卻不明白了，知仙機，也不〔肯〕更問。因又說道："寶玉之事，既得聞命。接着敝族閨秀如許之多，何元妃以下，算來結〔局〕屬常呢？"士隱嘆息道："老先生莫怪拙言：貴族之女俱屬從情天孽海而來。大凡古〔今女〕子，那'淫'字固不可犯，只這'情'字，也是沾染不得的。所以崔鶯、蘇小，無非仙子塵〔心，〕宋玉、相如，大是文人口孽。凡是情思纏綿，合那結局就不可問了。"雨村聽到這裏，〔不覺〕拈鬚長嘆。因又問道："請教老仙翁，那榮寧兩府，尚可如前？"士隱道："福善禍淫，〔古今〕定理。現今榮寧兩府，善者修緣，惡者悔禍，將來蘭桂齊芳，家道復初，也是自然的〔道〕理。"雨村低了半日頭，忽然笑道："是了，是了！現在他府中有一個名蘭的，已中鄉榜〔，〕恰好應着'蘭'字。適間老仙翁說'蘭桂齊芳'，又道'寶玉高魁子貴'，莫非他有遺腹之〔子，〕可以飛皇騰達的麼？"士隱微微笑道："此係後事，未便預說。"雨村還要再問，士隱〔不答，〕便命人設俱盤飧，邀雨村共食。食畢，雨村還要問自己的終身，士隱便道："老先生〔草庵〕暫歇，我還有一段俗緣未了，正當今日完結。"雨村驚訝道："仙長純修若此，不知尚〔有何〕俗緣？"士隱道："也不過是兒女私情罷了。"雨村聽了，益發驚異："請問仙長，何以出此〔言？"〕士隱道："老先生有所不知，小女英蓮，幼遭塵劫，老先生初任之時，曾經判斷。今雖〔歸薛〕姓，產難完劫，遺一子于薛家，以承宗祧。此時正是緣塵脫盡之時，只好接引接引。"〔說〕說着，拂袖而起。雨村心中恍恍惚惚，就在這急流津覺迷渡口草庵中睡着了。

這士隱自去度脫了香菱，送到太虛幻境，交那警幻仙子對冊。剛過牌坊，見那〔一僧〕一道縹緲而來，士隱接着說道："大士、真人，恭喜，賀喜。情緣完結，都交割清楚了〔麼？"〕那僧道說："情緣尚未全結，倒是那蠢物已經回來了，還得把他送還原所，將他的〔下落〕

月，也不枉他下世一回。"士隱聽了，便拱手而別。那僧道仍攜了玉到青埂峰下，將寶玉

放在女媧煉石補天之處，各自雲游而去。從此後：

> 天外書傳天外事，兩番人作一番人。

這一日，空空道人又從青埂峰前經過，見那補天未用之石仍在那裏，上面字迹，依然

如舊，又從頭的細細看了一遍。見後面偈文後，又歷敘了多少收緣結果的話頭，便點頭嘆

道："我從前見石兄這段奇文，原說可以聞世傳奇，所以曾經抄錄，但未見返本還原。不知

何時，復有此一佳話？方知石兄下凡一次，磨出光明，修成圓覺，也可謂無復遺憾了。只怕

年深日久，字迹模糊，反有舛錯，不如我再抄錄一番，尋個世上清閑無事的人，託他傳遍，

知道奇而不奇，俗而不俗，真而不真，假而不假。或者塵夢勞人，聊倩鳥呼歸去；山靈好

客，更石化飛來，亦未可知。"想畢，便又抄了，仍袖至那繁華昌盛的地方，遍尋了一番，不

是建功立業之人，即係糊口謀衣之輩，那有閑情更去和石饒舌？直尋到急流津覺迷渡口，

草庵中睡着一個人，因想他必是閑人，便要將這抄錄的《石頭記》給他看看。那知那人再

不肯醒。空空道人復又使勁拉他，才慢慢的開眼坐起，便接來草草一看，仍舊擲下道："這

事我已親見親知，你這抄錄的尚無舛錯。我只指與你一個人，託他傳去，便可歸結這一新

鮮公案了。"空空道人忙問何人，那人道："你須待某年某月某日某時到一個悼紅軒中，有

個曹雪芹先生，只說賈雨村言託他如此如此。"說畢，仍舊睡下了。

那空空道人牢牢記着此言，又不知過了幾劫幾世，果然有個悼紅軒，見那曹雪芹

先生正在那裏翻閱歷來的古史。空空道人便將賈雨村言了，方把這《石頭記》示看。那

雪芹先生笑道："果然是'賈雨村言'了。"空空道人便問："先生何以認得此人，便肯替

他傳述？"只見雪芹先生笑道："説你空，原來你肚裏果然空。

這是'假語村言'，但無'魯魚亥豕'以及背謬矛盾之

處，樂得與二三同志酒餘飯飽，雨夕燈窗之下，同消

寂寞，又不必大人先生品題傳世。似你這樣尋根

問底，便是刻舟求劍，膠柱鼓瑟了。"那空空道

人聽了，仰天大笑，擲下抄本，飄然而去。一

面走着，口中説道："果然是敷衍荒唐！不

但作者不知，抄者不知，並閲者也不知：不

過遊戲筆墨，陶情適性而已。"後人見了這

本傳，亦曾題過四句，爲作者緣起之

言，更轉一竿頭云：

> 說到辛酸處，荒唐愈可悲。由來
> 同一夢，休笑世人癡。

圖文版四大名著‧紅樓夢

（第四冊）

作者：曹雪芹　高鶚
繪畫：程十髮等
出版：商務印書館（香港）有限公司
　　　香港筲箕灣耀興道 3 號東匯廣場 8 樓
　　　http://www.commercialpress.com
製版：上海龍櫻彩色製版有限公司
印刷：美雅印刷製本有限公司
　　　九龍官塘榮業街 6 號海濱工業大廈
版次：2005 年 6 月第 1 版第 2 次印刷
　　　ⓒ2001 上海辭書出版社
　　　ⓒ2002 商務印書館（香港）有限公司
　　　ISBN　962　07　4376　8